Folie et déraison à la Renaissance

UNIVERSITE LIBRE DE BRUXELLES

———

Travaux de l'Institut pour l'étude
de la Renaissance et de l'Humanisme

V

FOLIE ET DÉRAISON À LA RENAISSANCE

**Colloque international
tenu en novembre 1973
sous les auspices de la Fédération Internationale des Instituts
et Sociétés pour l'Etude de la Renaissance**

EDITIONS DE L'UNIVERSITE DE BRUXELLES

ISBN 2-8004-0632-1

D/1976/0171/8

© 1976 by **Editions de l'Université de Bruxelles**

Parc Léopold - 1040 Bruxelles (Belgique)

TABLE DES MATIERES

ALLOCUTION DU
DIRECTEUR DE L'INSTITUT INTERUNIVERSITAIRE POUR
L'ETUDE DE LA RENAISSANCE ET DE L'HUMANISME

Mesdames, Messieurs,

Permettez-moi de vous présenter brièvement l'Institut qui a l'honneur de vous accueillir aujourd'hui. L'Institut Interuniversitaire pour l'étude de la Renaissance et de l'Humanisme a été créé en 1960 par la Faculté de Philosophie et Lettres de l'ancienne Université unitaire U.L.B.

En 1969, lors de la création d'une université flamande autonome, la Vrije Universiteit Brussel, l'Institut devint interuniversitaire, rattaché aux Facultés de Philosophie et Lettres de l'U.L.B. et de la V.U.B. Il prouve depuis lors que la collaboration scientifique active et harmonieuse entre deux universités de régime linguistique différent est parfaitement possible.

Les objectifs poursuivis par notre Institut sont énoncés à l'article 1 de nos statuts :

« Il a pour objet l'étude systématique dans tous les secteurs de la pensée et dans toutes les disciplines, de la Renaissance et de l'Humanisme (compris dans son acception historique), et plus particulièrement :

a) de l'Humanisme ' belge ' et de son patrimoine littéraire, artistique, philologique, juridique, historique, philosophique et scientifique ;

b) du développement de la pensée scientifique et libre exaministe, des écrits de doctrine sociale, juridique et politique se rattachant à la Renaissance et à l'Humanisme. »

Nous sommes par conséquent un institut interdisciplinaire. Tel est aussi le caractère et, je crois, l'intérêt particulier des colloques internationaux que nous organisons depuis 1961.

Le premier colloque était consacré à « L'utopie à la Renaissance » ; le second — en 1963 — étudiait « Le soleil à la Renaissance » ; le 3e — en 1965 — avait comme thème « Individu et société à la Renaissance » ; le 4e, tenu en octobre 1968, était consacré à « L'univers à la Renaissance : microcosme et macrocosme ».

Le thème de notre 5e colloque, celui qui s'ouvre ce matin, s'intitule « Folie et déraison à la Renaissance ». Permettez-moi de le commenter brièvement :

C'est un sujet qui, de prime abord, fait songer à l'*Eloge de la Folie* d'Erasme ou au *Narrenschiff* de Sebastien Brant. Mais ses implications débordent largement ces œuvres célèbres. Autour du thème de la folie, *Narrheit* ou *Torheit*, il est possible, entre autres, de grouper les principales productions de la littérature de langue allemande aux alentours de la Réforme ; ainsi il y a, à part l'œuvre de Brant, les satires de Thomas Murner, le recueil des facéties d'Eulenspiegel. A côté de la notion négative de la folie qui, à l'automne du Moyen Age, s'impose aux esprits avec une force véritablement obsessionnelle, — le fou étant celui qui n'est pas parvenu à la connaissance des lois divines et qui n'est pas capable de conformer sa vie aux impératifs de la morale — une acception positive du fol et de la folie se fait jour. Voyez le rôle de la Moria chez Erasme. Mais que le fou soit l'insensé, ou le seul vrai sage dans un monde livré au délire, il porte le même signe extérieur de son isolement : le capuchon à oreilles d'âne, garnies de grelots.

Le thème de la folie, si fructueux en littérature, trouve son expression picturale la plus célèbre dans « la Nef des Fols » (« De Blaue Schute ») de Jérôme Bosch. Mais il a inspiré bien d'autres artistes tels que Breughel, les illustrateurs de Brant (parmi lesquels on a toute raison de présumer le jeune Albrecht Dürer), Quentin Metsijs, d'autres encore. Si l'on quitte le domaine des arts, on pourra signaler le rôle et les privilèges des bouffons à la cour des souverains. Enfin, l'aspect médical et juridique du problème sera, lui aussi, envisagé.

MM.

Le sujet de notre colloque sera donc abordé de différents points de vues, et sous ses divers aspects. Les disciplines représentées sont cette fois-ci : l'histoire de la littérature, l'histoire de l'art, la philosophie ou l'histoire des idées, l'histoire tout simplement, le droit et la médecine.

Je ne pense pas que nous épuiserons le vaste sujet que nous avons choisi pour cette rencontre scientifique. J'espère cependant que celle-ci apportera une contribution valable et originale à l'examen de notre thème et, par là, à l'étude de la Renaissance.

MM.

Dès à présent, je désire adresser le témoignage de notre reconnaissance aux éminents collègues étrangers et belges, qui ont bien voulu apporter leur concours aux travaux de notre 5e colloque.

Je remercie également la Fédération Internationale des Sociétés et Instituts pour l'Etude de la Renaissance (FISIER) qui, une fois de plus, nous a accordé son précieux patronage et dont le nouveau président, notre collègue Léon Halkin de l'Université de Liège, s'est fait représenter par son collaborateur M. Jean-Pierre Massaut à cette séance d'ouverture.

Enfin, j'adresse nos vifs remerciements à nos deux ministères de l'Education nationale et aux autorités académiques de nos deux Universités qui ne nous ont pas ménagé leur appui, tant matériel que moral.

MM.

Les moyens nous font défaut pour organiser un service de traduction qui permettrait à tous les conférenciers de s'exprimer dans leur langue maternelle. Comme nous ne vivons plus au XVIe siècle, où Erasme et les membres de la *res publica studiosorum* se servaient du latin comme langue véhiculaire, les langues de travail de notre colloque et de ses discussions seront le français et l'anglais. En général, cela ne pose pas de problème parmi les *Humanismusforscher* que nous sommes, et auxquels une langue ne saurait par conséquent suffire.

Je donne maintenant la parole au premier conférencier, c'est-à-dire à Monsieur Maurizio Bonicatti, professeur ordinaire à l'Université de Pescara, qui vous parlera du « Concept de la déraison dans la tradition de la culture musicale non religieuse à l'époque de l'humanisme ».

Aloïs GERLO.

Le concept de la déraison dans la tradition de la culture musicale non religieuse à l'époque de l'Humanisme

Maurizio BONICATTI

Professeur ordinaire à l'Université de Pescara

Le thème de cette étude doit partir de certaines prémisses de caractère général sans lesquelles il ne serait pas justifié de rapporter le concept de *déraison* à une époque comme l'Humanisme. Aujourd'hui encore, demeure intacte, dans l'historiographie, une certaine incompatibilité des concepts de *folie* et de *déraison* avec toutes les interprétations de l'Humanisme de la Renaissance, même les plus récentes comme celles de Kristeller, Haydn, Baron, Gilmore, Rubinstein et, parmi les Italiens, Garin. Le premier à avoir attiré l'attention de la critique contemporaine sur les thèmes de la *folie* et de la *déraison* a été, au fond, Enrico Castelli dans la vision d'une herméneutique de l'Humanisme comme insécurité, suivie désormais depuis de nombreuses années.

Jusqu'aux dernières études donc, dans un cadre international, l'interprétation rationaliste de l'Humanisme, en tant que culture doctrinaire et spéculative, a prévalu inconditionnellement.

Dans les recherches particulières des diverses disciplines, par ailleurs, la critique contemporaine semble exclure toute hypothèse d'une *déraison* créatrice et, aujourd'hui encore, on continue à interpréter les *humanités* de la Renaissance en tant que significations et valeurs d'ordre rationnel. Que ce soit pour les disciplines littéraires ou pour les techniques artistiques, il reste donc à établir une méthodologie de la recherche sur les composantes irrationnelles de l'Humanisme.

Le problème d'une *déraison* comme source de créativité — par exemple dans l'architecture et dans d'autres expériences artistiques de la Renaissance — est donc resté complètement étranger à l'historiographie moderne. Tandis qu'une nomenclature critique de l'architecture, de la peinture, de la sculpture, de la littérature et de la philosophie humanistes est chose fréquente et explicable ; il n'en est pas de même pour la musique de l'Humanisme.

La prémisse que nous entendons vérifier dans notre étude est celle selon laquelle les compositions musicales des XVe et XVIe siècles n'ont pas été admises au sein des doctrines et des disciplines de la culture humaniste justement par suite d'un déclassement dans la sphère de la *déraison*.

En effet, en raison de leurs origines populaires et parce que en langue exclusivement « vulgaire », les formes musicales non religieuses les plus originales du XVe siècle se trouvaient automatiquement supprimées de la sphère des intérêts doctrinaires de l'Humanisme : elles étaient considérées comme des produits dépourvus de l'inspiration sublime de l'antiquité classique ; et étant donc étrangères au classicisme normatif de la culture intellectuelle de l'Humanisme, elles ne pouvaient être que le fruit d'une *déraison*. Par conséquent, la musique non religieuse des XVe et XVIe siècles n'a pas pu constituer une tradition officielle parce que se développant hors du système culturel des *studia humanitatis*.

Par rapport aux *studia humanitatis*, ces formes musicales apparaissaient comme non codifiables en une tradition, étant donné le caractère improvisé des contenus populaires les plus authentiques de genres comme la frottola, la villota, les chants carnavalesques et les diverses musiques dansées.

L'autre composante décisive pour la signification de *déraison*, par rapport à la musique non religieuse, dérive de l'hégémonie catholique, comme nous le verrons par la suite.

Par conséquent, bien que cela puisse paraître étrange, dans la grande floraison des études récentes sur l'Humanisme de la Renaissance, il n'existe aucun problème relatif au rôle de la musique non religieuse par rapport aux disciplines des *studia humanitatis*.

Alors que les spécialistes sont d'accord sur le caractère fondamentalement laïc de la nouvelle culture humaniste, le manque d'intérêt pour les problèmes de la culture musicale non religieuse parmi les sciences de la Renaissance semble inexplicable. Et pourtant on sait qu'au moins jusqu'au XIIe siècle — même dans la culture officielle — la musique avait conservé sa dignité traditionnelle de science, classée dans le Quadrivium, aux côtés de l'Arithmétique, de la Géométrie et de l'Astronomie. Cependant lorsque dans la première moitié du XVe siècle les *studia humanitatis* portèrent à la codification des disciplines universitaires en : *Grammaire, Rhétorique, Histoire, Poésie et Philosophie Morale,* alors comme l'a observé Kristeller [1] d'autres disciplines fondamentales demeurèrent exclues du cadre des études humanistes, et parmi elles la Musique ; Kristeller déduit raisonnablement de ce phénomène une preuve irréfutable contre les tentatives répétées d'identifier l'Humanisme de la Renaissance avec la culture de cette période dans son ensemble.

Et, ainsi que dans d'autres techniques artistiques et branches culturelles, l'Humanisme révèle, dans l'expérience musicale, les limites de sa conception abstraite de l'intellectualité. La base de cette conception abstraite se trouve dans le concept d'imitation de l'antiquité classique, institué par les hommes de lettres humanistes, aussi bien pour la musique que pour toute autre forme de culture. Toutefois, tandis que pour d'autres branches des *studia humanitatis*, comme la Grammaire, la Rhétorique ou la Philosophie Morale, on pouvait trouver dans le XVe siècle des œuvres originales de l'antiquité qui puissent fournir des prototypes aux humanistes, il est bien connu, au contraire, que le monde classique n'a laissé aucun témoignage direct dans les compositions musicales. Par conséquent, le concept d'imitation de l'Ancien dans la musique devait être nécessairement fondé par les humanistes seulement sur des traités théoriques et sur des textes philosophiques concernant les problèmes musicaux, de Platon à Boèce. Le caractère de théorisation abstraite prévaut institutionnellement sur la reconnaissance philologique, durant tout le cours de l'Humanisme de la Renaissance : depuis la seconde édition de la *Theorica Musicae* de Franchino Gaffurio (1492) jusqu'au *Dialogo della Musica Antica e della Moderna* de Vincenzo Galilei (1581).

---

[1] *The Classics and Renaissance Thought* (« Martin Classical Lectures » XV - Oberlin College & Harvard University Press 1955) : Edition italienne : *La Tradizione Classica nel Pensiero del Rinascimento,* La Nuova Italia, Firenze, 1°, 1965, pp. 9 et 10.

A l'encontre de ce qui se produisait, par exemple, dans l'architecture ou la sculpture, où les artistes de la Renaissance étaient également des auteurs de traités, comme Leon Battista Alberti, et se proposaient — aussi bien dans la théorisation que dans la conception du projet — de rechercher les canons exemplaires de l'antiquité classique, dans les compositions musicales d'origine populaire des XVᵉ-XVIᵉ siècles, au contraire, une activité théorique des musiciens est totalement inusitée, car ils ne professent aucune volonté de recherche des formes idéales du monde gréco-romain.

Alfred Einstein, dans son œuvre la plus importante dédiée au madrigal, consacrait spécialement un paragraphe — intitulé « The position of the artist » — au rôle social de Marchetto Cara et Bartolomeo Tromboncino auprès de la cour des Gonzague [2]. Il souligne la coïncidence historique de la mort de Johannes Ockeghem (1495) avec la période initiale du succès de Cara et Tromboncino : en dépit de l'importance atteinte dans le rôle officiel d'artistes de la cour des Gonzague, les deux musiciens réalisèrent leur dignité professionnelle respective comme compositeurs et exécutants : mais toujours sous l'aspect de la profession musicale plus technique que « créative », et en aucun cas sur le plan théorique [3]. Et, quoi qu'il en soit, Einstein admet que : « Tromboncino and Cara are neither professional musicians nor independent international celebrities comparable with the great humanists [4]. »

La conséquence la plus importante de la codification — commencée par l'Humanisme — des genres musicaux non religieux se rapporte à l'origine et à la destination de certains genres. Aussi bien l'origine que la destination de genres comme la musette, la pavane et le sautereau ou le « passamezzo », et bien d'autres étaient différentes, dans la réalité historique, par rapport à celles de la version savante — pour ainsi dire — sous laquelle ils nous sont parvenus. La caractéristique spécifique de ces formes musicales et de quelques autres — exception faite de la chanson et du madrigal — est de nous être parvenues seulement à travers une tradition indirecte : nous connaissons, en effet, les divers recueils de musique seulement à travers l'œuvre de révision et de transcription commencée par l'Humanisme littéraire déjà entre le XVᵉ siècle et le XVIᵉ.

Dans un manuscrit du British Museum, l'Add.ms. 29987, fol. 62v - 63v il y a, parmi d'autres formes de danses populaires, trois exemples du sautereau avec un rythme correspondant à la notation moderne de 2/4 ou de 6/8 ; on donne les trois exemples, d'après une édition contemporaine (*The New Oxford History of Music* : éd. italienne : vol. III *Ars Nova e Umanesimo*, 1300-1540, Feltrinelli, 2a, Milan, 1969, p. 466) :

---

[2] *The Italian Madrigal,* Ed. Princeton University Press, Princeton, N.-J., 1971, I, pp. 53-54.

[3] Il n'y a que ce dernier à qui puisse se rapporter l'opinion de Einstein sur la nouvelle dignité que le musicien aurait obtenue alors auprès de la cour de Mantoue (« had his definite place in the hierarchy of the arts and sciences »). *Ibidem,* p. 53.

[4] *Ibidem,* p. 54.

Entre le niveau historique de la composition originaire et celui de l'édition de certaines œuvres musicales profanes, s'interpose donc la phase de recension des textes mais cette recension ne constitue pas uniquement un problème de philologie humaniste : pour porter certaines compositions musicales à l'édition, il était en effet indispensable de leur donner une forme, en un certain sens, « doctrinaire » ; mais cette forme même ne correspondait pas seulement à une exigence éditoriale, du moment que ces musiques étaient recueillies et imprimées pour répondre à une exigence précise, l'exigence d'entrer dans le patrimoine d'une classe socialement plus élevée que celle à laquelle appartenaient à l'origine les compositions musicales dont il est question.

On peut voir, par exemple, le passage entre deux niveaux culturels différents dans la transcription d'une villanella de Gian Domenico da Nola par Adrian Willaert (*The New Oxford History of Music* : éd. italienne : vol. IV, 1 *L'età del Rinascimento*, 1540-1630, p. 60) :

En passant du niveau social originaire à celui plus élevé de la codification littéraire, ces musiques subissaient un inévitable processus de rationalisation typiquement humaniste. Il était inévitable aussi que, dans la codification, fussent perdus les éléments fondamentaux et intrinsèques de la musique populaire non religieuse : c'est-à-dire l'improvisation et la fluidité des variations qui appartiennent à une tradition orale comme celle qui subsiste, à l'origine, dans beaucoup de formes non religieuses du XVᵉ siècle.

Déjà au début de la Renaissance, outre que, comme d'ordinaire, dans les vocalises du « bel canto » les improvisateurs eurent, au cours du XVᵉ siècle, une fonction préétablie en rapport avec la liberté rythmique des récitatifs ; de même, pour les instruments polyphoniques comme — par exemple — le « basso numerato » (accompagnement chiffré) du clavecin ou du luth, on improvisait l'accompagnement des parties vocales. Dans les morceaux instrumentaux, le texte était limité aux premières paroles : dans ces morceaux figurent — en écriture complète — de fréquentes séquences et gammes et ce qu'aujourd'hui nous nommons « notes d'agrément ».

Dans le développement du thème, revenaient, comme de règle, les fugues « arioso », « à l'italienne », caractéristiques des frottolas. Toujours dans ce cadre, on a bien vu, comme une survivance de l'*Ars Nova*, l'habitude, que l'on constate également dans les compositions flamandes, de 1475 à 1525, d'écrire *in extenso* seulement une partition vocale et d'indiquer à l'aide de formules conventionnelles le développement *ad libitum* de la polyphonie [5].

Dans l'écriture des partitions vocales, c'étaient les diverses unités syllabiques qui fournissaient la longueur rythmique du chant, et, partant, cette longueur demeurait libre et variable suivant chaque interprétation.

Mais, encore une fois dans la transcription moderne, on trouve que les valeurs originaires de ces musiques sont adultérées ; en particulier lorsqu'il s'agit de frottolas : dans le septième livre du recueil d'Ottaviano Petrucci (Venise, 1507), on a essayé la vocalise d'une onomatopée qui, à l'origine, n'avait sûrement connu, dans son caractère d'improvisation populaire, aucune partition écrite (*The New Oxford History of Music* : éd. italienne : vol. III, p. 446) :

---

[5] N. BRIDGMAN, « L'epoca di Johannes Ockeghem e di Josquin des Prez », dans : *The New Oxford History of Music* ; édition italienne : *III Ars Nova e Umanesimo* (1300-1540), chap. VIII, Feltrinelli, 2a, Milan, 1969, p. 271.

On sait que la succession historique des phases d'écriture des notations procède — pendant la Renaissance également — des valeurs de hauteur et d'intervalle à celles du rythme avec tous les éléments de durée relatifs.

Au cours du XVIe siècle, on codifia la tradition qui confiait aux chanteurs solistes, aussi bien la libre interprétation rythmique des récitatifs que les « notes d'agrément » et le « coloriage » des partitions écrites. Cela revenait à reconnaître, de manière quasi institutionnelle, l'improvisation déjà affirmée en tant que principe de virtuosité dans les cadences qui — comme on sait — n'étaient pas écrites.

Dans un célèbre exemple tiré d'une des premières éditions d'Ottaviano Petrucci, l'*Harmonice Musice Odhecaton*, on voit une écriture encore tout à fait « simplifiée » : Heinrich Isaak, *Tmeskin vas iunch,* à quatre voix (*The New Oxford History of Music* : éd. italienne : vol. IV, 1, tav. 2) :

2

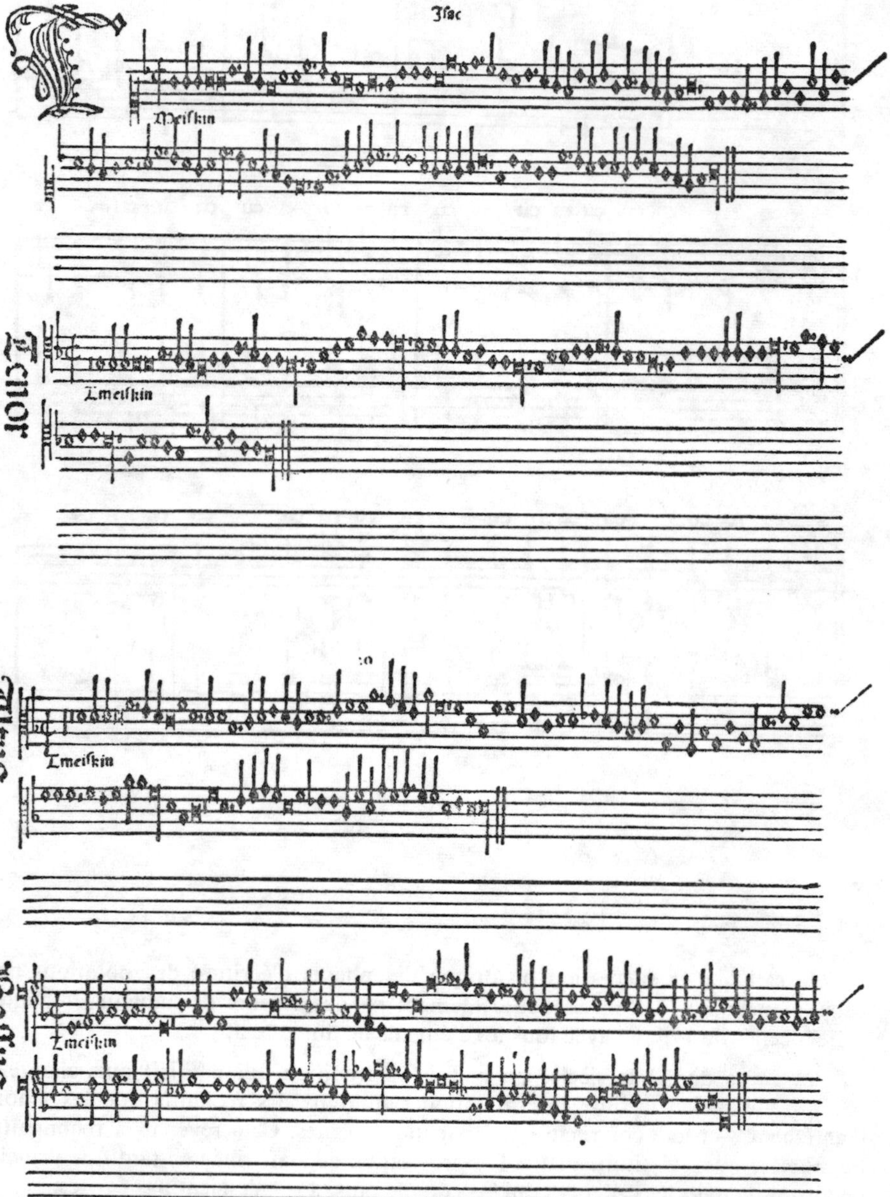
Isac
Meiskin

Il faut rappeler que la tradition de l'improvisation a été en grande partie annulée par la réforme théâtrale de Gluck après une existence historique d'environ un millénaire, commencée avec le rôle des ménestrels du Haut Moyen Age. Ce n'est certainement pas par hasard que durant tout le cours de la Renaissance, du XIVe au XVIe siècle, certaines personnalités déterminantes comme Francesco Landini (1325 environ - 1397) et Paulus Hofheymer (1459-1537) sont demeurées liées à la virtuosité de l'improvisation.

Dans la période de transition entre l'*Ars Nova* de la fin du XIVe et la polyphonie de la première moitié du XVe siècle, naît le concept de *déraison* attribué à un certain niveau de la culture musicale — autrement dit de l'exécution et donc aussi du rôle professionnel des musiciens.

Ce processus d'émargination sociale des musiciens professionnels eut comme cadre historique l'Europe centre-occidentale, les écoles de Liège et de Cambrai, la cour de Charles VI de France et celle de Bourgogne, surtout avec Charles le Téméraire ; dans l'Humanisme italien en particulier, la République de Venise, après le milieu du XVe siècle.

Le concept de *déraison* attribué à la pratique musicale naît évidemment par rapport à un terme absolu de *Raison*. La *Raison* implique la composante rationaliste fondamentale de l'Humanisme dans la codification de la science. On sait que le Néo-platonisme constitua, dans la spéculation humaniste, outre le plus important système philosophique de la Renaissance, mais également la base de la méthode rationnelle dans tous les secteurs de recherche.

Nous avons donc des éléments de preuve pour pouvoir affirmer que ce fut la pensée néo-platonicienne — dont les plus importants théoriciens musicaux de la Renaissance étaient les disciples [6] — qui amena dans la musique du XVe siècle une séparation en deux courants qui devaient demeurer divisés jusqu'à l'Illuminisme. Le courant théorique auquel revient la dignité de science, et le courant pratique, à un niveau culturel nettement subalterne.

La sublimation de la théorétique — propre au Néo-platonisme, également dans la musique — s'oppose donc à la recherche expérimentale : et cette dernière est dégradée par rapport à la théorisation des traités du XVe siècle.

A commencer par Franchino Gaffurio, qui dédie d'abord un traité à la *Theorica Musicae*, parue en édition intégrale en 1492 ; quatre ans plus tard, également à Milan, est publiée la *Practica Musicae siue Musicae actiones*.

Avec la publication de ces deux traités, s'est instituée — pour toute la Renaissance — la grande différence de niveau culturel entre la théorisation sur la doctrine du monde classique, et la *Practica,* c'est-à-dire la composition et l'exécution de musiques dans la réalité vivante de l'époque [7]. Même dans l'édition vénitienne de 1499 de l'*Hypnerotomachia Poliphili* on trouve le symbolisme de la sublimation musicale dans l'emblème classique du *Fons Musarum* (fig. 1).

Dans les deux premiers traités de Gaffurio, on perçoit l'influence de Marsilio Ficino dans l'interprétation de la créativité platonicienne, selon l'ordre vertical bien connu :

---

6 KRISTELLER aussi s'est arrêté sur ce caractère néo-platonicien de la théorie musicale, déjà dans : « Music and Learning in the Early Italian Renaissance », *Journal of Renaissance and Baroque Music,* I (1947), pp. 255-274.

7 Dans le *Lucidario in musica di alcune opinioni antiche e moderne* (1545), Pierre ARON déclare que « il comporre in musica non sia altro che una practica » (Oppenione XV).

MENS

RATIO

IMAGINATIO

Tandis que les créations proprement spéculatives de l'*intellectus* appartiennent au degré supérieur, — la MENS — la pratique de l'imagination fantastique et artistique (dont fait partie la composition musicale) est un produit des degrés inférieurs, et en particulier de l'IMAGINATIO.

L'extension de cette dichotomie, typiquement néoplatonicienne, entre le niveau de la σχέψις et celui de la πρᾶξις, concerne la division gaffurienne de la Musique en *Theorica* et *Practica* : dans cette séparation on perçoit une signification de valeur supérieure, c'est-à-dire scientifique, seulement dans le premier des deux degrés.

Gaffurio proclame explicitement la différence de grade entre le musicien « Theorico » et le musicien « Practico » dans la *Angelicum ac Divinum Opus Musicae* publiée en 1508 - « queste operatione son ascripte al practico » : « el cantare et el cytharizare et el sonare con altri strumenti ».

Cette définition se retrouve dans l'iconographie « moralisée » des humanistes, comme Sebastian Brant ou Peter Vischer. Lorsque la *voluptas* musicale — personnifiée dans l'emblème d'une femme nue — devient la source de la folie du péché (figg. 2-3).

La différence gaffurienne entre le niveau supérieur de la théorisation et celui de l'expérience musicale, correspond aux niveaux de l'esprit spéculatif et imaginatif de Marsilio Ficino. Si, dans cette différence, ne se manifeste pas évidemment le rapport de *Mens-Raison* à *Imaginatio-déraison*, en tant que termes équivalant à *Theorica* et *Practica Musicae* : après Gaffurio toutefois, dans les théorisations musicales successives, on mettra en évidence le caractère scientifique en tant qu'attribut de la seule *Theorica Musicae* : par suite, comme conséquence, la *Practica*, c'est-à-dire l'expérience musicale vivante, se trouvera reléguée dans la catégorie de l'*Imaginatio*, hors du rationalisme humaniste.

Il est significatif qu'une correspondance du rapport gaffurien entre musique *Theorica* et *Practica* se retrouve précisément à cette période — fin du XVe siècle — dans le rapport symbolique entre *Musica coelestis* et *Musica mundana*.

Ainsi, parmi les allégories iconographiques de *Narrenschiff* apparaît le contraste entre les instruments de la musique céleste ou sublime — la harpe et le luth — et les instruments qui sont les emblèmes de l'*ethos* diastaltique — typiquement « mondain » et terrestre : à savoir, les instruments à vent. Ces derniers se trouvent justement représenter la « folie musicale » sous la légende :

STULTITIAE INFAUSTAE CERTISSIMA SIGNA VIDENTUR [8] (fig. 4).

Le même symbolisme se retrouve dans les gravures flamandes sur le thème du *Narrenschiff* (fig. 5).

Nous avons donc ici une allusion emblématique explicite à la *déraison* de la profession musicale. Il faut observer, à ce propos, que dans l'Europe centre-septentrionale, les instrumentistes à vent étaient recherchés surtout s'ils étaient d'origine

---

[8] Ed. de Bâle, Johann Bergmann von Olpe, 1497, c. 62 r.

Finito che la nympha cum comitate blandiſſima hebbe il ſuo beni-
gno ſuaſo & multo acceptiſſima recordatióe, che la mia acrocome Polia
propera & manſuetiſſima leuatoſe cũ gli ſui feſteuoli, & facetiſſimi ſimu-
lachri, ouero ſembianti, & cum punicante gene, & rubéte buccule da ho
neſto, & uenerãte rubore ſuffuſe aptauale di uolere per omni uia ſatiſfare
di natura prompta ad omni uirtute, & dare opera alla honeſta petitio ne·
Non che prima peroe ſe poteſſe cælare & dicio retinere alquáto che ella
intrinſicamente non ſuſpirulaſſe·Ilquale dulciſſimo ſoſpirulo penetroe
reflectendo nel intimo del mio immo ſuo core, per la uniforme conue-

Fig. 1. — *Hypnerotomachia Poliphili,* Venise, 1499 : Allégorie du *Fons Musarum* en relation
avec le symbolisme musical de la Renaissance.

Fig. 2. — Sebastian Brant, *Das Narrenschiff*, Strasbourg, 1497 : Allégorie de la musique comme source de *voluptas*.

Fig. 3. — Peter Vischer, Dessin pour l'*Histori Herculis* de Pangratz Bernhaubt Schwenter, 1515. Berlin-Dahlem, Kupferstichkabinett : Allégorie de la *voluptas* musicale comme source de la folie suprême du péché mortel.

LXII

De impatientia correctionis
Tibia cui fatuo / tantum folatia prębet.
   Nec'curat cytharam : plectra & amęna lyrę :
Hic propere afcendat ftultorum (pofco) carinam :
   Et remos celeri concitet ille manu.

Nõ velle corrigi.

In auribus infipi/
entiũ ne loqueris
qa defpicient do
ctrinã eloquii tui
Mufica in luctu i
portuna narratõ
Cũ dormiente lo
quiť qui enarrat
ftulto fapientiã.
   Non patitur ftul
tus fua verba aut
facta reprēdi.

Prouer. xxiii
Ecclefi. xxii.

Stultitię infauftę certiffima figna videntur
In fatuo . qui non verbis aufcultat amicis :
   Nam ftolidę illius tanta eft correctio mentis :
Audire vt nequeat fapientes digna loquentes.

Fig. 4. — Sebastian Brant, *Das Narrenschiff,* éd. latine par Jacob Locher, Johann Bergmann von Olpe, Bâle, 1497 : Allégorie de la « folie musicale ».

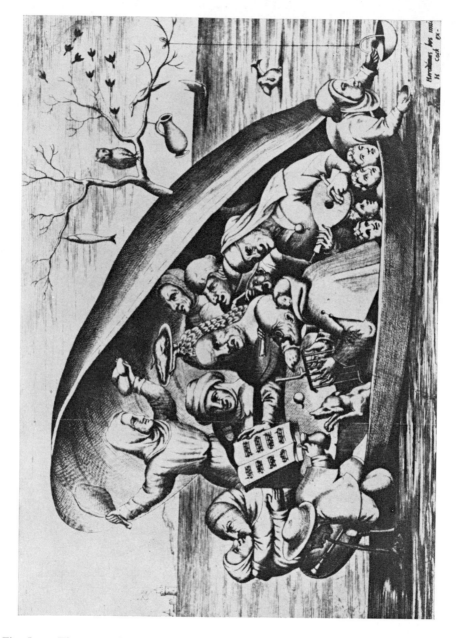

Fig. 5. — Hieronymus Bosch-Hieronymus Cock, Gravure sur le thème du *Narrenschiff* en relation particulière avec le caractère emblématique de la « folie musicale » (1562).

Fig. 6. — Albrecht Dürer, Gravure pour un des frontispices de l'œuvre de Conrad Celtis, *Quatuor libri Amorum secundum quatuor latera Germaniae*, Nuremberg, 1502 : Allégorie de la concordance harmonique quaternaire.

Fig. 7. — Albrecht Dürer, Gravure pour un des frontispices de l'œuvre de Conrad Celtis, *Quatuor libri Amorum secundum quatuor latera Germaniae*, Nuremberg, 1502 : Allégorie du *Fons Musarum*.

italienne ; les cornets et les trombones constituaient de véritables corporations sous le lien d'une expérience technique mûrie à l'intérieur des divers groupes artisanaux. Toutefois la technique des instruments à vent était aussi une prérogative des mercenaires allemands, les lansquenets : et cela contribuait à un déclassement culturel de ces formes instrumentales au moins du point de vue de l'intellectualisme humaniste.

Enfin, une association indirecte entre le type de la « folie musicale » dans *Narrenschiff* et le concept de *déraison* qui lui est rattaché, se trouve dans la nomenclature d'une musique à danser qui revient dans des documents portugais de la fin du XVᵉ siècle : la « *Folia* », dite aussi *Folie d'Espagne*.

Une telle nomenclature implique le concept de *déraison* attribué, d'une manière extensive et moraliste, à la danse et à la musique correspondantes, sur lesquelles pesait une interdiction ecclésiastique.

Par « Folia » on continuait à entendre, aux XVIIᵉ et XVIIIᵉ siècles, la composition harmonique d'autres formes de danse comme le « passamezzo » ancien et la « romanesque ». Il est évident que la dénomination de « Folia », avec la popularité obtenue au cours des XVᵉ et XVIᵉ siècles, remonte à un archétype commun à de nombreuses autres implications de la *déraison* musicale.

Le caractère de science musicale est attribué seulement aux théoriciens par Gioseffo Zarlino, parmi les néo-platoniciens disciples de Gaffurio : il attribue même la dignité de « Musicien » exclusivement aux théoriciens ; dans les *Istitutioni Harmoniche* (1558), Zarlino déclare préjudiciellement que « si conoscerà lo Speculativo esser differente del Prattico [...] ; quello sempre piglia il nome dalla scienza e vien detto Musico » [9]. Pour Zarlino, en effet, la « *Theorica* » gaffurienne est celle à laquelle il faut attribuer une valeur spéculative c'est-à-dire « scientifique ».

Il ne faut pas oublier les conditions historiques et culturelles dans lesquelles, à cette époque à Venise, vers le milieu du XVIᵉ siècle, l'harmonie du madrigal, avec le chromatisme tonal, commence à connaître le grand épanouissement technique suivi avec Adrien Willaert, Nicolò Vicentino, Luca Marenzio.

Adrian Willaert, sonnet *Liete, e pensose, accompagnate, e sole* (Francesco Petrarca) (Alfred Einstein, *The Italian Madrigal*, Princeton University Press, 1971, vol. III, n. 32, pp. XXVIII et 63) :

---

[9] Ed. Francesco Senese, Venise, 1562, p. 7.

Dans un tel cadre, l'écriture polyphonique à quatre voix était devenue normative, indépendamment du symbolisme néo-platonicien de l'harmonie quaternaire (dans la concordance entre les quatre éléments, les quatre tempéraments, les quatre vents, les quatre saisons de l'année, etc.). La signification musicale de cette concordance quaternaire est la base iconographique des gravures dessinées par Dürer pour l'œuvre de Conrad Celtis *Quatuor libri Amorum* (1501) (figg. 6-7). La superposition de l'herméneutique effectuée par le Néo-platonisme sur la structure quaternaire présente donc un caractère purement intellectuel et qui fait abstraction d'un phénomène musical comme le polyphonique déjà mûri hors de la théorisation fournie *a posteriori* [10].

De cette manière, même l'actualité des conceptions vénitiennes sur l'harmonie et le contrepoint trouve un nouvel écho dans l'allégorie néo-platonicienne de l'*Harmonia Coelestis* et de l'*Harmonia Mundana* : dans le second des *Dialoghi d'Amore* de Leone Ebreo (1535) réapparaît le concept gaffurien de l'harmonie entendue comme « concordia discors ».

L'équilibre du contrepoint est élevé au niveau de forme symbolique de l'harmonie cosmique

> (« come di diverse voci, l'una acuta e l'altra grave, si genera un canto integro, suave a l'udito, del quale mancando una di quelle, tutto il canto o ver armonia si corrompe [...]. Così le parti del cielo s'amano reciprocamente con conformità naturale e, concorrendo tutti in una unione di fine e d'opera, si servono l'un l'altro e accomodano nei bisogni in modo che fanno un corpo celeste perfettamente organizzato ») [11].

Les conclusions sur le problème de la tradition de la culture musicale non religieuse se réfèrent à nouveau à l'histoire de la critique.

Plusieurs années après la publication du livre de Torrefranca *Il segreto del Quattrocento* (1939), cette œuvre exige une révision critique intégrale, comme l'a souligné, entre autres, Everett Helm [12]. L'attribution d'une importance historique excessive à la villota, par rapport à d'autres formes musicales non religieuses, reste la principale limite de Torrefranca. Mais son intuition d'une lacune culturelle impossible à combler, due à la disparition de tout un patrimoine de musiques dont les révisions et transcriptions successives ont altéré les valeurs originelles de l'improvisation, demeure toutefois debout comme le résultat le plus valable. Le « secret du XVᵉ siècle » serait pour Torrefranca celui d'un patrimoine musical perdu sans laisser de tradition. Le critique Everett Helm lui-même note à propos des formes pré-madrigalesques que malheureusement la musique sur laquelle étaient chantés les textes poétiques ne nous est pas restée sous la forme originale [13]. Il est donc surprenant que le même auteur affirme, un peu auparavant, que l'Italie du XVᵉ siècle n'a pas eu une production musicale équivalente à l'épanouissement des arts plastiques [14].

---

[10] ZARLINO, *ibid.*, I, chap. VI : TORREFRANCA, *Il segreto del Quattrocento. Musiche ariose e poesia popolaresca*, Milano, 1939, p. 321, nota 1.

[11] *Dialogo Secondo de : La comunità d'amore*, Ed. soignée par S. Caramella, Laterza, Bari, 1929, p. 97.

[12] « La musica vocale profana in Italia (1400 circa - 1530) », *The New Oxford History of Music*, éd. it. cit. III cit., p. 440.

[13] *Ibid.*, p. 429.

[14] *Ibid.*, p. 427.

Il est évident au contraire qu'une lacune s'est ouverte dans la connaissance de la musique non religieuse du début de la Renaissance, et que cette lacune ne constitue pas un phénomène fortuit, mais a été causée par l'opposition concomitante du pouvoir religieux et du pouvoir culturel de l'Humanisme doctrinaire. Nous avons déjà parlé de ce dernier. Il reste à conclure avec une allusion à l'hégémonie de l'église catholique sur la production de la musique non religieuse.

Pendant toute la période historique qui s'étend de l'*Ars Nova* à l'épanouissement du madrigal, on rencontre plusieurs exemples d'interdit, dans la législation ecclésiastique, sur la musique. Ainsi, la fameuse constitution de Jean XXII *Docta Sanctorum Patrum* (1324-25) contre le renouvellement de la tradition liturgique par l'effet de l'*Ars Nova*.

En pleine Renaissance, le Concile de Trente eut une part importante dans la répression de la liberté de la culture musicale.

Dans sa XXIIᵉ Session *De Reformatione*, le Concile de Trente, le 17-IX-1562, prescrivait certaines normes devenues statutaires et institutionnelles dans le *Codex Juris Canonicis*.

Chaque institution confirmait la séparation la plus traditionnelle entre polyphonie sacrée et profane, tandis qu'elle barrait l'accès à toute métamorphose structurelle du langage ; et de même contre l'instrumentation (à l'exception de l'harmonium dans l'église latine et de certains instruments à vent).

Il ne faut pas oublier, à ce propos, que jusqu'à la mort de Ockeghem (1495), les sphères culturelles de la polyphonie sacrée et profane étaient strictement séparées ; et l'intégration respective commença seulement à partir de Josquin.

On peut conclure que l'imagination musicale d'une authentique originalité produite par le XVᵉ siècle n'a pas été déracinée de ses sources seulement par l'intervention de l'Humanisme doctrinaire : ce patrimoine musical sur lequel pesait aussi l'opposition catholique a donc trouvé, dans le pouvoir culturel et dans le pouvoir religieux, les causes matérielles qui empêchèrent de nombreuses formes de composition de constituer une tradition autonome par rapport à celle de l'Humanisme de contenu érudit.

Et enfin, tout l'esprit inventif du genre des frottolas (avec d'autres genres analogues comme le nio, la villota, le chant carnavalesque), en dehors des classifications éditoriales comme celles de Ottaviano Petrucci (voulues par la culture chevaleresque), supprimé des rôles de la « musique réservée » reflua dans le domaine du prétendu « dilettantisme musical » qui s'est instauré vers la fin de l'époque baroque selon la *Practica Musicae* des improvisateurs de la Renaissance.

How does he know practical & theoretical were united earlier?

Discussion

Ch. Prévost. — Tout à l'heure, vous avez employé plusieurs fois l'expression « musica reservata ». Auriez-vous la gentillesse de m'expliquer cette expression ?

Bonicatti. — Nous savons que l'expression « musica reservata » a été employée par Adrian Petit Coclico dans son *Compendium Musices* (Nuremberg, 1552) et dans une série de Motets publiée la même année. C'est-à-dire que probablement — avant d'être théorisée par Coclico — la « musica reservata » avait déjà connu un usage et une signification historique réels dans le langage doctrinaire de la musique pré-madrigalesque, c'est-à-dire surtout dans les cours italiennes de l'Italie du Nord. A l'origine peut-être, avec ce mot on se proposait de distinguer une musique qui n'était pas populaire. Nous savons aussi que dans l'histoire de la critique moderne on a donné aussi des interprétations différentes à l'expression « musica reservata » ; parmi ces interprétations nous avons suivi celle d'Alfred Einstein, d'après un passage très important de Nicola Vicentino, *L'antica musica ridotta alla moderna prattica*, Roma, 1555, p. 10 : « Era meritamente ad altro uso la Cromatica et Enarmonica musica riserbata che la Diatonica, perche questa in feste publiche in luoghi communi à uso delle vulgari orecchie si cantava : quelle fra li privati sollazi di Signori e Principi, ad uso delle purgate orecchie in lode di gran personaggi et Heroi s'adoperavano. » (*The Italian Madrigal*, 2ᵉ, Princeton, N.-J., 1971, I, p. 228).

Ch. Prévost. — « Reservata », cela veut-il dire « mis à part » ?

Bonicatti. — Non. Il s'agit d'une musique jouée seulement pour un certain milieu social. Ensuite, il y a d'autres significations plus tardives.

Stegmann. — Dans cette relation, que vous avez datée de la mort d'Ockegem, entre la tradition humaniste et la tradition populaire, quelle place exacte faites-vous à Florence et à Lorenzo di Medici ? Je pense au problème des Frottolas.

Bonicatti. — C'est un argument très important. Il est très difficile de répondre en quelques mots. A Florence, dans le cadre de ce problème du passage de la musique populaire à la codification de la même musique en un sens doctrinaire, la forme musicale la plus importante, c'est sans doute le chant carnavalesque, et dans ce cadre, le musicien le plus important parmi ceux que nous connaissons est Heinrich Isaak. Il a commencé avec l'institution d'une musique codifiée. Pour Lorenzo vous savez que nous avons des documents sur les chants composés à sa mort. A partir de Heinrich Isaak, nous avons de nombreux exemples de collections de musique, mais pas de la même importance qu'il y a eu à Venise avec Ottaviano Petrucci lors du passage du XVᵉ au XVIᵉ siècle. Florence a un niveau moins connu de ce qui s'est passé alors à Venise où il y avait une vraie industrie musicale et éditoriale de transcription de recueils et de codification de musiques originairement populaires. La forme la plus importante dans ce cadre, c'est la Frottola parce que dans les livres recueillis et publiés par Ottaviano Petrucci, les Frottolas sont les plus nombreuses.

A ce propos il faut souligner que la dernière plus importante documentation sur la culture musicale de Florence à l'époque des Medici, a été publiée dans le Catalogue de l'Exposition : *Il luogo teatrale a Firenze*, a c. di M. Fabbri, E. Garbero Zorzi, A.M. Petrioli Tofani, Electa Ed., Milano, 1975.

Stegmann. — A côté de ces traditions, n'y a-t-il pas la présence d'un second courant qui est bien aussi du XVᵉ siècle, celui de la tradition « populaire » franciscaine ?

Bonicatti. — Je sors d'un certain point de vue du thème de ma communication parce que je traite ici seulement de la tradition de la musique non religieuse, et si nous voulons passer à ce thème, c'est alors une tout autre conclusion qui s'imposera.

Stegmann. — L'*imaginatio*, la *fantasia*, ne sont-elles pas communes au domaine religieux et au domaine non religieux ? Ce n'est certes pas le même résultat, mais n'est-ce pas la même racine ?

Bonicatti. — Mais ce n'est pas la même critique sur le concept d'« imaginatio ». Il n'y a pas dans le domaine de la musique religieuse ce genre de critique.

La condition des insensés à la Renaissance

Paul FORIERS

Doyen de la Faculté de droit de l'Université de Bruxelles.

insensé ?

à Michel Foucault

La condition juridique des insensés est liée à la conception même de l'homme. Comment en serait-il autrement à la Renaissance ? Mais comment aussi l'homme à cette époque ne serait-il pas conçu comme un élément du cosmos ou comme un microcosme ? Un de nos récents colloques l'a montré ou plus exactement rappelé, car nous le savions déjà, et nous avons seulement, au sein de notre Institut, approfondi l'idée.

Examiner la condition juridique de l'insensé sans chercher à élucider l'idée que se fait de l'insensé le juriste philosophe renaissant serait donc passer sous silence l'essentiel, car ce serait négliger le sujet même de l'institution.

Existe-t-il un type parfait de juriste philosophe renaissant pouvant servir de modèle à notre réflexion ? C'est douteux, encore qu'à mon sens Jean Bodin puisse jouer ce rôle, car il intègre à un haut degré le trait caractéristique de l'esprit de la Renaissance : l'inquiétude fécondante recueillie durant le voyage que l'homme poursuit par « les chemins insolites du savoir ».

L'insensé d'abord, comment Jean Bodin le conçoit-il ? Comme un cas limite, intégrant les spécificités excessives d'un peuple ou d'une race à laquelle il appartient et qui vont rejaillir sur sa forme de déraison. L'insensé est et reste un homme, mais un homme situé dans un contexte physiologique et social. Il intègre les traits caractéristiques du peuple auquel il appartient et sa forme de déraison sera indissolublement liée à la nature du groupe dont il tente de s'évader.

Aussi, pour comprendre sa conception de l'insensé, faut-il suivre un itinéraire philosophique qui paraît au départ bien éloigné de notre propos.

Au cinquième livre de *la République* « Du règlement qu'il faut tenir pour accommoder la forme de république à la diversité des hommes et le moyen de connaître le naturel des peuples » [1] ce qui est du Montesquieu avant la lettre, Bodin affirme « qu'on doit diversifier l'estat de la République à la diversité des lieux » [2]. D'où la nécessité d'étudier la division des peuples et partant leurs caractéristiques fondamentales. Celles-ci sont liées au climat et à leur physiologie.

Je ne vous parlerai pas de sa division des peuples, qui habitent la terre, en trois parties : la première étant « des trente degrés depuis l'Equateur en ça » qu'il attribue aux « régions ardentes et peuples méridionaux », les « trente degrés suivants aux peuples moyens et régions tempérées, jusqu'au 60e degré vers le Pôle » et « de là iusques au Pôle seront les trente degrés des peuples septentrionaux, et régions de

---

[1] Jean BODIN, Les six livres de *la République* de I. Bodin Angevin à Paris chez Jacques du Piers, 1583, pp. 663 et suiv.

[2] *Ibidem*, p. 666.

froideur excessive », la même division pouvant se faire des peuples « delà l'Equateur, tirant vers le Pôle antarctique » [3]. Ni de sa division subséquente des régions de 30° ainsi définies « par la moitié » — tout cela est d'un pédant géométrisme — sinon pour relever ce trait qu'à la situation géographique des peuples correspondent des caractéristiques morphologiques précises qui ne sont pas celles habituellement ou traditionnellement retenues, sans doute, mais dont il va dresser inventaire pour singulariser les groupes et fermement les distinguer non seulement du point de vue physique mais même du point de vue psychologique et pour tout dire moral.

Tout cela lié d'ailleurs aux humeurs fondamentales des êtres appartenant à ces groupes. Les hommes polaires sont pituiteux partant pesants et lourds. Trente degrés plus bas ils sont sanguins partant joyeux et robustes, quinze degré encore, les voilà sanguins et cholériques, donc joyeux, robustes, actifs et dispos.

A soixante degrés du Pôle et au-delà : cholériques et mélancholiques, ils seront actifs et dispos, constants et posés.

Au vrai midi enfin : mélancholiques ; constants et posés par conséquent.

Nous devons donc revoir nos conceptions habituelles.

Le septentrional joyeux et robuste, brûle de « chaleur intensive », le méridional constant et posé a le « sang froid ».

Le septentrional tout en étant joyeux et robuste est « chaste et pudique » tandis que le méridional bien que constant et posé est « fort lubrique » ce qui lui advient « à cause de la ... mélancholie spumeuse et abradante » [4].

Les êtres venus du septentrion auront la force et la puissance [5]. Ceux du midi brilleront dans les sciences occultes, la philosophie, la mathématique et les autres disciplines contemplatives, car ils auront la finesse [6]. Quant aux sciences politiques, aux lois, à la jurisprudence, à la grâce de bien dire et de bien discourir elles « ont pris leur commencement et origine dans les régions mitoyennes » [7] car les peuples de ces régions sont les mieux tempérés d'esprit et de corps.

Sang, bile, pituite et abrabile distribués au travers des hommes qui peuplent la terre en fonction du climat vont donc conditionner l'aspect, la psychologie et l'action.

Même géographiquement proches, les individus et les groupes qu'ils forment auront naturellement des comportements différents voire radicalement opposés.

Le parallèle que Jean Bodin fait entre le Français et l'Espagnol est à cet égard éclairant bien que suscitant un étonnement amusé [8].

> Le naturel de l'Espagnol, qui pour estre beaucoup plus Méridional, est plus froid, plus mélancholique, plus arresté, plus contemplatif, et par conséquent plus ingénieux que le François, qui de son naturel ne peut s'arrêter à contempler, et se tenir coy, pour estre bilieux et cholère, ce qui le rend plus actif, prompt et diligent, voire si soudain, qu'il semble à l'Espagnol courir quand il va son pas : qui fait que l'Espagnol et Italien aiment le serviteur François, pour sa diligence et allégresse en toutes actions : aussi tous les ans il en passe un nombre infini en Espagne, comme j'ay veu estant à Narbonne, mesmement du païs d'Auvergne, et du Lymosin, pour y bastir, planter, défricher les terres, et faire tous ouvrages de main, que l'Espagnol ne

---

[3] *Ibidem*, p. 667.
[4] *Op. cit., loc. cit.*, p. 682.
[5] *Op. cit., loc. cit.*, p. 671.
[6] *Op. cit., loc. cit.*, p. 671.
[7] *Op. cit., loc. cit.*, p. 672.
[8] *Op. cit., loc. cit.*, p. 677.

sçauroit, et quasi plustot mourroit de faim, tant il est paresseux, et pesant aux actions [9].

N'est-ce pas un bel exemple de ce voyage par les chemins étranges du savoir ?

Mais quid alors des insensés ?

Elle est exacte cette remarque de Michel Foucault selon laquelle à la Renaissance « la folie devient une forme relative à la raison, ou plutôt folie et raison entrent dans une relation perpétuellement réversible qui fait que toute folie a sa raison qui la juge et la maîtrise » [10].

Toute folie a sa raison et toute folie n'est point réductible à l'unité. Le fol est un homme qui appartient à son groupe et ce sont les caractéristiques physiologiques qui vont conditionner les variétés de l'insanité d'esprit. Ce sont les humeurs qui vont entraîner ce passage insensible de la raison à la déraison, l'homme étant déterminé par ses humeurs. D'où la variété des insensés découvre le naturel du peuple, puisque chaque peuple, nous l'avons dit, est caractérisé par ses humeurs fondamentales.

Conception somme toute plus cohérente que celle de Paracelse distinguant entre les *lunatici* qui doivent leur mal à la lune et dont la personnalité s'harmonise à ses phases et mouvements, les *insani* héréditaires, les *vesani* victimes de leurs abus et les *melancholici* qui sont atteints d'un vice de leur nature interne.

Pour Jean Bodin la mélancholie abradante est la cause de l'affection du furieux, l'humeur sanguine justifie la folie douce, la pituite, la stupeur ou la stupidité. Cause médicale par conséquent liée à un déséquilibre psychologique où le trait naturel conditionne la forme de déraison.

La mélancholie abradante est propre aux peuples du midi :

> C'est pourquoy il y a plus de furieux aux régions Méridionales que le pays Septentrional. Aussi Leon d'Afrique escrit que les Royaumes de Fez et de Maroch en ont fort grand nombre. Et même vers la Granate, qui est plus méridionale, il y a plusieurs hospitaux establis pour les furieux seulement. Or la variété des insensés descouvre l'humeur naturelle du peuple : car combien qu'il y ait bonne prouision de fols partout, et de toutes sortes, si est-ce qu'ordinairement les fols du pays Méridional ont plusieurs visions terribles, preschent et parlent plusieurs langues sans les avoir apprises, et sont possédés quelquesfois des malins esprits, ayant le corps atténué et approchant plus près à la nature des esprits incorporels, que les hommes plus corpulents et sanguins vers le Septentrion, qui ne font que danser, rire et sauter en leur folie, et s'appeler en Allemagne la maladie Saint Victus, qu'on guarit avec des instruments de musique : soit que la cadence harmonieuse et mesurée, réduit la raison esgarée à son principe : soit que la Musique guarit les maladies du corps par le moyen de l'âme, comme la médecine guérit l'âme par le moyen du corps : soit que les malins esprits qui agitent quelquesfois aussi bien les uns que les autres, ont en horreur l'harmonie divine, prenans plaisirs aux discords, comme il se lit que le malin esprit oyant le son de la harpe s'enfuyoit, et laissoit le Roy saül en repos [11]...

Relevons, chemin faisant, cette importance de l'harmonie si caractéristique de la pensée bodinienne et qu'il indique dans sa conception de la justice au Livre sixième, chapitre VI, où il défend l'idée que le monde est fait et gouverné par proportion harmonique [12]. Michel Villey nous l'a naguère magnifiquement montré.

Importe peu au demeurant que Bodin voie dans certaines folies une forme de possession, car cette possession elle-même n'est rendue possible que par l'efface-

---

[9] *République, op. cit.,* p. 677.
[10] Michel FOUCAULT, *Histoire de la folie à l'âge classique,* p. 41.
[11] *Rép., op. cit.,* p. 681.
[12] *Rép., op. cit.,* p. 1058.

ment physique, la dégradation de l'être, ce qu'il appelle l'atténuation du corps rendant possible cette intrusion des esprits malins.

La déraison est ainsi un état marginal qui écarte du bonheur et de la grandeur, car Bodin partage cette pensée de Pline que le plus haut degré du bonheur est de pouvoir faire ce que l'on veut et de grandeur c'est de vouloir ce que l'on peut [13].

L'homme de par sa déraison ne cesse pas d'être un homme, mais il est marginalement situé, malheureux, partant digne d'intérêt, de compassion et de soins. Le fol est conditionné par sa nature même, n'est violent que le fou cholérique, n'est brutal que le fou sanguin, quant au pituitaire il n'est furieux que d'apparence ou de vocabulaire, en fait il est stupide et endormi.

Le fou ne voit que l'envers des choses, à nous de lui permettre d'en retrouver l'endroit. « La sagesse et la folie sont fort voisines », écrit Pierre Charron. « Il n'y a qu'un demi-fou de l'un à l'autre. Cela se voit aux actions des hommes insensés [14]. » L'espoir de guérir l'insensé est latent, mais il est certain. La folie est de la sorte un état morbide.

Dans pareille conception le fou n'est pas exclu du monde, il est aux confins du monde, le lien qui l'attache au monde se distend mais ne se rompt pas. Il est par conséquent un homme et reste un homme et c'est ici que le juriste intervient.

La condition juridique de la folie est liée à la dialectique de la raison. Il est d'autres êtres qui n'ont point l'usage parfait de la raison : les enfants notamment et les prodigues. Pourquoi traiter juridiquement le fol différemment ; il est marginal, non extérieur, il appartient à ce monde dans lequel il peut rentrer. Il n'est pas rangé dans une catégorie essentielle différente, il n'est qu'un cas limite qu'il faut traiter en fonction du facteur de distentiation qui le sépare peut-être transitoirement de ceux au groupe desquels il appartient. N'étant pas *autre* il faut juridiquement lui trouver des semblables. Il se rapproche pendant ses intervalles lucides et s'éloigne pendant ses états de crise.

Toute la question est donc celle de sa volition et de sa liberté. De sa volition plus ou moins consciente, de sa liberté plus ou moins effective. Il n'est point coupable pour être fou, mais sujet et victime de sa folie.

Fortement arcboutée sur les assises traditionnelles du droit, romain par conséquent, la condition juridique de l'insensé ne va nullement vers son exclusion de la société mais vers sa protection à l'intérieur de celle-ci. La frénésie excuse péremptoirement « quelque meurtre et méchanceté que face le furieux » [15], dira Bodin et de citer le Digeste I, 18, De officio praesidis, 14 :

> Divus Marcus et Commodus Scapulae Tertullo rescripserunt in haec verba : Si tibi liquido compertum est Aelium Priseum in co furore esse, ut continua mentis alienatione omni intellectu careat, nec subest ulla suspicio matrem ab eo simulatione dimentiae occisam : potes de modo poenae eius dissimulare, ius satisfurore ipso puniatua.

Ce n'est donc pas le « factum » mais la « causa faciendi » que le juge doit prendre en considération [16].

---

[13] *Rép., op. cit.*, p. 156.
[14] Pierre CHARRON, *De la sagesse*, Livre Ier, chap. XV, éd. Amaury Duval 1827, t. I, p. 130.
[15] *Rép., op. cit.*, p. 303.
[16] CARPZOW, P. III, quaestio CXLV, n° 13.

Si la cause est indépendante de la volonté de l'auteur, il n'y a pas d'infraction : admission par conséquent d'une véritable cause de justification. Par fiction l'individu atteint de folie va être assimilé à l'absent, l'ignorant et enfin, selon une formule beaucoup moins satisfaisante utilisée par Carpzow, au mort « pro absente et ignorante, imo etiam plane mortuo habetur » [17].

Cette cause de justification s'applique à tous les insensés, les furiosi, c'est-à-dire les fous furieux qui ont des accès de démence se traduisant par des violences, les déments ou insani, fous non furieux, les mente capti, ceux dont la tête est prise, les simples, les innocents, les demi-fous et enfin les fatui, les idiots sans doute, bien que certains romanistes [18] n'y voient que des faibles d'esprit.

La démence doit bien entendu être prouvée, elle est l'exception « naturale est aliquem esse compotem mentis ; et accidentale quem esse furiosum » (A. Sande, *Decisiones Frisicae*, lib. II, tit. I, def. XI). Cette preuve est-elle rapportée, que le malade sera considéré dès lors comme privé de raison non seulement pour l'acte qu'il a commis mais pour son comportement futur. Encore cette preuve est-elle difficile à administrer, elle résultera d'un examen de l'individu en soi, de son comportement, du caractère des actes qu'il commet, de sa vie antérieure. Si les experts se divisent, l'on considérera l'intelligence comme naturelle et l'insanité comme accidentelle (Boerius, déc. 23, nos 93 et 97 ; Menochius, lib. 6, praesumpt. 45, no 21). Boerius exigera des hommes une certaine science « non creditur testibus de furore deponentibus, nisi causam reddant scientiae » (Boerius, déc. 23, no 44). Si l'hésitation existe ou persiste on fera appel au médecin qui recherchera s'il y a folie et ses causes éventuelles (Carpzow, *loc. cit.*, nos 28 à 32).

Si l'infraction a été soi-disant commise pendant un intervalle lucide, c'est à celui qui invoque cette circonstance de la prouver (Carpzow, *loc. cit.*, no 34). En cas de doute, celui-ci profite à l'auteur (Farinacius, Quaest. 98, no 8 et Julius Clarus, lib. V, Quaest. 60).

La folie survient-elle pendant le cours de l'instruction, aucune peine, même pécuniaire, ne peut être appliquée ; survient-elle en cours d'instance, « post completum processum », le dément ne sera pas condamné (Julius Clarus, Quaest. 60, no 7 ; Farinacius, Quaest. 94, nos 22 et 18). La démence survient-elle après la condamnation, l'exécution en est suspendue jusqu'à retour à la santé, « differtum executio usque ad supervenicutiam sanae mentis » (Julius Clarus, Quaest. 60 et Farinacius, Quaest. 94, no 18).

Seule l'atrocité du crime peut éventuellement faire obstacle à une conception si humaine : le crime de lèse-majesté et de sacrilège entraîne punition « ad exemplum » même du dément. Bodin rapporte qu'il se trouva « en Paris un homme insensé et du tout furieux, nommé Caboche, qui tira l'espée contre le Roy Henry II sans aucun effet, ni effort, néanmoins il fut condamné à mourir, sans avoir égard à sa frénaisie que la loy excuse » [19]. Denisart (Collection de décisions nouvelles, vo furieux, nos 3 et 4) cite également trois exemples de furiosi condamnés au XVIe siècle à raison de l'énormité de leurs crimes. Edmond la Fosse fut condamné à être brûlé vif « pour avoir furieusement osté l'hostie des mains d'un prêtre qui célébrait

---

[17] CARPZOW, P. III, quaestio CXLV, no 16.
[18] Voyez P. VAN WETTER (*Pandectes*, t. I, Paris 1909, p. 146) qui estime que la fatuité indique simplement une faiblesse d'esprit. (*Dig.* L. III, titre I, De postulando, lex 2, Fatua ; *ibid.* L. XXVII, titre X, De curatoribus, L. I, lege, pr.).
[19] BODIN, *op. cit.*, p. 303.

la messe ». Les médecins qui avaient visité la Fosse, l'avaient cependant jugé mania-que et insensé.

En 1545, un fou qui se prétendait être le Messie est condamné aux galères. En 1548, on brûla vif un dément qui avait renversé une statue de Notre-Dame dans une église parisienne. Exception cependant qui ajoute peut-être un argument sup-plémentaire à la thèse selon laquelle l'insensé n'a pas complètement rompu ses amarres humaines, il n'est pas assimilable à un mort, on ne juge pas un mort, il est resté attaché à la communauté des humains.

*
**

Voilà pour le droit pénal, quid maintenant des institutions de droit civil ?

L'analyse se fait encore plus fine et aussi plus protectrice de l'insensé.

A la base l'institution de la curatelle.

Elle n'est pas nouvelle et si la Renaissance la confirme, elle ne l'invente pas. Elle est au Moyen Age empruntée au droit romain et brille à nouveau après une longue éclipse.

Dans le Digeste et les Institutes de Justinien (Digeste XXVII, X et Institutes I, XXII) on lit : « Pareillement les furieux et les prodigues, quoique majeurs de vingt-cinq ans, sont pourtant en curatelle. » Mais l'institution paraît s'effacer, on n'en trouve plus trace dans le droit dit barbare.

Il faut attendre 1303 pour trouver dans un manuscrit de la Bibliothèque natio-nale (ms. lat. 4763 fol. 23 verso) un texte selon lequel le Roi de France charge le Bailli d'Amiens de nommer, sur avis du Conseil de famille, un curateur à un « ydioto, prodigus et bonorum suorum dissipator ». Le vocable curator ne s'y trouve pas d'ailleurs, il y est dit « curam gerat » et la rubrique porte « Tutor ydioto et mente capto ».

Mais à partir de ce moment les preuves abondent.

Simonnet, dans ses études sur l'ancien droit en Bourgogne [20], signale l'existence de la curatelle en Bourgogne dès le XIVe siècle.

Fin XIVe, début XVe, les sentences civiles du Châtelet de Paris qui nous sont conservées sont à de nombreuses reprises consacrées à la curatelle des insensés.

23 mai 1409, Jehan de Rennes, secrétaire du Roi, affirme devant le Châtelet sous serment « qu'il sut de certain qu'il est très grande nécessité de pourvoirs de curateurs à Henry le Grant, procureur général en la Court de céens pour les causes qui s'ensuivent, c'est assavoir car il n'a sens, n'entendement, force, ni puissance ».

Le 10 décembre 1454, le Procureur du Roi introduit requête au Châtelet pour faire désigner un curateur à Raulin Damourectes, marchand hôtelier, rue de la Huchette « disant que depuis naguères par certain cas fortuit et acident advenu en la personne » de Raulin « et par le moien de plusieurs maladies qui lui estoient survenuez en son temps, icellui Raulin estoit et est devenu insensé et tellement débilité de son mémoire et entendement qu'il ne pourroit doresnavant conduire, régir ni administrer sa personne, biens et besognes, requérant pour ces causes ... lui estre pourveu de curateur en la personne de Maistre Jehan du Four, examina-teur, et attendu que ledit Raulin n'a aucun parens en cest païs et que le Roy nostre dit Sire lui succederoit s'il alloit de vie à trespas ... » le Châtelet fait droit à cette requête.

[20] SIMONNET, op. cit., pp. 108, 109, 110 et 111 du tirage à part.

Les fonctionnaires royaux ne sont pas seuls habiles à réclamer que l'insensé soit pourvu de curatelle, la famille proche peut également engager la procédure [21].

Au XVIe siècle l'institution est devenue générale et coutumière ; le rattachement institutionnel s'opère par parité de motifs à l'enfance et à la prodigalité ; l'analyse est séduisante.

Exemple : Coutume de la Ville de Lille et coutume de la Salle et Baillage de Lille.

Les enfants sont en tutelle « tant que judiciairement ils en soient déchargez, et mis au leur, ou qu'ils soient parvenus à l'estat de mariage, ou qu'ils aient atteint l'âge de vingt-cincq ans, demeurans les Eschevins dudit Lille, entiers de pourvoir de curateurs à tels déchargez par âge, comme ils pourroient faire en les déchargeant judiciairement » (Coutume de la Ville de Lille, Chap. IV, des Tuteurs et curateurs, IV).

Mais le prodigue est mis en curatelle [22].

> Par ladite coustume : Pour deuëment mettre en curatelle un Bourgeois ou manant de ladite Ville et Taille y estant en la franchise et liberté, lequel seroit devenu prodigue, est requis qu'il face en vertu de lettres patentes obtenues à cette fin du Prince, et qu'elles soient deuëment intérinées, et appellez ledit prodigue, ses parents et amis, et autres qui sont à appeler, en y procédant selon la teneur desdites lettres patentes : et pourvoyant pendant le litige, sur l'interdiction des biens dudit prodigue, selon que les Juges trouveront sommierement la matière y estre disposée. Et si par ledit prodigue estoit réclamé ou appellé, devra ladite interdiction sortir effet tant que parties oïes, en sera autrement ordonné par le Juge souverain.

Cette institution est étendue dans la Coutume de la Salle et Baillage de Lille à la « débilitation des sens » [23].

La Coutume de la Ville de Douai va plus nettement encore assimiler dément et prodigue.

Au chapitre VII, IX, on lit en effet « pour duëment mettre en curatelle une personne estant en franchise et liberté, pour prodigalité, débilitation des sens, ou autre cause suffisante : il est requis d'obtenir lettre patente en forme … », etc.

La Coutume d'Estaires plus tardive va reprendre cette leçon et traiter en un seul texte le cas des mineurs, des prodigues et des insensés.

> Appartient ausdits Advoë et Eschevins de commettre tuteur aux pupils et mineurs d'ans de leurs susdits bourgeois, tant forains que manans, ensemble aux majeurs d'ans, en cas de prodigalité, débilité des sens, ou autres causes fondées en droict, à charge de rendre conte de leur administration au moins tous les deux ans. (*Idem* Gand, Rub. 22).

*
**

La preuve de l'insanité se fera essentiellement par témoins.

Dans la sentence du Châtelet du 23 mai 1409 on note en effet :

> Pour ce que par plusieurs gens dignes de foy, tant de la court de ceans, comme autres, nous a esté tesmoigné par serment qu'il est nécessité de pourvoir de curateurs à Henry le Grant [24]…

---

21 Voyez la sentence du 17 novembre 1399, Olivier Martin, 788.
22 *Coutume de Lille*, Chap. IV, des Tuteurs et curateurs IX.
23 *Coustumes et usages généraux de la Salle, Baillage et Chastellenie de Lille*, XV de la tutelle et curatelle X.
24 Olivier MARTIN, « Sentences du Châtelet », *Nouvelle Revue historique de Droit français et étranger*, XXXVII (1913), p. 784, n° 29.

Le 17 novembre 1399 une sentence nous conserve les noms des témoins dans une mise sous curatelle d'un prodigue de « si fol et si petit gouvernement » qu'il y a lieu de craindre qu'agissant « tant par son non sens et jeunesse qu'autrement » il ne dissipe tout son bien et celui de sa femme.

Ces témoins sont : Jehan du Boys, Thibaut de Maule, Collinet de Vin, Pierre le Cheron, Thomas des Vedins, Jehan des Vedins, Jehan Cochet et Thomas le Gooiz, tous amis et voisins de Tassin Guerart, gendre dudit Thomas.

Le but de l'institution est de protéger l'insensé contre lui-même. Le curateur a l'obligation de prendre soin de la personne de l'insensé et de ses biens et interdiction est faite à tous de contracter directement avec l'insensé, « sur peine à ceulx qui contracteroient avec lui de perdre les deniers desdiz contractz et de l'adnullacion d'iceulx, pourveu toutes foiz que signification deue soit faicte ».

Ou encore comme le précise une sentence du 30 décembre 1454 :

> « sur peine de mettre au néant tous iceulx marchiez, contractz, venditions et traictiez qu'ils auroient fait et feront » avec le prodigue ou l'insensé et de « perdre les deniers aux aultres choses par euly baillées et prestées à icelui » [25].

La protection de l'insensé est si évidemment de l'essence de la curatelle que si l'insensé — cela arrive — contractait néanmoins dans des circonstances favorables pour lui le curateur ou les curateurs pouvaient ratifier l'acte comme en témoigne une sentence du Châtelet du 8 janvier 1399 [26].

Point de pareilles mesures efficaces sans une publicité adéquate. Elle sera double, orale et écrite.

Publication de la décision « par les carrefours accoustumez à faire criz et à son de trompe » par un sergent à verge.

Publicité écrite par les listes placardées au Greffe, sur un tableau placé près de la chapelle du Palais pour ce qui concerne Paris, et dans les greffes des notaires.

La coutume de la Ville de Gorgues [27] au XVIe siècle (Rubrique XIV) dira de même (CXLVII) :

> Laquelle curatelle sera proclamée en Halle, et es lieux ou telle personne fréquente le plus, advertissant chacun de ne luy accroire, prester ou contracter, avec luy en aucune manière, sans l'intervention de son curateur à peine de nullité, et que pour telle dette ne competera action.

*
**

L'insensé revient-il à la santé, il sera aussitôt mis hors curatelle.

Une sentence du Châtelet du 17 mai 1396 est éclairante à cet égard :

> Veue certaine informacion faicte de notre commandement et à la requeste de Jehan Herson, peletier, sur ce que il disoit qu'il estoit revenu en bonne convalescence et sancté de certaine maladie et folerie qu'il avoit eue, par le moien de laquelle l'on lui avoit donné curateur, a ce que ses biens et gouvernement lui feussent par nous renduz et restituez et son dit curateur deschargé, par laquelle nous est apparu que de present il estoit en bonne sancté, sens et convalescence pour soy et ses biens gouverner, mais qu'il se gardât de trop boire : jorinz sur ce d'abondant les sermens Jehan de Gouvieux, Jehan Cliquet (?), Jehan Meignen, Jehan le Maire, Robin de Gouvieux et Jehannin de Gouvieux le jeune, tous peletiers, amis et voisins dudit Herson, qui tous concordablement et chacun par soy ont affermé par leurs sermens qui yceluy Herson est en bonne sancté et convalescence, sage et discret pour soy et ses biens gouverner ; ce considéré nous audit Herson, avons rendu et restitué

---

25 Olivier MARTIN, *op. cit.*, p. 789, n° 34.
26 Olivier MARTIN, *op. cit.*, p. 784, n° 30.
27 Gorgues est située près d'Arras.

son gouvernement et biens, sauf et réservé de lui repourveoir de curateur s'il rencheoit etc., et partant du fait de ladite curacion avons deschargé ledit Jehan de Gouvieux son curateur, lequel nous condempnons à rendre compte audit Herson de l'administracion qu'il a eue dudit Herson et ses biens, pour lequel nous commettons Haye ou Bar [28].

*
**

Régime faut-il le dire particulièrement respectueux de la personne de l'insensé et de son patrimoine, créant par voie de conséquence une lourde responsabilité dans le chef du curateur.

Celui-ci assumait une véritable obligation de résultat, il était responsable des actes commis par l'insensé et responsable aussi de la bonne et saine gestion de ses biens.

Juridiquement la condition de l'insensé loin d'être lamentable était au contraire particulièrement remarquable par les garanties accordées. Ce n'est qu'exceptionnellement que le transfert de l'insensé dans un hospice ou hôpital avait lieu et le renfermement de l'insensé, sa ségrégation à l'égard de la société n'entreront en ligne de compte qu'avec le XVIIe siècle.

*
**

Quelle est enfin la condition de l'insensé à la Renaissance dans le droit canon ? Je serai bref. Ce problème a en effet été remarquablement traité dans le *Dictionnaire de Droit canonique* publié sous la direction de Naz (vo démence). Nous n'avons guère à y ajouter.

De même qu'en droit civil, le droit romain a servi de moteur à l'évolution du régime canonique des insensés. Il commence à manifester ses effets dans la seconde moitié du XIIe siècle et va affirmer sa primauté jusqu'à la fin du XVIe.

Durant cette période, les indications du droit romain vont progressivement structurer la condition des insensés.

D'abord dans les catégories du dérangement mental : furiosi, mente capti ou dementes, fatui enfin.

La législature canonique n'attache toutefois pas d'effets spécifiques à ces divers états et les termes « mente capti » deviennent génériques ; il faudra attendre Sanchez au XVIe siècle pour voir apparaître la distinction entre « amentes » et « dementes » ou « monomaniaci » qui donne un aspect particulier au droit canonique en la matière (*De matrimonio,* Livre I, I, disp. VIII, no 22).

L'assimilation des furiosi se fait, comme parfois en droit civil, par rapport aux infantes.

Les Glossateurs ont dégagé cette idée des textes du *Digeste* (notamment du L. VI, titre I. De rei vindicatione, lex 60 ; Quod infans, ainsi que du Livre IX, titre II, Ad l. Aquiliam, lex 5, Sed etsi quemcumque, § 2, Et ideo, et du Livre XLVIII, titre Ad l. Corneliam de sicariis, lex 2, Infans).

Les canonistes y rattacheront une série d'interdictions : celle de baptiser, de faire profession religieuse, de tester, de recevoir le baptême ; une fois adulte, de contracter mariage, etc.

Par contre, le principe n'est pas susceptible d'application en cas d'intervalles lucides.

[28] Olivier MARTIN, *op. cit.,* p. 787, no 32.

Faut-il, du point de vue de l'interdiction, introduire une distinction entre le droit civil et le droit canonique, comme le soutient fermement le *Dictionnaire* de Naz ?

Peut-être, le droit canonique connaît l'interdiction de plein droit « ipso ferre » pour l'insensé. A notre connaissance, cette distinction n'existe pas en droit civil, l'interdiction est toujours judiciaire.

Mais le *Repertorium* (1271-1286 ?) de Guillaume Durant au titre « De juridictione omnium juridicum », admet le prononcé judiciaire après enquête, ce qui est la procédure civile, et une addition à la Grande Glose avant le mot « furiosi » des Institutes, parle de l'annonce publique ou de la nomination d'un curateur « Tamquam prodigo ».

Tout au plus faudrait-il conclure qu'il y a concurrence de deux institutions : l'interdiction de plein droit et l'interdiction judiciaire.

Ce n'est qu'ultérieurement, à partir des XVIIe et XVIIIe siècles, que le droit civil introduira une distinction inconnue somme toute du droit canonique : l'interdiction du fou déclarative à l'opposé de celle du prodigue, comme le signalent d'Argentré et Damhouder [29].

En somme, malgré certaines différences non négligeables, droit civil et droit canonique sont influencés par les mêmes sources et établissent des régimes le plus souvent interférents. Ce n'est que vers la fin du XVIIe siècle que les réglementations divergeront notablement lorsque la jurisprudence civile cessera de tenir compte des intervalles lucides.

*
**

L'internement est une création propre au XVIIe siècle. Il ne vise pas spécifiquement les insensés, mais les pauvres, les sans travail, les chômeurs, les vagabonds ; les insensés vont être happés dans cette ronde infernale.

« La folie est ainsi arrachée à cette liberté imaginaire qui la faisait foisonner encore sur le ciel de la Renaissance », comme l'écrit si justement Michel Foucault [30]. En moins d'un demi-siècle, elle s'est trouvée recluse.

Au juriste rompu à l'analyse des troubles de la volonté se référant accessoirement au médecin, vont se substituer le médecin et le politique se référant accessoirement au juriste.

Contrairement pourtant à ce que semble croire Michel Foucault, la reconnaissance de la folie dans le droit canon comme dans le droit romain n'était pas liée à la fin du Moyen Age et à la Renaissance à un diagnostic médical (voir p. 139). Le médecin n'intervenait que par surcroît, occasionnellement et plus évidemment dans le droit canon que dans le droit civil.

Par contre, dans le premier quart du XVIIe siècle, il est exact que le rôle du médecin va grandir et que Zacchias, dans ses *Quaestiones medico legales*, va opter pour le rôle déterminant du médecin transformant les indices recueillis par le juge en certitudes.

Tout cela n'ira pas, faut-il le dire, sans un certain abâtardissement des conceptions juridiques et sans une dégradation de la situation de l'insensé, car le juriste va se trouver limité dans son action par le médecin et par le politique.

---

[29] B. D'ARGENTRÉ, art. 490, glose 1 et J. DAMHOUDER, *Pratique judiciaire*, C. CXXXI, n° 6.
[30] Michel FOUCAULT, *op. cit.*, p. 91.

Bien sûr, le droit matériel ne va pas s'en trouver pour autant immédiatement bouleversé, mais le rôle éminemment protecteur de l'individu qu'il a joué va se trouver affaibli ou, tout au moins, beaucoup plus circonscrit.

L'insensé jouira toujours d'une protection juridique mais cette protection n'aura plus le même sens ni la même portée. L'insensé, nous l'avons vu, va être équivalent au mort, lui qui était jusque-là un être bien vivant. Il va aussi perdre le bénéfice des intervalles lucides à la fin du XVIIe siècle.

L'accent mis, d'autre part, sur la prééminence cardinale de la raison par l'Ecole de droit naturel n'améliorera pas cette situation nouvelle ; elle la confirmera au contraire par des motifs tirés de la rationalité même.

Puffendorf [31] écrira :

> La principale question que l'on se fait ici se réduit à savoir si les enfants, les insensés et en général tous ceux qui n'ont pas l'usage de la raison, peuvent avoir quelque droit de propriété ? Sur quoi il est certain qu'un enfant et un insensé ne sauraient acquérir originairement la propriété d'une chose, je veux dire s'en rendre maître par droit de premier occupant.

Et quant à la propriété dérivée, il semble bien qu'il ne l'admette que pour les enfants en la séparant d'ailleurs judicieusement de son exercice. De même, s'il consent encore à ce que les engagements de l'insensé pendant les intervalles lucides soient valides et que dans l'espérance d'un retour au bon sens, ceux pris du temps de sa raison sont seulement suspendus, il ajoutera aussitôt « mais si la démence se trouve entièrement incurable, alors l'Insensé est regardé avec raison comme civilement mort » (Livre III, chap. VI, § 3 *in fine*).

Comment pourrait-il en être autrement puisque seules les lumières de la raison constituent la vraie caractéristique de l'homme lui permettant de se conformer à sa nature fondamentale.

L'écho du message renaissant a cette fois définitivement cessé, il faudra deux siècles au moins pour qu'il se propage à nouveau et favorise la réconciliation entre le politique, le médecin et le juriste !

Discussion

Brabant. — Je voudrais demander à notre collègue Foriers dont j'ai écouté avec beaucoup d'attention le très intéressant exposé, comment il se fait que Jean Bodin, dont les idées sur les fous semblent très généreuses, pour le moins quand il expose sa conception de la protection du fou, comment il se fait que, dans sa controverse avec Jean Wier, il ait fait preuve d'une incompréhension absolument totale de ce que pouvait être la folie des sorcières. Je rappelle que Jean Wier soutenait que les sorcières étaient des malades mentales, et qu'il ne fallait pas les persécuter comme on l'a fait. Bodin lui répond qu'il se trompe, que les sorcières sont des personnes qui effectivement parcourent sur leur balai des distances considérables ; puisque les astres aussi font en peu de temps des trajets considérables, il n'y a donc là rien d'impossible. Bodin aligne d'autres arguments de ce genre et s'en sert pour

---

[31] Samuel PUFFENDORF, *Le droit de la nature et des gens,* trad. Barbeyrac, Livre IV, chap. IV, § 15.

écraser ce qu'il appelle « ce petit médecin rhénan » qui se permettait d'avoir des opinions personnelles sur la sorcellerie. En tant que représentant ici ce corps médical, je voudrais défendre un peu Jean Wier et demander à notre collègue Foriers comment il concilie ces deux opinions.

Foriers. — Mais je crois, mon cher collègue, que le problème n'est, dans le fond, pas tellement compliqué. Et comme je vous l'ai exposé, la conception de Bodin part d'une étude de l'homme. Bien entendu, elle ne se limite pas à l'homme et elle permet parfaitement qu'en dehors de cela, on puisse être possédé par des esprits. On peut avoir également toute une partie disons de la création, qui est représentée par des êtres irrationnels qui sont notamment les sorcières, etc., qui ont une existence propre. Cette existence propre les déclasse par rapport à la notion des humains. Or Jean Bodin, lorsqu'il examine le problème de la folie, établit au contraire le rattachement par rapport à une catégorie qui est celle des humains. En ce qui concerne les problèmes de la sorcellerie, il les exclut ; en réalité, il les traite comme une catégorie spécifique. C'est donc, manifestement, une autre façon d'aborder le problème que celle qu'il a poursuivie dans le domaine de l'insensé et de la déraison. Je crois donc que vous devez bien vous mettre dans cette optique que Jean Bodin n'a pas une conception monolithique de la constitution du monde et qu'à côté des êtres qui sont strictement humains, de catégories dont relèvent ceux qui sont insensés, il existe notamment des êtres qui sont véritablement sortis de cette conception du monde, ont leur caractéristique propre et par conséquent ont une existence en soi, indépendamment de la catégorie des hommes. Et je crois que c'est ce qui explique sa controverse. Il semble effectivement croire, et très sérieusement, à l'existence de personnes qui ont des caractéristiques qui leur permettent de se détacher, d'appartenir en réalité à une autre catégorie, et qui ne relèvent pas de cette catégorie des hommes à laquelle il agrège précisément les insensés.

Brabant. — Il est tout de même un peu surprenant qu'un homme aussi intelligent que Bodin n'ait pas été davantage troublé par les arguments très pertinents de Jean Wier.

Foriers. — C'est presque une étude psychanalytique de Jean Bodin que vous demandez là ! Sa personnalité est fort complexe. Jean Bodin est certes profondément renaissant mais il ne se sépare pas pour autant du passé et reste encore fort imprégné d'idées anciennes qui paraissent faire partie de son héritage spirituel. Il n'est donc pas le parangon de *toutes* les vertus humanistes. Et même dans ses œuvres les plus imprégnées de concepts renaissants il subsiste tout un ensemble d'idées antérieures. Relisez soigneusement et complètement la *République*, vous y retrouverez tout une série d'archaïsmes à côté de nouveautés : la place de l'homme par rapport au pouvoir absolu du prince, etc. Il y a une double direction de la pensée : celle de ceux qui restent fidèles à une tradition historique, celle de ceux qui essaient de balayer le passé et d'explorer des chemins essentiellement nouveaux. Mais ce sont là des tendances et si l'on examine l'œuvre d'un novateur comme Jean Bodin, on constate néanmoins qu'il reste sur certains points très fermement attaché à la tradition. Ce n'est pas tellement à mon sens une question d'intelligence que de reliquat historique.

Marijnissen. — Dernièrement, j'ai lu dans un ouvrage de Michel Foucault, que parfois les fous étaient confiés aux bateliers. Vous comprenez que c'est un sujet extrêmement amusant, en relation avec l'iconographie de la *Nef des fous*. Avez-vous trouvé des cas ?

Foriers. — Personnellement, je n'ai pas trouvé de cas sur des fous confiés à des bateliers. Ce que j'ai trouvé c'est, incontestablement, des fous dirigés vers des institutions charitables. En réalité, vous aviez une sorte de distribution des fous vers certaines structures d'accueil — la distribution normale était au sein de sa famille d'abord, au sein de ses amis ensuite, au sein de sa profession enfin et puis, lorsque le fou présentait un véritable danger social, on prenait certaines mesures de protection. A ce moment-là, on le dirigeait vers des hôpitaux, dont celui de Marseille était le plus célèbre. C'est d'ailleurs la thèse de Foucault, en réalité, que les léproseries n'ayant plus de clients — si j'ose dire — les fonds des institutions devenus disponibles ont été utilisés à une nouvelle activité. Quant à un cas qui aurait été amené à confier des fous à des bateliers, personnellement, je n'ai rien rencontré dans les textes de décisions judiciaires.

Stegmann. — Je dois dire d'abord combien j'ai admiré l'exposé de M. Foriers avec lequel je suis absolument d'accord, parce qu'il nous a beaucoup éclairé, à l'aide de textes très solides sur une mentalité qui peut surprendre et qui avalise d'ailleurs en grande partie la thèse de Foucault, malgré les réserves que nous faisions à l'instant.

Pourriez-vous pourtant ajouter un mot sur ce rôle de médecin ? Le médecin n'intervient-il pas sur le plan juridique, occasionnellement, comme témoin supplémentaire ?

Foriers. — Il est tout à fait exact que le médecin joue un rôle. Ce rôle est essentiellement de départager les témoignages lorsque subsiste un doute ou lorsque les dépositions des témoins présentent un caractère qui ne permet pas au juge de se faire directement sa propre opinion. En réalité, les juges s'inscrivent dans une perspective purement juridique, ont l'habitude, si on peut dire, d'étudier les troubles de la volonté. Par conséquent, en principe, ils se considèrent comme compétents pour peser et apprécier la valeur des témoignages qu'ils recueillent. Dans certains cas, ces témoignages peuvent être contradictoires. Alors, ils abandonnent la technique juridique qui consisterait à dire : puisqu'il y a doute, il est sain d'esprit puisque ce qui est naturel c'est d'être sain d'esprit, pour s'en référer au médecin. Et ils vont donc considérer le médecin comme un témoin privilégié. Voilà très exactement la position.

Marc'hadour. — Je pensais, surtout après la question du docteur Brabant, à ce phénomène linguistique qui a fait désigner les « captos mentis » sous le nom de *crétins* — qui veut dire chrétiens, ou d'*innocents,* ou de *benêts* qui vient de « benedictus » — dans une volonté de faire valoir que non seulement ils partageaient avec leurs frères la condition humaine, mais qu'ayant été baptisés ils étaient dignes d'une sorte de culte. A propos des liens entre religion et médecine, entre troubles mentaux et culpabilité, comment ne pas évoquer le somnambulisme de Lady Bacbeth, dont le médecin dit : « Elle ne relève pas de moi, elle a surtout besoin du prêtre », c'est-à-dire qu'on prie pour elle parce qu'elle a une mauvaise conscience, mais elle a peut-être besoin aussi, étant pécheresse troublée, qu'on ne l'accable pas. Avez-vous trouvé, dans la *République* de Bodin, ou dans d'autres écrits qui faisaient partie de vos documents, des échos de cette notion de « chrétienté » méritant aux innocents un statut de compassion ?

Foriers. — A ma connaissance, dans les écrits de Jean Bodin, certainement pas. Je n'ai trouvé nulle référence à une liaison quelconque avec la notion que l'insensé, parce qu'il est chrétien, mériterait en soi un sort plus favorable. Là, je crois que je puis être formel. Je n'ai pas trouvé non plus dans des documents de nature juridique de l'époque, une liaison quelconque avec la religion. Et peut-être à tort d'ailleurs, on peut évidemment se poser la question : était-il concevable que ce problème se posât pour des juristes ? Je crois qu'il pouvait se poser sur le plan procédural lorsque la qualité de chrétien s'accompagnait des ordres, auquel cas on le versait dans la catégorie du droit canon et il était traité selon le droit. Mais, pour le surplus, je ne crois pas qu'on ait jamais, à cet égard, fait une liaison directe entre la qualité de chrétien et le statut dont le pire devait bénéficier. Je crois que là l'idée est très humaniste et beaucoup plus liée au fait qu'il est un être, un homme, indépendamment de son allégeance religieuse. Bodin apparaît d'ailleurs comme un défenseur de la liberté de conscience — limitée j'en conviens — mais réellement de même. Dès lors on ne voit pas le lien logique qui aurait pu amener Bodin à réserver un sort de compassion aux insensés « chrétiens ».

Backvis. — ... La conception du fou comme un chrétien par excellence n'a évidemment rien à voir avec l'esprit de la Renaissance, mais au contraire avec l'esprit du christianisme médiéval. C'est le fou de Dieu, c'est le simple, par la bouche duquel Dieu peut révéler des vérités qui sont ou bien fermées aux hommes sensés, ou notamment que les hommes sensés, par opportunisme, préfèrent tenir sous le boisseau. On en a une manifestation permanente dans la vieille Russie, c'est le type du *jurodivyi* qui est le simplet et qui est extrêmement respecté en tant que, justement, dépositaire à de certains moments de la vérité morale divine. Rappelez-vous que dans le *Boris Godunov* de Pouchkine, c'est un simplet, un fou qui, seul dans toute la société, a le courage de dévoiler publiquement le crime de Boris Godunov. Voilà, je pense, ce qui explique vos remarques extraordinairement fondées sur l'origine du mot chrétien, benêt, benedictus. Je crois que c'est là qu'il faut chercher l'origine de ce phénomène.

Stegmann. — Les positions extrêmes qui viennent d'être prises sont parfaitement conciliables : M. Marc'hadour a raison et M. Backvis n'a pas tort. Sur le problème du fou, le sentiment religieux est constamment sousjacent : le paradoxe, c'est que la littérature ne nous en dise rien ou presque. Quand on parle du fou, on pense toujours au simple d'esprit, qui est le privilégié de Dieu. Pourtant, dès qu'on prend sa plume et qu'on est humaniste, on semble l'oublier.

Foriers. — Je partage entièrement votre sentiment. J'avais répondu dans les limites de la question posée à savoir si les textes faisaient allusion à un statut privilégié de l'insensé chrétien et j'avais conclu à la négative. Vous m'en donnez la confirmation.

Bosch and Bruegel on human folly

R.H. MARIJNISSEN

Directeur adjoint de l'Institut du Patrimoine artistique à Bruxelles,
Section Conservation

It is sometimes very difficult to understand the thinking of our ancestors. The increase in knowledge since the 15th century is tremendous. Our ways of life, our moral standards and philosophical values are completely different now. Many of the anxieties of people living five centuries ago are no longer ours. Their solicitude seems to us as strange as their wit. The whole difficulty of interpreting the art of the past is a question of rates of exchange. We have to find out what their currencies were.

In looking at pictures of Bosch and Bruegel, anybody can justify an interpretation of his own. The bibliography on both Bosch and Bruegel is an impressive display of contradictory assertions. Of course, everybody has the right to appreciate and to explain works of art in the way that he prefers. The art-historian however has to comment works of art within their historical context [1].

Scholars working in the field of humanism and the waning Middle-ages know that folly became a very popular theme at the end of the 15th and the beginning of the 16th century. The fool and his bauble appear even at rather unexpected places [2]. He becomes a symbol of scoff and mockery. The target, the subject for ridicule is however not always clear.

It should be noted that in Burgundy and the Netherlands fools, dressed as fools, could be seen in town from time to time. As far as I can ascertain, one of the oldest companies of fools was founded already in 1381 by the duke of Cleves. Dijon had his *Infanterie dijonaise* or *Mère folle* as early as 1453, a fools-company which lasted till 1630 [3] (ill. 1 and 2).

In the Netherlands existed since at least 1413 *De Blauwe Schuit* (the Blue Barge), " de gesellen van wilde manieren " (the fellows of wild manners), companies of jokers known throughout the Netherlands, but especially in the Southern part 4.

[1] Works of art can, of course, be studied in many ways. Actually however the desire to demonstrate a new interpretation of the past often prevails on the aim to look after the correct one.

[2] Thus one can find them in the marginal and other illustrations of printed books, the content of which has nothing to do with the theme of foolishness. See e.g. : *Die ghetijden van onser liever vrouwen*, Paris, Hopijl, 1500 ; *Hore intemerate...*, Paris, Thielman Kerver pour Gillet Remacle, 1503.

[3] DU TILLIOT, " Mémoires pour servir à l'histoire de la Fête des foux, Qui se faisoit autrefois dans plusieurs Eglises... ", in : *Cérémonies et Coutumes religieuses de tous les peuples du monde...*, Amsterdam, 1743, t. VIII ; P.L. JACOB, *Curiosités de l'histoire de France : La Fête des fous, Le roi des ribauds...*, Paris, 1858.

[4] D.T. ENKLAAR, " De Blauwe Schuit ", in : *Tijdschrift voor Geschiedenis*, 1933, 1, pp. 37-64 ; 2, pp. 145-161 ; IDEM, *Varende Luyden*, Assen, 1937, ²1956.

It is not my intention to trace the origins and history of those merry companies. I would like only to emphasize that the works of Bosch and Bruegel, dealing with folly, must certainly be studied in connection with the above mentioned facts. In the Netherlands — especially in Brabant — folly became a commonplace in the 16th century and faded away in the 17th century emblemata.

Bosch' written comments are limited to two quotations from the bible [5]. As to Bruegel's œuvre, we have fortunately numerous captions which have been added to several of his drawings and prints [6]. Although these polyglot comments are very likely not coined by Bruegel himself, they reflect the contemporary understanding of his engravings. At least they offer to us an approach.

In 1642, seventy-three years after Bruegel's death, Henricus Hondius published in The Hague a set of three engravings after Pieter Breugel [7] showing the so-called *Pilgrimage to Molenbeek* [8]. From the captions we learn that once a year, epileptics were brought to Molenbeek. Relatives or friends forced them to cross the Molenbeek-bridge. It was believed that the sick were thus cured for one year. We may presume that not only epileptics were brought to Molenbeek, but also hysterical women, and occasionally the insane. Medical science did not then discern the differences between these diseases [9] (ill. 3).

In Bruegel's *Hobokenkermis* [10] a single fool is walking around with two children. In this instance the fool is obviously a kind of a jester or a clown. His presence is a matter of minor importance. The scene confirms however that the fool's-cap was a common fancy-dress [11] (ill. 4).

We know that the fool appeared frequently on the stage in order to make people laugh at his jokes. Close observer and excellent reporter of daily life, Bruegel shows us in the background of his engraving *Temperantia* [12] a stage and a fool appearing with his bauble, giving an unexpected or silly response to the actors (ill. 5).

In the 16th century Antwerp, Brussels, 's Hertogenbosch, Diest, Ghent, Lier and many other towns of the Low Countries we find a ' Rederijkerskamer ', a com-

---

[5] On the alleged table-top, the *Seven Deadly Sins* (Madrid, Prado) and the closed wings of the so-called *Garden of (Earthly) Delights* (Madrid, Prado).

[6] K. VON TOLNAI, *Die Zeichnungen Pieter Bruegels*, Munich, 1925, Zurich, ²1952 ; L. MÜNZ, *Bruegel. The Drawings*, London, 1961 ; H.A. KLEIN, *Graphic Worlds of Pieter Bruegel the Elder*, New York, 1963 ; L. LEBEER, *Catalogue raisonné des estampes de Pierre Bruegel l'Ancien*, Brussels, 1969 ; Catalogue *Pieter Bruegel d. Ä. als Zeichner. Herkunft und Nachfolge*, Berlin, 1975.

[7] The artist is mentioned in the title as follows : " *den uytnemenden konstigen Schilder Pieter Breugel* " (see LEBEER, *o.c.*, ill. p. 197). It should be noted that the name is written Breugel (and not Bruegel). It is quite possible that the author is not Bruegel the Elder, but his son. See also a drawing at the Albertina, Vienna, showing the same subject (MÜNZ, *o.c.*, nr A 55, ill. nr 203).

[8] Molenbeek is a suburb of Brussels.

[9] H.H. BEEK, *Waanzin in de Middeleeuwen*, Nijkerk, Haarlem, 1969 ; KLEIN, *o.c.*, p. 127.

[10] LEBEER, *o.c.*, nr 30 ; KLEIN, *o.c.*, nr 23. In spite of the Bruegel-signature, several authors attribute the drawing as well as the engraving to Franz Hogenberg. As to the subject, cf. A. MONBALLIEU, " De ' Kermis van Hoboken ' bij P. Bruegel, J. Grimmer en G. Mostaert " in : *Kon. Museum v. Schone Kunsten, Antwerpen*, Jaarboek 1974, pp. 139-169.

[11] Especially in corteges — the " ommegangen " — very popular in the southern part of the Netherlands. The smiling shepherd on Bosch' *Nativity* (Cologne, Wallraf-Richartz Museum ; Brussels, Musées royaux des Beaux-Arts) is sometimes taken for a fool (see E. CASTELLI, *L'Umanesimo e ' la Follia'*, Rome, 1971, p. 15, ill. nr 24) although he does not wear a fool's-cap.

[12] LEBEER, *o.c.*, nr 37 ; KLEIN, *o.c.*, nr 54.

pany of amateur poets and playwrights. All of these companies had a fool and from time to time a festival of tomfoolery was organised. The subject of Bruegel's print *The Festival of Fools* [13] is such a fools' national congress. The ballgame certainly alludes to folly. In Dutch the word " bol " means ball, or, in an extended sense, head. An unwise, whimsical or capricious person is still called in Dutch a " zottebol ", and " to lead each other by the nose " — a scene represented in the centre of the print — still means in Dutch that they are stricking one another (ill. 6).

Formerly in common Dutch parlance, foolish people were said to have a pebble in their heads. Jokingly the pebble had to be cut away, hence the " keisnijding ", i.e. the *Stone operation*. It is quite possible that itinerant quack doctors, tooth-drawers and other charlatans simulated such operations at the fair [14]. Two documents recently discovered by Dr. J. Decavele confirm that the operation was effectively executed : in 1571 a surgeon, master Ysaac Sparenberch, obtained in Ghent twice an authorization for such an intervention.

One must be really dotty, yes it is the height of foolishness to spend money in order to get rid of the own foolishness ! This is obviously the subject of *The Witch of Mallegem* [15]. The name of the place Mallegem is a pun, " mal " in Dutch being synonymous with foolish. The so-called witch is addressing the poor dullards : " People of Mallegem, be of good cheer. I, Mistress Witch, want to be welcome here. I have come to cure you and be of service to you, together with my under-lings. Come, all of you, great and small, without delay, if you have a wasp in the head or if the pebbles rattle inside your head " [16] (ill. 7).

Under the quack's table we see a man with a padlock on his mouth and a fool's bauble up his sleeve. The expression " de aap komt uit de mouw " (the monkey comes out of the sleeve) is still used in modern Dutch to denote that someone's true but hidden intentions are appearing at last.

Several other details seem to have some connections with methaphorical lan-guage, thus e.g. the beans we notice in the lower right corner of the print [17]. At the same spot one of the quack's assistants is operating on a victim inside a huge eggshell. A partly broken eggshell has been represented many times by both Bosch and Bruegel [18]. Its symbolic meaning has not yet been explained in a satisfactory way. It could be a symbol of things that are judged idle, idle in the sense of in vain.

The stone operation is also the subject of another engraving made after a pre-sumed Bruegel-drawing, namely the print known as *The Dean of Renaix* [19] (ill. 8).

---

13 LEBEER, *o.c.*, nr 29.

14 J.B.F. VAN GILS, " Het snijden van den kei ", in : *Nederlandsch Tijdschrift voor Ge-neeskunde*, LXXXIV, 1940-1942, pp. 1310-1318.

15 LEBEER, *o.c.*, nr 28 ; KLEIN, *o.c.*, nr 37. On the fourth state of the print french captions have been added (see LEBEER, *o.c.*, ill. p. 85).

16 For the original text, see LEBEER, *o.c.*, pp. 84-85. On the fourth state " Vrou Hexe " (mistress Witch) has been changed in " meester Ian " (master John).

17 A Dutch proverb, mentioned in 1550, reads : " Als de bonen bloeyen / soe en sint die gecken niet wijs ", i.e. : when the beans are abloom, the fools are not wise. G.G. KLOEKE, *Kamper spreekwoorden. Naar de uitgave van Warnersen, anno 1550*, Assen, 1959, p. 57, nr 2. See also A. DE COCK, *Spreekwoorden, zegswijzen en uitdrukkingen op volksgeloof berustende*, I, Antwerp, 1920, pp. 11-13.

18 R.H. MARIJNISSEN and M. SEIDEL, *Bruegel*, 1969, American ed., 1971, p. 162, 168 ; LEBEER, *o.c.*, nr 73 ; R.H. MARIJNISSEN, K. BLOCKX, P. GERLACH, H.T. PIRON, J.H. PLOKKER, V.H. BAUER and M. SEIDEL, *Jheronimus Bosch*, Brussels, 1972, ill. nr 63.

19 LEBEER, *o.c.*, nr 83 ; J.B.F. VAN GILS, *l.c.*

Bruegel's *Alchemist* [20], he too is dotty. He is one of those " folastres " [21], madman carried away by the figments of their brains. Stubborn as he is, the alchemist is on the point of dropping his last coin into the crucible. In dire necessity, he and his family will have to go to the hospital [22] : henceforth they will depend upon public charity. Again the height of foolishness : to reduce oneself to poverty by pursuing a delusion inspired by greed and covetousness !

Bruegel is pointing [23] at a complete failure. As a matter of fact this is clearly stated by Bruegel himself. On the original drawing (Berlin) we find already the Dutch pun or calembour " ALGHE MIST ", which means to the very letter : (he) failed in everything [24]. The alchemist is much more crazy than his assistant who is wearing a fool's-cap [25]. It should be emphasized that the main subject of this print is probably not the alchemist as such [26] ; he is but a striking example of unreasonable behaviour (ill. 9).

Is a proverb [27] not most of the time pure common sense giving comments on human behaviour ? A behaviour that turns the world upside down [28] !

Does Bruegel's *Tower of Babel* [29] make any allusion to the tragic confusion of

[20] LEBEER, *o.c.*, nr 27 ; KLEIN, *o.c.*, nr 38. The original drawing (Berlin, Kupferstich-kabinett), in MÜNZ, *o.c.*, cat. nr 139, ill. nrs 136 and 152.

[21] The beginning of the French caption on the third state reads as follows : " Voy comme ce folastre... ".

[22] The deplorable end as predicted in the captions is clearly illustrated by the scene in the upper right corner (of the print). Already on the first state of the engraving the word " lospital " is written above the doorway of the building represented in the background.

[23] The man pointing at the codex and the alchemist's wife has not yet been identified in a satisfactory way. See however M. Winner's comments in the Berlin catalogue (1975).

[24] The translation of the calembour as proposed by several authors discussing the *Alchemist* is sometimes inaccurate. " ALGHE MIST " should be read " al ghemist ", in modern Dutch : " alles gemist ".

[25] J. VAN LENNEP, *Art et Alchimie*, Brussels, 1966.

[26] The alchemist has been used as a moralizing ' exemplum ' till the 17th century. See e.g. F. SCHOONHOVEN, *Emblemata*, Gouda, 1618, emblema XLVIII ; R. V[ERSTEGEN], *Characteren oft Scherpsinnighe Beschrijvinghe van de Proprieteyten oft eygendommen van verscheyden persoonen*, Antwerp, 1619 ; H. VAN DEN BORN, *Sedigh Leven*, Louvain, 1638.

[27] *Proverbia communia*, [Deventer, R. Paffraet, about 1480], a dozen editions between 1480 and 1497 (see R. JENTE, *Proverbia communia. A 15th century collection of Dutch proverbs, together with the Low German version*, Bloomington, 1947) ; ERASMUS, *Adagia*, 1500 ; J. DE LA VÉPRIE, *Proverbia gallicana*, Paris, 1519 ; C. BOVILLIUS, *Caroli Bovilli Samarobrini Prouerbiorum Vulgarium*, 1531 ; S. FRANCK, *Sprichwörter*, 1541 ; *Bonne response a tous propos. Liure fort plaisant & delectable auquel est contenu grand nombre de Prouerbes, & sentences ioyeuses... Traduict de la langue Italienne...*, Paris, 1547, Antwerp, 1555 ; *Kamper spreekwoorden*, 1550, see above, note 17 ; *Seer schoone Spreeckwoorden, oft Proverbia, in Franchoys ende Duytsch. Motz tresbeaux ou dictons et prouerbes en Franchoys et Flemmeng*, Antwerp, 1549 ; G. MEURIER, *Colloqves ov novvelle invention de propos familiers...*, Antwerp, 1557 ; T.N. ZEGERUS, *Proverbia tevtonica latinitate donata...*, Antwerp 1554, 1563 ; G. MEURIER, *Recveil de sentences notables, dicts et dictons commvns...*, Antwerp, 1568 ; F. GOEDTHALS, *Les proverbes anciens flamengs et françois correspondants de sentence les vns aux autres...*, Antwerp, 1568. See also F. VILLON and RABELAIS. This bibliography shows clearly that in 1559 the subject of Bruegel's panel *The Proverbs* (Berlin, Staatliche Museen) was quite normal.

[28] See R.H. MARIJNISSEN and M. SEIDEL, *Bruegel, o.c.*, cat. nr 6, American ed. p. 38.

[29] Vienna, Kunsthistorisches Museum, dated 1563 ; Rotterdam, Museum Boymans-van Beuningen, a smaller version, neither signed nor dated. See R.H. MARIJNISSEN and M. SEIDEL, *Bruegel, o.c.*, cat. nrs 16 and 17.

M. VAN VAERNEWIJCK, *Van die beroerlicke tijden in die Nederlanden en voornamelijk in Ghendt 1566-1568*, ed. Ghent, 1872-1881, 5 vol., French translation, Ghent, 1905-1906. In this contemporary chronicle Marcus van Vaernewijck compares the disputing Calvinists, Lutherans and Anabaptists with the builders of the Babylonian tower, whose pride God punished by confounding their language.

faith in Bruegel's days ? We have no proof of that, but it is quite possible that this was the message indeed. An undertaking that ended in complete chaos, is it not a perfect image of what things become when there is a lack of wisdom ? Man must be a fool to think that he has any chance of escaping the will of God, such could be the moralizing theme of the *Tower of Babel*.

It is clear that in the 16th century folly and the fool's-cap were used to disapprove or to blame. Thus the drunkard is jeered at because of his unwise conduct [30].

In the engraving *Elck* [31] (ill. 10) the fool appears in the background as a ' picture within a picture '. His presence has been explained in different ways. Recently he was identified with Nemo [32]. Some connections with the older allegorical character Niemand (Nobody) is not excluded [33], but the antithetical equivalence of Everyman - Nobody, is it not self-explanatory [34] ? Although several details need further investigation, the message of *Elck* can hardly be considered as being obscure : everybody is looking for his own profit, but nobody is aware of his greed.

In Bosch' œuvre we find but two overt references to folly, i.e. *The Stone Operation* and *The Ship of Fools*.

But few authors accept the Madrid panel *The Stone Operation* as an original work of Bosch [35]. Needless to say that several details [36] have puzzled the scholars. Although the calligraphic inscription is actually correctly read, there is still some discussion as to eventual connotations to the first name Lubbert [37]. Meanwhile we may presume that the subject of the Bosch-panel does not differ very much from the Bruegel-prints *The Witch of Mallegem* and *The Dean of Renaix* discussed above.

[30] LEBEER, *o.c.*, nr 73.

[31] LEBEER, *o.c.*, nr 26 ; KLEIN, *o.c.*, nr 34 ; the original drawing, signed and dated 1558, is in the British Museum ; MÜNZ, *o.c.*, cat. nr 138, ill. nr 135.
Ordinantie van de nieu Punten van onser Vrouwen Ommeganck half Oogst 1563, Antwerp, [1563 ?]. J. GRAULS, « Ter verklaring van Bosch en Bruegel », in : *Gentsche Bijdragen tot de Kunstgeschiedenis*, VI, 1939-1940, pp. 139-160 ; IDEM, *Volkstaal en volksleven in het werk van P. Bruegel*, Antwerp, Amsterdam, 1957 ; C.G. STRIDBECK, *Bruegelstudien. Untersuchungen zu den ikonologischen Problemen bei Pieter Bruegel d. Ä., sowie dessen Beziehungen zum niederländischen Romanismus*, Stockholm, 1956, pp. 43-61.

[32] G. CALMANN, " The Picture of Nobody. An Iconographical Study ", in : *Journal of the Warburg and Courtauld Inst.*, XXIII, 1-2, 1960, pp. 60-104 ; I.L. ZUPNICK, " The Meaning of Bruegel's ' Nobody ' and ' Everyman ' ", in : *Gazette des Beaux-Arts*, LVII, May-June 1966, pp. 257-270 ; R. GIORGI, « Un tema della ' Follia ' : il ' Nessuno ' », in : *L'Umanesimo e ' la Follia* ', Rome, 1971, pp. 65-88.

[33] Especially the rubbish heap of domestic equipment, already represented on Joerg Schan's broadsheet *Niemants hais ich was jeder man tut das zücht man mich*, between 1500 and 1507. The drawing *Elck* is dated 1558 ; *Niemand* can be found in a German *Kalender vffs M.DLXIII. Jar*, reproduced in : *Gutenberg Jahrbuch*, 1974, p. 153.

[34] Formerly considered as a peasant, Bruegel became subsequently a humanist and a highbrow philosopher. Both Bosch and Bruegel are striking examples of modern ' overinterpretation '. We often forget that the message of their works was addressed to people of the 16th century.

[35] The panel has even been considered as " a well-composed pasticcio based on Bosch and dating from about 1560-1570 " (L. BRAND PHILIP, " The ' Peddler ' by Hieronymus Bosch, a study in detection ", in : *Nederlands Kunsthistorisch Jaarboek*, 9, 1958, p. 45).

[36] Different interpretations have been suggested for details such as jug, funnel, book, purse and dagger.

[37] J.B.F. VAN GILS, *l.c.* ; D. BAX, " Jeroen Bosch' keisnijding ", in : *Historia*, X, 1944, pp. 121-124 ; *Woordenboek van de Nederlandsche Taal*, t. VIII, 2, 3110.

Friedländer apparently preferred to call the Louvre-panel *The Concert in the Barge,* instead of *The Ship of Fools* [38]. In his opinion, the scene can hardly be explained [39]. Was this panel once a wing of a triptych [40] ? Its subject is obviously not religious in the strict sense of the word [41]. On the other hand, there is no doubt as to the satirical and moralizing intention of the scene, because of the presence of the fool. Consequently we have to look for a link in contemporary literature. Up to now three references have been suggested : 1. Sebastian Brant's *Narrenschiff* [42], 2. the above mentioned *Blauwe Schuit* [43], and 3. *Het Schip van Sint Reynuit* [44]. Reynuit's ship could turn out to be rather close to the subject of the discussed panel. In spite of several unidentified details [45] and yet unexplained symbols [46], there is but little doubt about the message : the scene is a disapproval of a dislocated life.

Bosch is enigmatic. It has been repeated so many times that we finally forget the things that are not enigmatic at all. Take e.g. the function and the structure of a triptych. In Bosch' time, a triptych was always a functional object for worship [47]. At least one thing is evident : the wings and the central panel always have a logical relationship.

On the left wing of *The Garden of (Earthly) Delights* [48], we see Paradise ;

[38] For a status quaestionis, see H. ADHÉMAR, *Corpus de la peinture des anciens Pays-Bas méridionaux au quinzième siècle. Le musée national du Louvre,* Brussels, 1962, nr 80, pp. 20-32.

[39] M.J. FRIEDLÄNDER, *Altniederländische Malerei,* t. V, *Geertgen von Haarlem und Hieronymus Bosch,* Berlin, 1927, p. 104 : " Das ' Konzert in der Barke ', das der Louvre besitzt und das ' Konzert im Ei ', von dem ein recht gutes Exemplar im Museum zu Lille bewahrt wird, gehören zu den kaum beschreibbaren, geschweige deutbaren Szenen. Unter völliger Aufhebung naturgesetzlicher Umstände treiben Männer und Frauen mit Ernst und Andacht Unfug und Schabernack, wie wenn im Narrenhause Karneval gefeiert würde. "

[40] CH. DE TOLNAY, *Hieronymus Bosch,* Bâle, 1937, Baden-Baden, 1965, English ed. 1966 ; CH. SEYMOUR, *The Rabinowitz Collection of European Paintings. Yale University Art Gallery,* New Haven, 1961 ; C.T. EISLER, *Corpus de la peinture des anciens Pays-Bas méridionaux au quinzième siècle, New England Museums,* Brussels, 1961 ; H. ADHÉMAR, *o.c.,* p. 29.

[41] The vertical oblong shape of the panel does not prove that the painting is the wing of a triptych. The material and technical relationship with the so-called *Allegory of Gluttony* in New Haven (see CH. SEYMOUR, *o.c.* ; C.T. EISLER, *o.c.*) needs further investigation. The suggestion that the panel could be a wing does not solve the fundamental problem of the iconographical coherence of the triptych. See note 47.

[42] A Dutch translation was published as soon as 1500 : *der zotten ende der narren scip,* a copy of which is in the Bibliothèque Nationale in Paris.

[43] See the references mentioned in note 4. It should be noted however that the barge is not blue, but brown.

[44] A rare copy of a broadsheet of eight blocs edited by Doen Pietersz[oon], Amsterdam, about 1521-1522 (NIJHOFF and KRONENBURG, nr 3601, Oxford, Ashmolean Museum) ; M. DE CASTELEYN, *De Konst van Rethoriken,* Rotterdam, 1616, pp. 190-193 : " Sermoen van Sente Reinhuut " ; C.P. BURGER, in : *Het Boek,* 1931, p. 209-221 ; see also the references mentioned in note 4, and R. PEETERS, " Rondom een paar thema's bij Jeroen Bosch ", in : *Taxandria,* XL, 1968. The name of this funny saint (Reynuut, Reynuyt, Reynuit, Reinuut, Reinhuut) is a calembour, the meaning of which is : nicely, completely empty.

[45] E.g. the round object attached to a string, and the object in the tree. The latter has been taken for a skull, a mask and an owl.

[46] A. BOCZKOWSKA, " The Lunar Symbolism of the Ship of Fools by Hieronymus Bosch ", in : *Oud Holland,* LXXXVI, 2-3, 1971, pp. 47-69 : "... first and foremost a lunar boat and the wanderers in the boat are ' children of the moon ' ... " (p. 48) ; "... a pessimistic image of a sinful humanity, without will and intellect, which is directed by the Moon " (p. 69).

[47] Personally I have never found a contemporary netherlandisch triptych the iconographical subject of which is profane. See R.H. MARIJNISSEN a.o., *H. Bosch, o.c.* Situated between *Paradise* and *Hell,* the *Haywain* is not a profane painting.

[48] For a status quaestionis, see R.H. MARIJNISSEN a.o., *H. Bosch, o.c.*

on the right wing Bosch represented Hell. Is there any other relationship between Paradise and Hell, except sin ? The scenes of the central panel having undoubtedly an erotic character, the subject of the alleged *Garden of Delights* must be necessarily the sin of luxuria.

A naked man on a huge skate, what does it mean ? I have not the slightest idea. The only thing we can assume is that the man is in hell, condemned into eternity. We learn from older and contemporary literary sources that the souls will be punished in hell according to the sins they committed. But I have never found any statement explaining why skating was judged morally wrong [49]. Several scenes will perhaps remain riddles forever, although enduring research in the field of Bosch' cultural and historical entourage [50] can solve many of them. Meanwhile the context of a whole range of facts allows us to read the message of a triptych.

With his *Garden of Delights,* did Bosch not demonstrate that the attractiveness of unchastity is pure delusion, a device of the devil ? For some fugacious pleasure, man forgets his real destiny in the hereafter. Man must be mad to prefer some vain pleasure to eternal blessedness.

A similar warning seems to be the theme of *The Hay Wain* [51]. Hay was, at least in the Netherlands, a metaphor for nothingness, futility [52]. Disobedient to God, man grasps as much hay — as much nothingness — as he can, yes, for a handful of hay, he will kill his fellow man, cut his throat. Foolish enough to make light of God's law and warning, mankind is driven straight to hell.

That Bosch is admonishing mankind for an unreasonable, unwise, and consequently foolish behaviour, is confirmed by the quotation from Deuteronomium (32:28-29) he painted on the (alleged) table-top *The Seven Deadly Sins* [53] : " Gens absque consilio e[st] et sine prudentia utina[m] sapere[n]t et i[n]telligere[n]t ac novissi[m]a providere[n]t ".

The context of an œuvre and the relationships to literature, ethics and religion are much more important than the alleged meaning of a single picture. The latter may seem enigmatic, because of our ignorance, or simply because of the fact that the subject is no longer relevant to us.

If we agree to suspend for a while our endless discussions about countless details and unintelligible scenes which fantasy can arbitrarily explain in a hundred ways, the message of both Bosch and Bruegel is, I think, not obscure at all. They complain about the foolish, that means the unreasonable conduct of mankind.

For Bosch the folly of man is his earthlymindedness. Bruegel's disillusion is perhaps slightly more humanistic and indulgent : endowed with reason, man should be much more reasonable than he seems to be.

---

[49] Many late medieval texts mention frozen pounds in hell. Moreover skating is very popular in the Netherlands. During the present colloquium Mrs Charpentier suggested that there could be some allusion to the latin.

[50] R.H. MARIJNISSEN a.o., *H. Bosch, o.c.*

[51] For a status quaestionis, see R.H. MARIJNISSEN a.o., *H. Bosch, o.c.*

[52] P. DE KEYSER, " Rhetoricale toelichting bij het Hooi en den Hooiwagen ", in : *Gentsche Bijdragen tot de Kunstgeschiedenis,* VI, 1939-1940, pp. 127-137 ; L. LEBEER, " Het Hooi en de Hooiwagen in de beeldende kunsten ", in : *idem,* V, 1938, pp. 141-155 ; J. GRAULS, the references mentioned in note 31.

[53] Madrid, Prado. For a rather peculiar interpretation of this panel, see W. FRAENGER, " Der Tisch der Weisheit, bisher die Sieben Todsünden genannt ", in : *Psyche,* V, 1951, pp. 355-384.

Discussion

Brabant. — Je voudrais demander ceci à M. Marijnissen : dans une des gravures de Bruegel qu'il a projetées, je n'ai pas bien compris le symbolisme de l'œuf représenté dans le coin inférieur, là où l'on opère la pierre de tête. Ensuite, j'aimerais qu'il me donne le symbolisme, s'il y en a un, de cette sorte de chapeau qui se trouve dans le coin supérieur gauche et d'où dégouline une collection de « pierres de folie ».

Marijnissen. — Si j'avais une explication pour tous les détails qu'on trouve dans l'œuvre de Bruegel et de Bosch, je serais très heureux. En ce qui concerne l'œuf, c'est peut-être l'élément le plus clair, bien qu'il soit relativement obscur, parce que, une fois de plus, la *preuve* d'une signification symbolique fait défaut. Vous vous rappellerez que j'ai projeté une gravure représentant un buveur muni d'un capuchon à grelots et assis sur une coquille d'œuf. Or la légende qui se trouve autour de l'image semble suggérer que cet œuf « vide » est un symbole de ce qui est vain, dans le sens du « foin », symbole de ce qui n'a pas de consistance. Je crois que c'est cela, mais je n'en ai pas la preuve.

Brabant. — Mais cela n'a donc pas un sens spécial qu'on opère la pierre de tête à l'intérieur de l'œuf ?

Marijnissen. — Je pense que c'est une allusion à l'inutilité de cette opération. Le véritable but de cette prétendue sorcière de Mallegem, est de gagner de l'argent.

Charpentier. — Une question encore sur l'œuf. Il semble bien que cet œuf soit un symbole très polyvalent dans la littérature alchimique. Or nous avons rencontré des alchimistes dans votre iconographie. L'œuf est une sorte de symbole germinatif du monde. Le lieu où s'opère le Grand Œuvre de l'alchimiste s'appelle aussi un « œuf ». N'y a-t-il pas quelque relation à établir entre ces différents œufs : l'œuf plein, l'œuf rayonnant de l'alchimiste, celui qui fabrique l'Œuvre, et puis, au contraire, l'œuf vide ou l'œuf cassé où l'on voit s'agiter des êtres bizarres qui se retrouvent dans différents tableaux de Jérôme Bosch, dans d'autres également ? C'est une question, ce n'est pas du tout une proposition.

Marijnissen. — Il est bien possible que l'œuf, que nous trouvons dans les gravures et dans les tableaux chez Bruegel et chez Bosch, a un certain lien avec le symbolisme alchimique. D'ailleurs, comme vous le savez, on a démontré que Bruegel était un adepte de l'alchimie. Je veux bien, mais en tant qu'historien, je demande des preuves, je demande au moins quelques références. Il est évident que Bruegel et Bosch se réfèrent à un tas d'éléments qui, à leur époque, étaient tout à fait courants, et qui pour nous ne le sont plus. Il est donc bien possible que le langage symbolique que Bosch et Bruegel emploient ait une relation directe ou indirecte avec l'alchimie. Sur le panneau central du *Jardin des délices*, on voit à l'arrière-plan un groupe de personnages qui entrent dans un œuf. Peut-être s'agit-il, là aussi, d'une allusion au plaisir illusoire auquel les gens s'adonnent.

Bonicatti. — Just a few words. I heard with pleasure that you shared some conclusions on Bruegel published in my study of '69th and on Bosch in the book published together with Castelli " L'Umanesimo e la Folia " particularly about the Babel-Tour and then the Tour-kermesses and mostly the painting in Berlin, the

*Dessein de la Mere-folle, tiré sur une figure en bois
du Cabinet de feu M. l'Abbé Boisot.*

Dessein d'une Estempe representent la Follie.

**Combien de curieux empreſſez à me voir,
Pourront en me voyant ſe paſſer de miroir!**

*Dessein du Chariot de l'Infanterie Dijonnoise
du Cabinet de M. du Tilliot.*

Le monde eſt plein de Foux, et qui n'en veut pas voir
Doit ſe tenir tout ſeul et caſſer ſon miroir.

1. Du Tilliot, « Mémoires pour servir à l'histoire de la Fête des foux… », in *Cérémonies et Coutumes religieuses de tous les peuples du monde…*, Amsterdam, 1743, t. VIII.

Dessein d'un Sceau en Cire rouge, tiré sur l'Original qu'avoit feu M. De Vandenesse Apoticaire à Dijon.

Dessein du bâton de cette Compagnie, dont l'Original étoit entre les mains de Monsieur Poissonnier maitre Apotiquaire à Dijon.

2. Du Tilliot, « Mémoires pour servir à l'histoire de la Fête des foux… », in *Cérémonies et Coutumes religieuses de tous les peuples du monde…*, Amsterdam, 1743, t. VIII.

3. *The Pilgrimage to Molenbeek,* 1642.
« Copyright Bibliothèque royale Albert Ier, Bruxelles (Cabinet des Estampes) ».

4. *Hobokenkermis.*
   « Copyright Bibliothèque royale Albert Iᵉʳ, Bruxelles (Cabinet des Estampes) ».

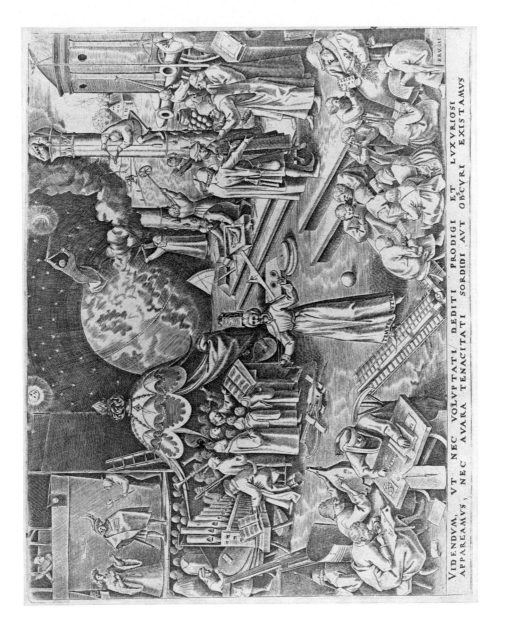

5. *Temperantia.*

« Copyright Bibliothèque royale Albert Ier, Bruxelles (Cabinet des Estampes) ».

6. *The Festival of Fools.*

« Copyright Bibliothèque royale Albert Iᵉʳ, Bruxelles (Cabinet des Estampes) ».

7. *The Witch of Mallegem.*
   « Copyright Bibliothèque royale Albert Iᵉʳ, Bruxelles (Cabinet des Estampes) ».

8. *The Dean of Renaix.*
  « Copyright Bibliothèque royale Albert Iᵉʳ, Bruxelles (Cabinet des Estampes) ».

9. *The Alchemist.*
   « Copyright Bibliothèque royale Albert Ier, Bruxelles (Cabinet des Estampes) ».

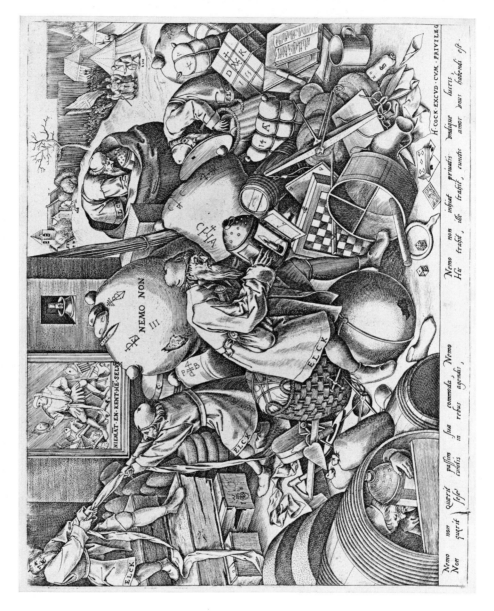

10. *Elck*.

painting on the scene we were. I wanted to ask you in particular what do you think about the *Dulle Griet* ?

Marijnissen. — In literature you will find a lot of interpretations and most of the time very fantastic interpretations : it should be the symbol of war and it should be the symbol of the revolt against the Spaniards. I think that the real subject is rather poor. It's a kind of a taunt in Flemish at the period. I would like to mention a very important thing. On that painting we see the jaws of hell. The eyebrows of the grotesque face are formed of two rows of jars. Professor Van Puyvelde who was a Fleming and very well acquainted with our ancient culture, thought that these flagons are alluding to drink. But in reality it are " spreeuwpotten " that means nesting boxes for starlings. Jars like these used to be hung up outdoors and people plundered the nests in due time. Fortunately we know the real title of " Dulle Griet ". It is " Griete die een roof doet voor de helle ". " Roof " means plunder, rapine. I think that the real subject is the virago. Not a witch, but simply a woman with a very bad character. In our 16th century literature passages scoffing at the virago are frequent.

The dutch adjective " dul " doesn't mean insane ; it just means to be very quarrelish. When we look at a painting like " The Garden of Delights ", we can find any interpretation we like. That's the whole difficulty. An image has no universal meaning, it has a certain value within a certain period, I think. And if we trie to interpret those images, we have to refer to literature, to law and to religion, a.s.o. in other words to the whole culture. And then, sometimes, we come to the conclusion that the real subject is not at all what we expected or what we would like to find in that picture. Especially in connection with Bosch and Bruegel, I can only refer to the Flemish literature of their time.

Bonicatti. — So you don't think that it means nothing in particular.

Marijnissen. — In relation to foolishness ?

Bonicatti. — It means nothing to us or it means nothing at this moment ?

Marijnissen. — It means nothing to us because we don't make jokes anymore on quarrelish women as Bruegel's contemporaries did.

Bonicatti. — Do you think that the egg is really no polysymbolic ?

Marijnissen. — I have no proof.

Bonicatti. — In Bosch I mean.

Marijnissen. — It's possible. But I insist on the fact that the general context is much more important than the single detail. First we have to agree on the structure of a triptych and its general message. Afterwards we can try to explain the single details.

Bonicatti. — Yes, but we have the iconography of eggs in other paintings and in drawings too of the same period, by same Bosch f.i. if you remember the triptic, the other painting in Prado, with the egg. *San Anton* in Prado, an egg with a witch or something else.

Marijnissen. — There is perhaps a better example : " The Concert in the Egg ". Here we come to your field. I think it's an allusion to the idleness of profane music. I would like to ask you whether you have found some references of the " vielle " and the bagpipe, judged the instruments of sinners ?

4

Bonicatti. — It's very peculiar. The reference to the instruments of the sinners is always associated with a bagpipe.

Plard. — Je voudrais également parler du concert dans l'œuf du fameux tableau du musée de Lille, qui n'est pas de Bosch, mais qui est une copie postérieure, très bonne. J'ai remarqué que parmi les personnages qui sont ainsi rassemblés en cet œuf et qui chantent une musique polyphonique, il y en a qui portent un vêtement ecclésiastique ; il y a une béguine, plusieurs moines et là encore, il semble que l'œuf signifie non seulement la folie au sens de déraison, mais aussi la perversion des voix divines, le fait que des hommes et des femmes que leur état devrait tourner vers d'autres pensées chantent une musique en somme licencieuse. Le parallélisme entre le coin inférieur droit de la sorcière de Mallegem et le tableau du musée de Lille m'a paru évident.

Sankovitch. — I would like to go on with these idea of the egg is the symbol of the perversion of divine laws and it seems to me that f.i. in the Garden of Earthly Delights there is this structure as you said from left to right a.s.o., but it is also a structure I think of perversion of forms of the first pannel which goes growing stronger in the middle and in the third pannel and I wonder may be this pink form which I seem to remember in the first pannel this sort of very delicious, and innocent and beautiful pink form, which if I remember correctly is behind the three people, God, Adam and Eve, if that would not be some sort of the prototype, if you like, of the perfect type of which the human egg would one say might be the perversion (?) and that egg is repeated many times in the middle pannel and also in the hell-pannel, the extreme pannel just like you have the apple in the Garden of Eden and then in the middle pannel. If I remember correctly you have like an explosion of red balls, of red round objects, are they not some sort a perversion of that ideal red form may be then too, but why would all theses objects be there. They must be repeating some sort of patron. It's not only red. There are like heads of birds f.i., which seem to repeat the same patron. And so that the whole thing is scenery, it represents not only luxuria as you said. I think it's true, but I think he represented luxuria, because it offers the best possibility of showing this proliferation of things. Look at the essential order of the left pannel, which explodes in total disorder. Seen as proliferation. You talked about the central scene. Do you mean the central position, topographycally ... also the message ?

Marijnissen. — We should not forget that Bosch had a very difficult task. With the so-called " Garden of Delights ", he had to represent the sinn of luxuria on an altar-piece. Whether that altar-piece stood in a private chapel or in a church makes no difference. In any case it is an altar-piece. And that's a thing, that is not enigmatic at all. Mrs Sankovitch I agree with you. Some symbols seem to have several significances. As to the symbolic values of colours I didn't find very much on that subject. But take f.i. the unicorne, I know a late 15th century woodcut where the unicorn is certainly among the negative symbols. The unicorn is in that case represented as one of Christs ennemies. I have proof of that, I have the text. Hence, if we remind other works of art of that period, f.i. the famous tapestries of " La Dame à la Licorne " — well, at that moment, I have no further explanation. As we say in French : " je donne ma langue au chat ".

Marc'hadour. — Actually I think that the unicorn has at least his two semantic values. In the book of Psalms (in the Vulgate, which of course was the only text then currently read and sung) the Lion and the Unicorn together are considered as man's enemies, they assault you, they threaten you. Against this negative image, it was in chivalry, in heraldics that the unicorn became a symbol of virginity, fidelity and homage to men. Hence, I think, the ambivalence, of which the cultured people were aware. Remember a page by Thomas More against the excessive use to which Luther had put the symbol of the serpent. " All right ", said More, " the serpent is something ugly, but it can be something holy ", because there was the serpent raised by Moses in the desert, and Christ compared his own crucifixion to that serpent, and Christ also said : " be prudent like serpents ". More goes to some length in order to say : What Luther puts forward as a symbol of odium can be something very attractive. So I think this applies to the unicorn.

De Pauw. — Je ne voulais faire que deux petites remarques. Premièrement concernant le pèlerinage des épileptiques à Molenbeek-St-Jean. Je crois que les historiens de l'art ne sont pas d'accord quant à l'attribution à Pierre Bruegel le Vieux de ces dessins et qu'ils pourraient très bien être d'un de ses fils. C'est le seul exemple où Bruegel aurait représenté des fous du point de vue médical. Il est plutôt probable qu'il ne les ait jamais représentés et que c'est le thème de la bêtise humaine que nous retrouvons dans la plupart de ses œuvres ; la folie dans le sens de bêtise humaine, donc, peut-être se compare-t-il lui-même à un fou qui, lui, peut critiquer les activités humaines et démontrer la vanité de ces activités. Je ne crois pas qu'il soit l'auteur de ces dessins qui représentent les épileptiques.

Deuxièmement : je crois que ce n'est pas seulement maintenant qu'on interprète d'une façon peu critique des œuvres de Bruegel. Déjà au début du XVIIe siècle on l'a fait. Il y a eu des rééditions d'estampes d'après Bruegel auxquelles on a ajouté des textes qui interprètent mal sa pensée. Par exemple, il avait représenté une scène de patinage devant la porte St-Georges à Anvers. D'après moi, il s'agit d'une simple scène objective. Il a représenté là une scène hivernale, mais, dans une édition du XVIIe siècle de cette même estampe, on a ajouté des textes, notamment en français, concernant la lubricité de la vie humaine, donnant ainsi une valeur symbolique à ces patineurs. Il faut donc faire attention quand on étudie les œuvres d'après Bruegel : il faut considérer les premiers états de ces estampes et non les états tardifs où, dans bien des cas, on a ajouté des textes qui ne rendent pas toujours la signification que Bruegel a voulu donner.

Marijnissen. — J'ai mentionné ces gravures de Molenbeek uniquement parce que j'ai lu que la folie dans le sens propre du mot est un des thèmes du colloque. J'ai simplement mentionné que ces gravures ou ces dessins sont de Pierre Bruegel le Vieux ou de son fils (cela a vraiment peu d'importance). J'ai parlé dans ce cas-là de « madness » et non de « folly ». Quant à la gravure représentant une scène de patinage, vous dites très bien que plus tard on a souvent ajouté des légendes et que celles-ci paraissent donner la preuve que déjà on interprétait Bruegel d'une façon peu correcte. Personnellement, je crois que cette légende tardive n'est pas très loin de ce que Bruegel a voulu exprimer, et qu'en réalité cette scène de patinage sert de prétexte à un message à tendance moralisatrice. Je connais une gravure représentant le fameux monstre au centre du volet droit — l'Enfer — du *Jardin des Délices*. Or sur cette gravure qui n'est ni de Bosch ni de Bruegel, nous voyons un groupe de personnages qui montrent du doigt ce monstre. Ils s'en moquent semble-t-il, tout comme sur la scène de patinage de Bruegel quelqu'un se moque d'un patineur étendu sur la glace.

Melczer. — I wish only to lend support to the several interpretations which have been given here to the question of the egg, and I would like to remind ourselves that in this case, once again, mediaeval multilayer allegorical interpretation might help us to understand Renaissance symbolic representation. What Dante had said about the mediaeval allegorical interpretations (which do not exclude, but only support each other) might help us to grasp the multilayer quality of Renaissance symbolic representation.

Sur quelques aspects des fous en titre d'office dans la France du XVIe siècle

André STEGMANN

Directeur du Centre d'Etudes Supérieures de la Renaissance à Tours

Les fous en titre d'office créés en France au XIVe siècle [1] sont bien connus, mais tout ce qu'on en sait et surtout ce qu'on en dit baigne dans l'incertitude ou le paradoxe.

Autant leur vie, leur situation sociale demeurent dans la nuit [2], autant est constante et multiple leur présence littéraire durant au moins un siècle et demi [3].

Il est tentant d'en dresser une typologie et les rares ouvrages qui leur ont été consacrés [4] n'ont guère résisté au piège. La tradition littéraire a surtout fondé leur mythologie.

L'essai que voici, malgré la prudence nécessaire, court à son tour le risque d'interprétations forcées.

Analysons d'abord les difficultés principales.

La terminologie n'est pas sûre. Aux origines, à côté du terme *follis* — qui fait lui-même difficulté [5] — ou *morio*, on rencontre les termes de *joculator, buffo, goliardus*. Si par la suite le terme de fol du Roi implique l'attribution d'une charge,

---

[1] Aperçu bibliographique assez exact, en tête du livre d'A. CANEL, *Recherches historiques sur les fous des Rois de France et accessoirement sur l'emploi du fou en général*, Paris, Lemerre, 1873. C'est l'ouvrage le moins incomplet et le plus objectif, malgré un relent d'interprétation romantique et une insuffisante rigueur dans l'examen des sources. La plus sûre reste le *Dictionnaire de biographie et d'histoire* de JAL. Il n'y a guère à y ajouter que trois brèves études de J. Mathorez sur Maître Guillaume (1913), Chicot (1914) et Mathurine (1922).

Pour un contexte historique plus large, l'ouvrage, ancien lui aussi, de Fr. FLÖGEL, *Geschichte der Hofnarren*, Leipzig, 1789, reste le seul ouvrage.

Sur l'interprétation de la folie à la Renaissance, on ne saurait méconnaître les textes groupés par E. CASTELLI sur *L'Umanesimo e la follia* (Rome, 1971) et dans son récent ouvrage *Images et symboles* (Paris, Hermann, 1971) les parallèles, partout suggérés à propos de l'irrationnel et de l'humanisme, « éon » baroque et « éon » classique, aspect sacral du masque (« situation pathologique captante, sans être révélante », p. 34) avec la « folie ».

[2] Les mentions qui en sont faites exigent une critique des témoignages. Plusieurs versions sont parfois en présence.

[3] De la simple mention (Erasme, Ronsard) à des récits anecdotiques détaillés (Des Périers, Brantôme, Du Fail) ou des esquisses biographiques (Melander, Tabourot). Dès D'OUVILLE (*Contes*, 1643) on se contente de puiser à toutes mains anecdotes et bons mots, sans se soucier de la réalité historique des personnes. Ces brèves histoires deviennent anonymes et intemporelles, selon une tradition déjà pleinement développée dans la volumineuse *Floresta española* de Melchior DE SANTA CRUZ (1603), qui groupe les facéties, selon une rigoureuse et ridicule hiérarchie sociale (Eglise — avec subdivisions internes, Rois, Chevaliers...). Les bouffons sont groupés en cohorte indistincte au chapitre 5 de la deuxième partie. Ce ne sera par la suite et jusqu'à nos jours que des recueils de « Contes à rire ».

[4] Dans A. Canel, par exemple, Villon, le prêcheur Menot et Rabelais sont expressément intégrés. P.-L. JACOB, dans sa préface au roman *Des deux fous*, inspiré par *Le roi s'amuse*, a la palme de la verve inventive, en dépit de quelques bons documents rassemblés.

rien n'explique sa nature ni sa durée. Lorsque cette fonction, qui semblait à l'origine réservée à un seul individu semble parfois au moins dédoublée, la confusion s'accroît.

Il semblerait assez légitime d'intégrer, sinon les baladins occasionnels qui distraient le Roi [6], du moins certains personnages « suivant la Cour », selon la formule ambiguë des livres de comptes.

Mais comment étaient-ils nommés et quel était leur statut ? A vrai dire, ils n'en avaient aucun, que l'usage.

Charles VI « envoie querre un fol » ; les comptes des XIVe et XVe siècles montrent à la fois la stabilité de l'emploi et le fait qu'il n'y en a qu'un : il est *LE* fol du Roi.

Quant à ses fonctions, elles ne varient guère, en principe, mais n'ont pas plus de statut précis que le poste lui-même. Tout ce qu'on peut en dire, c'est qu'il est le compagnon du Prince, et le seul à qui soit — en principe du moins — accordée l'entière liberté de langue.

Il rend visiblement, selon les temps, de menus services : vaguement secrétaire, écuyer, simplement présent et, s'il le peut, chargé de détendre l'atmosphère trop tendue ou trop respectueuse de la Cour. Aussi est-il, souvent même, chanteur et musicien. Il n'est, en tout cas, ni officier de la maison royale ni valet : il n'est jamais relégué à la cuisine ou aux écuries, encore moins à la ménagerie, comme trop de commentaires romantiques, sans le dire expressément, le laissent entendre, à partir du fait que, connus seulement dans bien des cas par les seuls comptes royaux, ils figurent aux côtés des animaux domestiques, singes ou oiseaux chanteurs...

Sans statuts, ils ne sauraient avoir de revenus précis, mais ceux-ci ne sont certes pas réduits à leurs fameuses tenues de fou : les comptes font état de nombreux dons et les notes du tailleur ou du cordonnier les montrent *princièrement* traités : habits des meilleures étoffes et souvent renouvelés — quatre fois par an souvent — plusieurs possédant des dizaines de paires de bottines... Pour suivre la Cour, on leur achète les meilleurs chevaux ; ils ont des valets et un gouverneur.

Qu'est-ce au juste ? Nous n'avons pas encore parlé de la nature de leur folie, mais ce sont bien des anormaux mentaux, et choisis pour cette raison même. Aussi le « gouverneur » remplit-il la double fonction de domestique et de surveillant.

Sont-ils bossus, difformes ? Rien ne l'assure, mais lorsque la mode des nains ira croissant en France — Catherine en comptera jusqu'à sept, outre trois naines, qui auront lignée, et le bon Henri IV au moins trois — aucun ne sera jamais en titre d'office. Les portraits iconographiques ou littéraires [7] que nous avons d'eux ne soulignent aucune difformité ni même de laideur.

---

[5] Le *Dictionnaire étymologique* de MEILLET-ERNOUT s'inspirant, semble-t-il, de Du Cange, le rattache, mais sans les hésitations de celui-ci, à φυσα, soufflet, bourse de cuir et le définit : sac ou ballon de cuir gonflé d'air. — Plus prudemment ensuite : « *follis,* fou, est sans doute le même mot que *follis* soufflet », — ce qui ne nous renseigne guère sur son développement historique.

[6] Selon des témoignages divers (comptes, mémoires) passent ou gravitent régulièrement des musiciens, jongleurs, ou de simples « plaisants ». Ainsi (cité par A. CANEL, p. 125), « A Messire Paulo Belmissere de Pontreuil, lequel chaque jour fait composition, devis, harangues de plusieurs matières de diverses sciences... ». Mais, pas plus que les comédiens, un tel savant amuseur n'est fou.

[7] 1) *Caillette* — gravure dans la *Nef des fols* — 2) *Triboulet* : portrait (littéraire), outre Rabelais : Jean Marot, Des Périers, épitaphe de Voûté (Vulteius) — 3) *Ortis* : Epitaphe de

Leur choix reste assez mystérieux. Tantôt le Prince les adopte au hasard d'une rencontre et d'un bon mot, tantôt on les envoie expressément chercher — Charles V le fait pour un dont on ignore le nom, en Bourbonnais — tantôt même s'est constituée une école ou plutôt une tribu, selon le curieux témoignage suivant :

> Ce serviteur estoit d'une famille et d'une race dont tous estoient honnestement fous et joyeux ; et outre, tous ceux qui naissoient en la maison où ce serviteur estoit né, encore qu'ils ne fussent de sa ligne, venoient au monde fous et l'estoient toute leur vie ; tellement que les grands seigneurs se fournissoient de fous en cette maison, et par ce moyen elle estoit de grand revenu à son maistre.

Ajoutons que G. Bouchet, l'auteur de ce texte [8] déclare ailleurs : « *Dieu l'ayant créé et mis au monde l'avait laissé là* »... Eduqués ou si l'on veut dressés, c'est non pour leurs talents, mais bien pour leur folie qu'on les choisit.

Fous du Roi, des seigneurs ou des évêques [9], ce n'est pas un simple geste de charité qui les met là où ils sont. On ne saurait les confondre ni avec les jongleurs, les ménestriers ou les pauvres recueillis d'une façon occasionnelle ou permanente [10] qui font l'objet de dons à part et ne sont pas attachés — d'une manière spécifique et voyante — à leur maître.

Ici se pose une autre question difficile à bien des égards, le costume du fou. S'il est somptueux, il est bien constant et significatif, emblématique. Laissons de côté la problématique question des couleurs et leur signification symbolique [11] : le bicolorisme n'est pas constant : jaune et vert, rouge et vert, vert et jaune où parfois se mêlent du noir et du blanc. Les réponses peuvent être multiples et contradictoires. Doivent-elles être toutes orientées vers la dérision ?

Le seul point sûr est qu'il s'agit d'un habit d'exception pour un être d'exception.

Pour apporter un élément de réponse, il faudrait pouvoir régler quelques problèmes connexes. Et d'abord le lien entre le fou de fête et le fou de Cour, souvent spontanément assimilés. Cependant les différences éclatent : le fou de théâtre est un bouffon (*joculator*) qui tient du meneur de jeu et du bouc émissaire ; le fou de

Marot — 4) *Brusquet* : Brantôme, Du Fail, Bouchet, Cl. Haton, Béroalde et dans la comédie de Gabriel Jansenius, étudiée plus loin. — 5) *Thoni* : mêmes sources que pour Brusquet. Cfr *infra* le portrait de Brantôme. — 6) *Sibilot* : Du Fail et Hotman le mentionnent, sans le décrire. N. LE DIGNE lui consacre un sonnet dans ses *Fleurettes* (1601). Seul Boucher le noircit, parle de monstre (qui peut se prendre au figuré) et le compare à un chien enragé... — 7) *Chicot* : Brantôme, d'Aubigné, Mémoires de Sully, de Thou, le Perroniana. C'est surtout un habile et vaillant capitaine tout au long de sa vie. — 8) *Angoulevent* (fut-il en titre ?) : témoignages contemporains diffus, en particulier des poètes qui empruntent son nom, connu surtout pour son long procès contre les confrères de l'Hôtel de Bourgogne. — 9) *Maître Guillaume* : à travers le maquis des libelles parus sous son nom.

Aucun des auteurs sur aucun de ces fous (à l'exception de J. Boucher sur Sibilot) ne parle de la moindre difformité physique. Une gravure dans la brochure, *Le retour de la paix*, le représente avec « une barrette, une robe qui ne va qu'aux genoux, avec toute la contenance d'un homme simple ».

8 G. BOUCHET, *Sérées*, éd. Lyon, 1614, p. 264.

9 Pratique constante depuis le Moyen Age jusqu'au XVIIe siècle inclus. Les fous des évêques sont un autre problème embrouillé : il semble bien qu'il s'agisse assez souvent de clercs. Ainsi s'expliqueraient d'autant mieux les interdits répétés des conciles provinciaux.

Cfr Au concile de Château-Gontier (1231) : « les clercs, ribauds et principalement ceux qu'on nomme Goliards... » (A. CANEL, p. 20).

10 Ainsi Louis XI fonda à plusieurs reprises des donations pour entretenir à vie un ou plusieurs pauvres dans une ville où il passait.

11 Conjecturales et contradictoires, fondées tour à tour sur l'héraldisme, le folklore ou la tradition liturgique. Même dans ce dernier cas, beaucoup plus sûr, la même couleur a des valeurs symboliques diverses, voire contradictoires. Cfr F. PORTAL, *Des couleurs symboliques*, Paris, 1857.

procession (en général fou de ville ou du moins de paroisse) d'ailleurs gagé [12], joue un rôle voisin de celui des fêtes des fous de carnaval. Aucun de ces fous n'est insensé, mais assume l'exutoire, érotique parfois, satirique et politique toujours, de cette levée momentanée du sérieux, de l'ordre ou des tabous.

Les attributs sont-ils les mêmes ? En premier lieu, les fameux grelots des fous de fête sont toujours absents du costume de fou de Cour ; les bonnets pointus aux larges oreilles n'ont qu'un rapport lointain avec le *capuchon* du fou de Cour. Reste la marotte, attribut obligé du fou de fête. Le fou de Cour en portait-il, et quand ? Il est exact que pour le tombeau de Thévenin, — un somptueux tombeau d'ailleurs — Charles V fit représenter le défunt en long habit avec une calotte sur la tête et une marotte à la main... L'épitaphe invite à prier Dieu pour son âme, comme d'ailleurs sur toutes les tombes privilégiées des fous, généralement enterrés *dans* les églises, comme les curés et les grands bourgeois.

Ce capuchon est à l'origine marque d'Eglise. A-t-il dévié de sa fonction ? Les « fous », au Moyen Age, étaient souvent d'Eglise : leur libre prêche inquiète la hiérarchie. Les interdits conciliaires ne visent pas seulement les « fous » des évêques, mais bien des clercs. C'est l'un des aspects délicats des « goliards ».

Au XVIe siècle, Ortis, fou africain de François Ier, est enterré en habit de cordelier : les gloses modernes [13] inclinent à dire que ce fut comme membre du Tiers Ordre de Saint-François. Et pourquoi ce More converti, devenu cordelier, puis fou royal n'aurait-il pas gardé son titre de moine ?

Ici intervient un autre problème. De Triboulet, Jean Marot [14] écrit :

> Qui chanta, dansa, *prêcha*...

L'expression revient souvent à propos d'autres fous, particulièrement de ceux de Charles V et Charles VI. S'agit-il de ces sermons joyeux, irrévérencieux, voire blasphématoires [15] ? Même pour Triboulet ce n'est pas si sûr. Une autre épitaphe déclare en termes légèrement différents, qui se prennent plus difficilement au figuré :

> Mais dessus tout de prêcher feiz merveilles.

Mais pour « Jehan de la Marche, le fol, lequel prêcha devant le Roi », l'expression ne se prête guère à une interprétation facétieuse [16].

Clément Marot commence son épitaphe de Johan, fol de Madame :

> Je fus Jouan, sans avoir femme...

Que penser de ce célibat, puisqu'on sait que les nains de Catherine se marièrent, que Caillette, fou de François Ier, descendait de Seigny Johan, fou de Philippe de Valois et que Brusquet, un peu plus tard, était marié ? Polite sera, lui, abbé de Bourgueil : simple cadeau royal d'une prébende, mais qui n'en exigeait pas moins d'être clerc...

*
**

Chercher leur origine sociale pose un autre problème. Ils ont en commun d'être de condition humble : les livres de comptes ajoutent aux dons royaux des

---

[12] Deux exemples (Lille et Moulins) dans CANEL, p. 29.
[13] Cfr note à l'éd. Guiffrey des *Œuvres* de Marot.
[14] Epitaphe de Triboulet.
[15] Cfr le corpus de ces textes, populaires encore au milieu du XVIe siècle, établie par A. DE MONTAIGLON, *Recueil de Poésies françaises des XVe et XVIe siècles, morales, facétieuses, historiques* (éd. Elzevirienne, 13 vol.).
[16] Devant Charles VI, en 1380, cité par JAL.

aides à la mère, au frère de Triboulet. Caillette était probablement fils d'une folle de Gaète. Enfants naturels, orphelins ? L'absence du père est un fait aussi constant que la pauvreté. On ignore en général tout de leur vie avant le choix royal. Leurs noms sont-ils des pseudonymes touchant leur état mental ? Les conjectures les plus contradictoires demeurent sur Brusquet, Caillette, Triboulet [17]. Gaillard, Ortis étaient sans doute leur nom véritable, le Vicomte, le Glorieux, des pseudonymes révélateurs qui nous orientent mieux vers leur nature. Il faut y arriver par diverses approches.

Aux étymologies incertaines de P.L. Jacob, Leber et A. Canel, nous préférons Du Cange.

Des trois sens de *Follis* (vase, y compris vase sacré ; espèce de monnaie ; c'est le troisième « vetus Gallica *pro stulto* » qui nous intéresse. Rien à voir avec Morio, joculator, etc.

Infolliare (ou inflare) signifie : se gonfler de vanité, de vide ; *follus* qui est déjà dans la Chronique de Charles le Simple (919) est glosé : *insipidus, indoctus, fatuus*. Les dérivés français *folloïer, follastre* et surtout *folieuse* (folle de son corps) sont aussi liés à l'idée de mélancolie. Faut-il y rattacher aussi : *follex* (pelliceus saccus, braccas e pellibus) qui expliquerait partiellement le costume ?

Le fou est donc bien non un simple d'esprit quelconque, mais un psychopathe porté à la mythomanie candide, à la fatuité, à la légèreté spontanée, qui le pousse aux jugements immédiats, naïfs, illogiques et parfois niais, capable enfin de sombrer dans la dépression nerveuse.

Cette analyse clinique serait incomplète si l'on n'y ajoutait le trait essentiel : la folie est un état naturel, mystérieusement décidé par la divinité et qui peut s'assortir d'un don prophétique. Le fou, être d'exception, est choisi et tenu dans cet état d'exception par son costume : plus que la dérision, il est là pour susciter étonnement et respect.

Sans doute ces éléments originels ont pu s'estomper dans la conscience collective : ils n'en sont jamais vraiment absents [18]. Brantôme, l'un des auteurs qui en parle le plus, le rappelle clairement : « *Ils disent tout ce qu'ils savent ou le devinent par quelque instinct divin* » [19] et il glose naturellement la fin des anecdotes sur Brusquet :

> Dieu aide aux fols et aux enfants [20].

La présence du fou, sa mise en vedette, en situation d'exception, au centre politique de l'Etat, auprès du Roi, dans une intimité permanente, se charge donc de multiples et complexes significations.

Ecartons toutefois celles, douteuses ou incomplètes, généralement répétées : le fou, spectacle de l'infirmité physique, bouc émissaire de défoulement sadique, objet de salon, entre le chien favori et le perroquet apprivoisé... Mais il reçoit les étrivières ? Les enfants royaux aussi. On le renvoie pour le punir aux valets de cuisine, qui s'en jouent souvent cruellement ? Preuve qu'il n'est pas un valet

---

[17] Cfr les ouvrages cités de P.-L. JACOB, qui renvoie lui-même aux premières interprétations de DREUX DE RADIER, *Récréations...* (1767) et à Ch. LEBER, *Monnaies inconnues des évêques, des innocens, des fous...* (1837), et surtout le *Dictionnaire* de JAL.

[18] Voir, en raccourci, les analyses du chap. 1 de l'*Histoire de la Folie* de M. Foucault (Stultifera navis) sur quelques textes et quelques peintres significatifs de l'âge humaniste.

[19] Hommes illustres — II, 2 (Le roi Louis XI) — anecdote d'un fou anonyme. Appelé par Brantôme, parlant du Roi, *son* fol.

[20] BRANTÔME, *Vie de Ph. Strozzi*, éd. Buchon, I, 174.

et punition la plus sévère — il en faut une — pour le maintenir dans la conscience de sa fonction singulière.

Sans aller jusqu'à l'image dramatisée de M. Foucault [21], — mais on se laisse prendre au piège du style — « *l'expérience de la folie s'obnubilait alors dans des images où il était question de la Chute et de l'Accomplissement, de la Bête, de la Métamorphose et de tous les secrets merveilleux du savoir* » — on peut inférer, à travers les présentations incomplètes ou fantaisistes que les contemporains ont faites d'eux, qu'ils jouaient inconsciemment le rôle de miroir à facettes : état brut de la raison humaine, inférieur et supérieur à la fois ; inadaptation, heureuse ou malheureuse, à la vie sociale ; rappel dérisoire de la condition humaine, avec l'image grossie de la vanité, de l'égoïsme, de la déraison.

On peut cette fois suivre sans réserve M. Foucault :

> *Il est la comédie au second degré, la tromperie de la tromperie... une sorte d'interrogation au miroir, qui reste indéfiniment sans réponse* [22].

*
* *

De toutes les suggestions possibles que l'on peut extraire des postures et des anecdotes qui concernent le fou, retenons celle-ci qui semble moins arbitraire. Lorsque Brusquet s'adresse au Roi « en le tutoyant par familiarité, à la vieille gauloise, et après lui avoir fait la grimace » [23] passait l'image de la relativité de l'ordre social, de la foncière égalité humaine, non sans le choc en retour que cette apparente égalité était fiction illusoire : ordre et désordre, vérité et surface, dialectique subconsciente des contraires.

A travers cette image permanente de la singularité, le fou ne pouvait pas ne pas entrer sérieusement dans le jeu : il se doit d'être le symbole de l'irrévérence et du non-conformisme. Chacun le fut selon son tempérament, avec bien des différences.

Seigni Johan, le fou de Philippe de Valois, passa à la postérité avec Bartole, Tiraqueau et Rabelais [24] pour un fameux jugement : un rôtisseur voulut faire payer à un gueux le fumet du rôti. Le fou choisi pour arbitre prit un philippus du gueux, le fit sonner et, après diverses momeries, le rendit à son propriétaire ; Triboulet fut surtout « fier menasseur et hardi comme un lièvre » [25] ; Caillette n'était qu'un simple d'esprit qui fit de l'humour involontaire ; Brusquet, vindicatif et vaniteux, joua toute sa vie des tours au maréchal Strozzi, son digne partenaire ; Chicot pratiqua un incessant persiflage. Plusieurs, qui ne furent pas en titre, faute sans doute de poste vacant, permettent — la vedette en moins — de retrouver les caractéristiques mentales du fou, comme ce Villemanoche, contemporain de Triboulet, qui acquit une célébrité nationale par sa poursuite d'un mariage princier, après avoir fait dresser patiemment une généalogie imaginaire [26]. Normal en tout, mais mythomane et obsédé mental, que sa mise en état d'exception comme fou en titre d'office eût sauvé, en le contraignant à prendre conscience et à polariser sur autrui sa cyclothymie, à se désaliéner.

---

[21] *Histoire de la Folie*, p. 11.
[22] *Histoire de la Folie*, pp. 25 et 33.
[23] Le P. Garasse, cité par A. GAREL, p. 172.
[24] *Tiers-livre*, ch. 38.
[25] Ep. de Jean Marot.
[26] P.-L. JACOB, préface aux *Deux Fous*, p. XVIII.

Dans cette situation ludique assumée du fou de Cour, arrêtons-nous un moment sur les silences de l'histoire, qui permettent d'entrevoir les limites et les règles du jeu.

On ne voit pas qu'aucun ait été soigné ni que leur état ait empiré : s'ils le sont, c'est avec la plus grande sollicitude et pour les maladies du commun des mortels [27].

Certains n'ont pas occupé leur poste jusqu'à leur mort. Brusquet devient valet de chambre du Roi en 1559, il touche alors des gages (240 livres par an) [28]. Avant d'être fou en titre, il avait été viguier d'Antibes et c'est pour le sauver de la justice qu'Henri II, qui l'avait rencontré au camp d'Avignon, se l'était attaché. Sous Charles IX, il s'enrichira en obtenant la ferme de la poste de Paris.

On ne les voit jamais associés aux fêtes de carnaval ni aux nombreuses représentations privées que les grands ou les Rois donnent à leur domicile ; aux entrées, qui comportent parfois des éléments burlesques, ils sont parmi les spectateurs.

*
**

Leur situation d'exception — liée à leur état et à leur costume — a pour contrepartie une intégration totale à la vie quotidienne. Leur rôle est d'être là. S'ils amusent, c'est par occasion, mais ils semblent avoir tous compris que leur principal devoir était d'observer, et c'est par un subtil mimétisme qu'ils se font aux manières de la Cour. Ecoutons une fois de plus Brantôme parlant de Thoni :

> Au commencement il estoit un petit idiot, nyais et fat ; mais il fut si bien appris, passé, repassé, dressé, alambiqué, raffiné et quintessencié par les nattretés, postiqueries, champisseries, gallanteries et friponneries de la cour...

Ce texte innocent porte loin : le fou-témoin, le fou-miroir ne fait rien d'autre que donner la réplique au prétendu sage : le même vocabulaire convient au fou et au courtisan. C'est pourquoi le fou ne joue bien son rôle que s'il a un partenaire à la hauteur : le Roi parfois, surtout s'il s'appelle Henri III, et de solides gentilshommes, lettrés et aimant à rire, comme le connétable de Montmorency, partenaire de Thoni, et le vieux maréchal de Strozzi, partenaire de Brusquet.

> Ce grand capitaine avoit de grandes raisons et de beaux propos, quand il vouloit s'y mettre quelquefois, comme il faisoit, et le sçavoit faire de très bien discourir, fust à sa table ou après ; et disoit toujours quelque bon mot joyeux, et aymoit à rire : et se plaisoit aussy bien qu'un autre aux fols qui donnoient du plaisir, jusques au petit fol Thony, qu'il aimoit naturellement, et le plus souvent le menoit disner avecques luy, et le faisoit manger sur une chaire ou escabelle devant et près de luy, et le traictoit comme un petit roy...

Quant aux innombrables tours que se jouaient réciproquement Brusquet et Strozzi — Brantôme leur consacre dix pages — ils s'étendent parfois sur plusieurs semaines et supposent une habile mise en scène, qui attirait la joie de toute la Cour [29].

---

[27] Un exemple concernant Sibilot, CANEL, p. 186 (note).

[28] La carrière de Chicot (s'il fut bien à l'origine en titre) est plus complexe et plus brillante. Installé à Loches par Catherine de Médicis comme « chevaucheur ordinaire des écuries », il sert puissamment le futur Henri III pendant ses campagnes contre La Rochelle et joue le rôle d'intendant auprès d'Honorat de Savoie, devenu gouverneur de Loches. Il s'installe ensuite comme maître de poste (comme Brusquet à Paris), s'enrichit, se marie, devient trois fois père et, malgré une brève résistance du Parlement, devient « noble homme » en 1584. Cfr J. MATHOREZ, *Hist. de Chicot* (1914).

[29] BRANTÔME, *Vie de Ph. Strozzi*, éd. Buchon, II, pp. 168-175.

Malgré le caractère hostile ou tardif des témoignages [30], il semble bien que le grand convertisseur du règne d'Henri IV, le cardinal Du Perron, n'ait pas dédaigné jouer au plus fin avec Chicot, puis avec Maître Guillaume, sur des questions touchant à la Bible. Maître Guillaume était visionnaire et il s'était vu dans l'Arche de Noé. Pressé par Du Perron pour savoir qui était dans cette arche, Me Guillaume répond à chaque nom par la négative. Donc, conclut le cardinal, tu étais une bête de l'Arche. Il n'eut pas le dernier mot, bien que Me Guillaume en sa réponse témoignât de son ignorante naïveté : « J'étais un des domestiques de Noé. » Trente ans plus tôt, Brusquet l'avait manifestée avec une irrévérence volontaire, qui pouvait porter loin. Au cardinal de Bourbon, que le fou avait invité à dire où se passerait le Jugement dernier, celui-ci avait longuement cité la Bible pour répondre que ce serait dans la vallée de Josaphat. A quoi le fou : « Mais bien dans les bois à l'entour de Beuvron et Villeneuve l'Archevêque [31]. »

*
**

Dans un siècle pourtant très libre, on ne voit pas que les fous aient abusé, soit pour leur propre gouverne, soit pour faire rire, de leur simplesse d'esprit ou de leur liberté.

Brantôme et Tallemant content beaucoup d'histoires libertines : les fous n'en sont pas les héros.

Seul, Sibilot, fou d'Henri III, passe pour ivrogne et débauché, mais c'est dans un portrait noirci de J. Boucher [32] qui le présente comme un monstre bavant et à qui son indigne maître aurait livré des religieuses nues...

Quant à Mathurine [33], folle de Cour sous Henri III et Henri IV, des pamphlets hostiles et tardifs la présentent comme une virago libertine.

Si Maître Guillaume met un jour bas ses chausses devant une compagnie, c'est par ordre exprès du comte de Soissons. Le fou en profite pour faire la leçon et un bon mot au vilain grand seigneur. Il avait reçu l'ordre de dire, si on lui demandait « Qui t'a appris cela ? » « C'est ma mère. » Le bouffon dit d'abord la vérité (c'est le comte de Soissons) puis : « Eh non ! je me trompe. C'est sa mère... »

Caillette semble avoir parfois usé de privautés à demi innocentes :

> Toute nourrice, il l'appelloit sa mère
> Et luy mettoit, si povoit, par magniere,
> Sur les mammelles la main bien gentilment.
> Incontinent s'enfuoit roidement,
> Disant : Hen, hen, mamen, ne batez pas,
> Et s'enfuoit en courant le grant pas.

---

[30] *Perroniana* (3e éd., Cologne, 1691) — art. Me Guillaume, p. 156 — qui fournit un trait intéressant sur la « culture » de ce fou : « Toute sa science était tirée du *Livre des quenouilles* » ainsi qu'un rappel du caractère *étrangement* sage du naïf schizophrène : « Il avait de certaines visions admirables quand on l'interrogeait qui était cettui-ci, cettuy-là, et en certains mots propres qui lui étaient naturels et à lui seulement. »

[31] *Journal* de Cl. HATON, éd. Bourquelot, 1857, I, 46.

[32] J. BOUCHER, l'apologiste de Jean Chastel, *De justa Henrici III abdicatione è Francorum regno*, 1589.

[33] Le portrait d'Aubigné (Confession de Sancy, II, 1) qui la montre convertissant les huguenots avec des bouffonneries, semble suspect, mais d'autres témoignages, notamment le *Journal d'Henri IV* et celui de l'Estoile confirment la légèreté de la dame et son rôle d'entremetteuse. Elle ne devait pourtant pas être « laide comme un diable, tondue, puante ». D'Aubigné se contredit.

Brusquet se permit visiblement des « mots » sur des sujets lestes, mais en termes galants. Une fille de la Reine, se gaussant de la barbe du fol : « Votre mère, qui était pauvre femme, vous l'a cousue de fil blanc », se vit répondre, en lui montrant le fond de son chapeau en partie fendu « Il est vrai, mais aussi votre mère vous en a laissé autant de décousu. »

A ceci se limite le libertinage des fous de Cour.

Certains sont peut-être un peu moins scrupuleux sur le chapitre de l'argent. Sans jamais vraiment commettre d'indélicatesse, ils essaient d'arrondir leur pécule, en « escroquant quelques bons brins », selon la formule que Brantôme applique à Brusquet. Celui-ci se précipite quand vient à la Cour quelque grand seigneur ou quelque ambassadeur, pour essayer de tirer quelque récompense ou se faire donner quelque objet de prix [34].

Angoulevent aura un interminable procès — mais était-il fou en titre [35] ? — pour se maintenir sans loyer à l'hôtel de Bourgogne.

Mathurine circule beaucoup à porter des « poulets »...

Le plus souvent au contraire, le fou jouait en faveur du bien, d'une façon d'autant plus bénéfique que sa fonction n'était pas de moraliser. Chicot et M⁰ Guillaume semblent avoir la palme en ce domaine. Le premier était redouté de toute la Cour pour son franc parler. C'est encore Brantôme qui nous conte cette anecdote :

> J'ay connu une grande dame de la cour qui avoit la réputation de se faire entretenir à son liseur et faiseur de leçons ; si bien que Chicot lui en fit un jour le reproche publiquement devant sa Majesté et force autres personnes de sa cour, lui disant si elle n'avoit pas de honte de se faire entretenir (disant le mot) à un si laid et vilain masle que celuy-là, et si elle n'avoit pas l'esprit d'en choisir un plus beau. La compagnie s'en mit fort à rire et la dame à pleurer... [36].

Quant à M⁰ Guillaume, on lui prête ces mots : « Je sers M. mon ami (le Roi) et Madame mamie, en esprit pacifique et en homme déifique ; je conduis au matin M. mon ami à la messe, où je ne cause comme ces personnes desbauchées qui mettent Dieu au dernier chapitre de leur mémoire ; je vais avec Madame mamie le samedi à Saint-Victor, cependant que vous courez l'aiguillette... [37] »

Ce rôle n'était pas sans danger. Dans les innombrables farces que Brusquet joue à Strozzi, qui ne passait pas pour trop bon chrétien, l'envoi de deux cordeliers pour « lui porter et donner de l'eau bénite et le consacrer, lui et son diable, de quelques bonnes oraisons », la vengeance de Strozzi eût pu être redoutable. Il s'en va plaindre à l'inquisiteur de la foi et Brusquet, mis en prison pour sept à huit jours, échappe de justesse au procès, sur l'intervention de Strozzi lui-même... [38]

---

[34] Cfr note 29.

[35] Cfr note 8. Angoulevent semble avoir été un niais inoffensif et sans esprit, populaire au Quartier Latin et dont les premiers poètes satiriques de 1600, contemporains et précurseurs de Régnier, ont pris comme prête-nom emblématique, avec un autre extravagant mythomane beaucoup plus pittoresque Bluet d'Arbères, comte de Permission, « chevalier des ligues des treize cantons suisses... (qui) ne sait ni lire ni écrire et n'y a jamais appris, mais par l'inspiration de Dieu et la conduite des anges et pour la bonté et miséricorde de Dieu... ». Le recueil de feuilles volantes publié sous son nom est bien son œuvre.

[36] BRANTÔME, *Histoire des dames galantes*. Discours IV, éd. Buchon, p. 331.

[37] *Voyage de M⁰ Guillaume en l'autre monde vers Henri le Grand* (1612), B. Nat. Lb³⁶, 173. L'une des plus intéressantes brochures publiées sous son nom, qu'un sonnet liminaire baptise : « ce rêveur feint en discours lanternois » et qui, s'il est bien « maître fou », ne l'est qu'« à la vieille gauloise, au service de la veuve et de l'orphelin ». Le texte prie en outre (ironiquement ?) « Ne prenez plus mon nom, frénétiques cerveaux »...

[38] BRANTÔME, *Vie de Strozzi*, I, 172.

Le fou « n'eût jamais si belle peur, craignant ces messieurs les inquisiteurs plus que tous autres gens ». Et Brantôme n'hésite pas à ajouter : « Car, pour en parler au vrai, telles gens sont dangereux et ne fait pas bon se frotter à eux, soit en bourdes ou à bon escient. »

**
*

Les fous ont fait l'objet d'une vaste littérature, d'inégal intérêt, dont il n'est pas toujours facile de séparer la fiction de la vérité et, pour la plus grande partie, il faudrait plutôt parler d'une mythologie du fou. Elle peut faire l'objet de quelques réflexions et permettre de dissiper certaines légendes.

On peut en gros faire confiance aux bons mots transmis par la tradition. C'est le plus souvent de l'humour involontaire. Caillette occupe à cet égard le premier rang. L'anecdote célèbre dans laquelle le fou, victime des pages qui l'avaient cloué par l'oreille à un poteau, déclare, après un interrogatoire général : « Je n'y étais pas aussi. » Humour dont les contemporains ne semblent pas avoir senti la portée vertigineuse sur le problème de l'identité du moi.

Lorsque Brant immortalise Caillette dans sa *Nef des fols,* il ne semble pas avoir compris non plus la portée de son geste. Paradoxe plus surprenant encore : Erasme, qui les connaît, ne s'en sert qu'au passage. Il cite Caillette avec Nago comme de simples détraqués, auxquels il faut assimiler Béda. L'auteur de l'*Eloge de la Folie* n'a pas éprouvé le besoin de s'interroger sur leur nature ni assimilé leur vertu curative sur le plan politique, moral ou métaphysique. Sans doute Brant et Erasme venaient-ils trop tôt. Erasme n'a pas reconnu la valeur exemplaire d'un Triboulet, d'un Ortis ou d'un Thoni.

Jehan et Clément Marot, dans leurs épitaphes, malgré les traits intéressants qu'ils nous ont fournis, obéissent plutôt à leur caractère d'historiographes de la Cour qu'à un véritable sentiment du caractère privilégié de la folie.

Par un paradoxe plus étrange encore, Marguerite de Navarre, qui a bien connu les fous de son frère royal, les méconnaît complètement. Au moment où Des Périers les retrouvait dans la tradition narrative, ils n'ont pas place dans l'*Heptaméron.* Dans son Théâtre « profane » ou religieux, la prosélyte exaltée du néo-platonisme et de la folie paulinienne ne fait aucun rapprochement avec les étranges commensaux de François.

Pour sa part, le plus génial des princes de la Basoche, Gringore, utilise à plein la double virtualité, morale et politique, de Mère Sotte [39], mais ne s'intéresse pas aux fous de Cour.

L'attitude de Rabelais, au carrefour de toutes les traditions touchant à la folie — folklorique, universitaire, sociale — est plus complexe. En fait, il ne les confond pas absolument, mais semble bien au premier abord en faire une trompeuse synthèse, dans le portrait deux fois déformé de Triboulet. Panurge lui remet en cadeau les attributs du fou folklorique (vessie de porc pleine de pois, épée dorée en guise de marotte) et le présente comme un bon buveur. La réaction ambiguë de Triboulet à la consultation de Panurge sur son mariage en fait à la fois un niais et un morosophe : il se contente de frapper Panurge, le traite de fol enragé, puis refuse de parler. Et les compagnons de Panurge de gloser à l'infini, en sens contradictoires, la fantasque consultation. Disons-le tout net : Rabelais s'amuse et n'a mis en scène le fou royal que pour mieux allécher le lecteur, avide d'actualité.

---

[39] *Jeu du Prince des sots* (1612).

Mais en même temps, le génial franciscain laisse planer le double doute de la supériorité du rire et de la folie sur la sagesse ratiocinante, et la glose personnelle de Pantagruel souligne le caractère inspiré des fous selon les Anciens... et les Turcs ! Ici encore, aucun rapprochement précis entre la sagesse, folie évangélique de l'érasmien et l'astuce naïve du bouffon royal : « *Bien fol est-il, mais plus fol est celui qui me l'amena et je tres fol qui lui ai communiqué nos pensées* », déclare Panurge, tout en admettant un peu plus tard : « *Non que je veuille imprudemment exempter de territoire de folie ; j'en tiens et j'en suis, je le confesse. Tout le monde est fol* »... Et il en conclut de Triboulet : « *Il est fol de bien, innocent, je vous affie...* »

*
**

Cette innocence du fou apparaît surtout dans ses bons mots qui reposent presque toujours sur un jeu verbal, sinon un calembour. Laissons de côté des mots comme celui de Mathurine qui dit *troulogie* pour théologie.

Brusquet, inquiet de l'invasion de l'Italie par François Ier, souligne la facilité d'*entrer*. Mais en *sortir* ? Au Roi désireux de *prendre* Calais, le fou recommande un conseiller rapace : il n'est rien qu'il ne *prendra* ! Pour bien *seller* sa mule, le bouffon conseille le Chancelier, qui *scelle* tout ! Le mot ne porte alors que sur le prolongement mental implicite : ici, le dérèglement de la hiérarchie sociale, mettant sur un même pied palefrenier et garde des sceaux. Certains mots supposent plus de finesse et un sens aigu de la langue : Sibilot, à qui les gardiens des portes à Poitiers demandaient comment il s'appelait, dit en riant qu'il ne s'appelait pas [40].

Ils ont assez d'esprit pour se tirer d'un mauvais pas. Brusquet avait séduit Henri II, au moment d'un procès qu'on lui intentait pour avoir envoyé « *ad patres*, menu comme mouches », Suisses et lansquenets. A quoi il répondait qu'il les avait « guéris de la fièvre à perpétuité ».

Beaucoup d'histoires ne prennent de saveur qu'à la réflexion, salutaire antidote à nos habitudes mentales. Triboulet était allé battre dans le pieux silence général, l'officiant entonnant le *Deus in adjutorium*... De la part de Triboulet « fou lunatique », le geste était dépourvu d'intention. Ce n'est pas sans raison que Des Périers, l'auteur qui a le mieux senti le caractère du fou, rabaisse Triboulet, en mettant en parallèle un plaisant anonyme d'une autre trempe. L'anecdote suivante fait mouche par rebondissements successifs. François Ier cherchait à l'ordinaire des moyens de trouver de l'argent :

> « L'un, dit-il, Sire, est de faire votre office alternatif, comme vous en avez fait beaucoup en votre royaume ; ce faisant, je vous en ferai toucher deux millions d'or et plus. » — L'autre moyen consistait « à commander par un édit que tous les lits des moines fussent vendus par toute la France et les deniers apportés ès coffres de l'espargne ». Mais, dit le roi, où coucheraient les pauvres moines ? — Avec nonnains, Sire. — « Voirement », réplique le Roi, « il y a beaucoup plus de moines que de nonnains ». — Adonc le compagnon eut sa réponse toute prête, et fut : qu'une nonnain en logeroit bien une douzaine pour le moins.

Brusquet — encore lui — s'avisa gratuitement « elargir et prêter de sa philosophie » à un prélat provençal qui avait la terreur de la mort. Il présente au grand vicaire des lettres contrefaites, annonçant la mort de l'évêque. On envoie une splendide pompe funèbre. Le malheureux « *courbé et tremblant, vit par entre-*

---

40 BOUCHET, *Sérées*, éd. Lyon, 1614, p. 233.

baillis... cette troupe et compagnie noire renforcer de Litanies graves, Hymnes désolées et tristes Elégies qui si bien résolurent et abattirent ses esprits que l'évêché estait vacant, n'eust été en l'instant le jeu descouvert » [41].

A ces trop rares leçons morales données par les meilleurs bouffons s'ajoutent quelques échos de leur sagesse politique. Qui sait si sur ce point leur rôle n'a pas été bien plus considérable. Qui était là pour recueillir leurs réflexions autant devant le Roi qu'auprès des grands [42] ?

Cette anecdote prêtée à Brusquet sent son irrévérence gallicane. Le fou devait s'embarquer pour Rome avec le cardinal de Lorraine ; il hésitait et on tentait de le persuader en invoquant le Pape. « *J'ai souvent entendu raconter*, aurait dit Brusquet, *que le Pape avait sous son autorité le ciel, la terre et le purgatoire, mais qu'il n'en était pas de même de la mer* [43]. »

Lors de l'entrevue de François Ier et de Charles Quint, Triboulet aurait inscrit sur ses tablettes de fou le nom de Charles Quint. Le Roi lui en demande la raison. L'Empereur est fou de se jeter dans les bras de son pire ennemi. François Ier explique la loyauté de ses intentions. « Alors c'est vous que je mettrai à sa place, pour le laisser ainsi échapper. »

Brusquet, lui, se contenta de se jouer, à Bruxelles, du fou de Philippe II et de faire un bon tour à table qui l'enrichit (il enleva le couvert en tirant la nappe). Ces tours à demi-innocents plaisaient à l'opinion française. Il fit surtout en réalité de la vraie et bonne politique, en faisant « soubstraire force paquets et despeches du roy qui faisait contre les huguenots » [44].

Chicot, lui, fut, toute sa vie, militaire et — à la différence de Triboulet — fort actif et courageux ; il en mourut d'ailleurs, puisqu'il fut frappé d'un coup d'épée par son prisonnier, le comte de Chavigny, en le livrant à Henri IV. Lors des Etats de Blois, où les Guise furent exécutés, il semble avoir tenté de les sauver, en se tenant près de la salle des Etats, avec un couteau et disant « J'aiguise ». Cette fidélité à ses premiers protecteurs ne l'empêcha pas de servir loyalement Henri III, et mieux encore, de 1589 à 1592, Henri IV. Son hostilité à la Ligue était à la fois patriotisme et affaire personnelle. Il haïssait Mayenne, qui l'avait frappé un jour.

Maître Guillaume, qui avait reçu un coup de hallebarde au siège de Louviers en 1591, servit un temps le cardinal de Bourbon et fut toujours un farouche ennemi des huguenots. A cette date, il servait Henri IV et les libelles imprimés sous son nom — mais qu'il vendit souvent lui-même [45] — furent une propagande plus efficace que les célèbres controverses du cardinal Du Perron. Aussi n'est-il pas surprenant de voir d'Aubigné, dans *Le baron de Foeneste*, tenter de le ridiculiser. Et pourtant dans un débat qui l'oppose à J. Bonhomme [46] dont « *le hocqueton de treillis ne ressent que paix et amitié* », Guillaume déclare qu'il lui déplaît « *d'ouyr parler de la guerre, source de toute misère* »... Qu'il en soit ou non l'auteur, les libelles révèlent de sûrs sentiments monarchiques [47].

*
**

41 DU FAIL, *Contes d'Eutrapel*, éd. Assézat, II, 310.

42 « Je crois que si l'on fust été curieux de recueillir tous les bons mots, contes, traicts et tours dudit Brusquet, on en eust faict un très gros livre. » BRANTÔME, *Strozzi*, p. 175.

43 Othon MELANDER, *Jocorum atque seriorum centuriae* (1614).

44 BRANTÔME, *Strozzi*, p. 174.

45 Au témoignage de L'Estoile en 1606.

46 Texte de 1614 réédité par FOURNIER, *Variétés Littéraires*, IX, 141.

47 Cfr J. MATHOREZ, *Notes sur Me Guillaume* (Paris, 1913) et quelques analyses de pièces dans CANEL, pp. 219-229.

Mais nous venons insensiblement de glisser de la vérité historique à la mythologie des fous.

Les fameuses tablettes de Triboulet n'ont sans doute jamais existé, et il n'est guère facile de démêler la part prise par Me Guillaume dans les soixante-douze brochures publiées sous son nom.

Reprenons rapidement le parcours historique en essayant de distinguer le vrai de l'incertain.

Triboulet ne nous est connu sûrement que par l'épitaphe de Jean Marot. On a vu le mépris de Des Périers et les incertitudes du personnage chez Rabelais. Il entre dans la légende avec les *Lamentations sur la mort de Triboulet*. G. Bouchet, dans les *Sérées* lui prête une histoire, dont d'autres versions courent dans les nouvelles italiennes. Sans le romantisme, sa légende elle-même serait demeurée pâle : un naïf schizophrène, sans doute bon musicien, qui devient tôt le portrait emblématique du fou en titre d'office, que l'on associera à Caillette et à l'obscur Nago [48].

La mode littéraire de l'épitaphe en vers vaut à Caillette une brochure : *Vie et trépassement de Caillette* (1514) qui concerne un autre que lui, Jean Carrelin, authentique simple d'esprit, en proie aux plaisanteries, souvent cruelles, des badauds et des enfants.

Ronsard se contente de mentionner Thoni [49], dont Brantôme a laissé un portrait précis, le plus typique sans doute des fous de cour [50].

Malgré sa niaiserie première, est-ce pour s'être trop bien adapté aux fantaisies des courtisans qu'il n'a guère laissé de trace ? Ou bien le trop pieux Montmorency, son protecteur et partenaire, l'avait-il à ce point assagi ?

Près de vingt ans après sa mort, un poème anonyme dialogué [51] lui donne un rôle peu conforme à ce que l'on pressent de son rôle à la Cour.

Brusquet les éclipsa tous et il n'est pas toujours facile de démêler la vérité de la légende. On peut faire entièrement confiance à Brantôme, qui n'embellit pas le personnage et avait les plus sûres informations. Mais que valent les anecdotes rapportées par Du Fail, Bouchet, Béroalde, Mélander et Tabourot ?

C'est Béroalde qui rapporte l'anecdote évoquée plus haut, sur cousu/décousu : elle n'est que vraisemblable. Tabourot, qui dit de Brusquet « les apophtegmes duquel, s'ils étaient par écrit surmonteraient en gaillardise de beaucoup ceux qui ont été colligés par les Latins », raconte d'une dame accouchée à la Cour que le fou se promenait dans la rue, en jetant des écus et criant « Largesse, largesse »... qu'il fallait prendre en toute autre part...

[48] Peut-être fou de Charles VIII et de Louis XII. On hésite sur son nom : Dago (JAL). Nago est le nom mentionné par ERASME, éd. Froben (1540), IX, 581, ligne 24.

[49] *Response aux injures...*
« Il faut que chez Thony il face une diette
Ou bien que le Greffier, comme un Astolphe, en bref
Lui souffle d'un cornet le sens dedans le chef. »
(vers 192-5)

[50] « Il avoist esté premièrement à feu M. d'Orléans, qui le demanda à sa mère en Picardie, près de Coussy, la quelle le lui octroya malaysement, d'autant, disoit-elle, qu'elle l'avoit voué à l'Eglise et le vouloit faire prestre, pour prier Dieu pour deux de ses frères qui estoient fols. L'un s'appelloit Gazan, et l'autre, dont ne me souviens pas du nom, fut à M. le cardinal de Ferrare. Et s'il vous plaist, voyez l'innocence de ceste pauvre mère, car le petit fol Thony estoit plus fol que les autres... »

[51] *Du coq à l'âne, sur les tragédies de France* (1589), texte hostile au Roi, après les assassinats de Blois, l'un des innombrables libelles issus de l'événement.

Du Fail a certainement enjolivé l'histoire de l'évêque provençal, en bon pasticheur de Rabelais. Il en est de même de Bouchet, contant comment Brusquet, qui avait perdu un procès, se venge de son juge, en lui prêtant l'un des chevaux de sa poste l'emmenant très loin de Paris... Malgré la vraisemblance, l'imprécision et l'enjolivement du récit laissent quelque doute. C'est avec la même verve suspecte qu'un historien moderne [52] raconte un événement véridique de l'entrée rouennaise d'Henri II en 1550, consigné en termes plus neutres dans les registres du Parlement. Après une ennuyeuse séance, les dames s'installent en riant. Brusquet ne pouvait-il faire autrement que de poursuivre le jeu, en mimant l'avocat ? Détail intéressant : « (il) *faisait rage d'alleguer loix, chapitres et décisions et lui croissoit le latin à la bouche* comme le cresson à la gueule d'un four. Même sous forme parodique, le fou dont Brantôme nous dit par ailleurs qu'il connaît assez bien l'italien et l'espagnol, témoigne d'une culture inconnue de ses prédécesseurs.

Quel crédit exact accorder aux deux brefs textes parus sous son nom, l'un de son vivant, l'autre sans doute après sa mort ?

L'*Epître aux syndics de Genève*, parue en 1559, *sans lieu*, ce qui éveille déjà les soupçons, a tout d'une pièce de propagande, bien peu dans la nature du prudent bouffon, qui aurait eu bien d'autres occasions avant cette date de s'engager dans cette voie.

Quant à l'*Advertissement touchant les troubles* (1568), en pleine propagande militaire huguenote après l'échec de Saint-Denis, où vainquit et mourut le vieux connétable de Montmorency, tout le rend suspect. Il est douteux que Brusquet ait été encore en vie. Le fut-il, comment Brantôme, qui se reprend à deux fois pour parler du connétable et nous y fait connaître Thoni, n'en souffle-t-il mot ?

Quel fond de vérité à l'anecdote qui sert de support à la petite comédie latine en un acte [53], publiée à Gand en 1600, œuvre de Gabriel Jansenius, pendant quatorze ans préfet des études au Collège d'Alost ?

Les personnages y ont beaucoup de vraisemblance. Le Roi (non nommé) est sûrement Henri III, conforme à sa légende : il apparaît avec quelques courtisans masqués (l'un est déguisé en femme).

Brusquet s'est acoquiné avec un huissier (*Apparitor*) jadis riche, mais qui ne peut ravoir d'un certain Richard, qui se dit « roi de France » et n'obéit pas aux lois, trois cents écus. Brusquet en parie deux cents qu'il réussira. En fait l'imprudente arrestation du Roi par les deux compères entraîne le risque de lèse-majesté. Brusquet supplie le comte (*Comes*) de le cacher et se fait passer pour mort. On met la maison en deuil. Le Roi pardonne au mort, qui ressuscite et gagne son pari [54]. L'histoire est peut-être de pure invention. Elle a pu tout aussi bien se passer réellement, notamment lors du séjour à Bruxelles, avec le cardinal de Lorraine...

Chicot détestait les huguenots et les combattait les armes à la main ; ils le lui rendaient bien. Fidèle à Henri III et ennemi juré de Mayenne, il fut vite honni des Ligueurs. Aussi les deux libelles parus sous son nom représentent une belle vengeance des deux parts.

[52] FLOQUET, *Histoire du Parlement de Normandie,* II, 198.
[53] Gabriel JANSENIUS, *Tragico-Comediae.* B.N. Rés. M.Yc.169. Le recueil groupe cinq tragi-comédies sociales « In Ecclesiae et urbis solemnitate per discipulos exhibitae ». Ce sont quatre pièces bibliques et un *Saint-Martin,* à 48 personnages. Les deux autres comédies sont des croquis sociaux de bourgeois gentilhommes (Nobilis ruralis — Philippus fatuens).
[54] Autre curieux rapprochement avec Molière. C'est ici le dénouement des *Fourberies de Scapin.*

La brochure « *Au Roi, pour les affaires de Sa Majesté* », d'inspiration huguenote, paraît au moment des Etats de 1588. Brusquet est censé dire entre autres :
« Il te vaudrait avoir coûté bon que tous les députés parlassent aussi librement que
moi... » Et de reprocher sa pauvreté, « son vieux manteau tout mangé de teignes
et de morpions »... Une autre adressée *A Madame, ma maîtresse*, parle des mauvaises affaires de la Cour. Le Roi y est censé tenu en tutelle : « Vous et la Reine-
Mère le voulez gouverner toutes seules. » Rien ne pouvait plus piquer au vif
Henri III.

Les paraboles de Chicot en 1593 (il vient de mourir) sont une habile exploita-
tion ligueuse contre Henri IV. Tout au contraire, Chicot avait, dès 1592, conseillé
la conversion à Henri, en termes certes, s'ils sont exacts, qui ne durent pas trop
plaire à Du Perron :

> Monsieur mon ami, je vois bien que tout ce que tu fais ne te servira de rien à la
> fin, si tu ne te fais pas catholique. Il faut que tu voises à Rome, et qu'estant là tu
> bougeronnes le pape, et que tout le monde le voie ; car autrement ils ne croiront
> jamais que tu sois catholique. Puis tu prendras un beau clistère d'eau bénite, pour
> achever de laver tout le reste de tes péchés. ... Penses-tu pas, Monsieur mon ami,
> que la charité que tu as à l'embrasement de ton royaume doit excéder toute charité
> chrétienne ? De moi, je tiens pour tout assuré que tu donnerois à un besoin les
> huguenots et papistes aux protonotaires de Lucifer, et que tu fusses paisible roi de
> France. Aussi bien dit-on que vous autres rois n'avez guère de religion qu'en appa-
> rence [55].

N'entrons pas dans le maquis des textes attribués à Maître Guillaume. Bien
peu doivent être de lui et presque en chacun d'eux la vérité se mêle à la légende.
Il n'a pu par exemple écrire en 1612 : « Feu Monsieur mon ami me fit venir du
royaume des marionnettes à son service » et pourtant le long récit du *Voyage de
Maître Guillaume en l'autre monde* lui prête une attitude et des propos, qui ne
s'éloignent pas de la vérité du personnage.

En tout état de cause, Maître Guillaume était fier de cette consécration burlesque.

Le morosophe était devenu le porte-parole quasi exclusif de l'opinion publique ; le mythe rejoignait un instant la réalité.

*
**

Le déclin fut rapide. Cependant qu'après sa mort en 1618, à un rythme de plus
en plus espacé [56], quelques poètes « satyriques » [57] empruntent son nom jusqu'en
1632 — cependant que, parallèlement, les comédiens du Pont-Neuf, Gaultier-
Garguille, Bruscambille, qui ne sont ni fous ni en titre d'office poursuivent sa tradition ; Richelieu congédie Marais [58] qui, sans être en titre, amusait Louis XIII,

---

[55] Cité d'après A. CANEL, p. 204.

[56] Six ans de silence, de 1625 à 1631, deux en 1631, dernière pièce en 1632.

[57] Satyriques : il s'agit de recueils érotiques étudiés par Fr. LACHÈVRE, *Recueils collectifs
de poésies libres et satiriques*, P., 1914, 2 vol.

[58] TALLEMANT, *Historiettes*, éd. MONGRÉDIEN, II, 151. On ne sait rien de ce Marais,
qui ne semble pas devoir être identifié avec le danseur de ballets de Louis XIII. Tallemant
l'appelle bien « le bouffon du roi » et ne conte de lui qu'un autre tour plaisant et un bon (?)
mot, définissant ainsi les deux inconvénients du métier de Roi : « De manger tout seul et de
ch... en compagnie. »

Outre Marais, dans un statut mal défini (« On lui fit faire une innocente d'écarlate avec de
l'or »), Louis XIII recevait et gratifiait régulièrement (deux fois la semaine, dit Tallemant) un
paysan naïf de Saint-Germain, Jean Doucet. TALL. VII, 55.

pour un mot spirituel, mais malheureux [59]. Son propre amuseur, Boisrobert, était d'une autre trempe : quand il ne le faisait pas rire, il organisait l'Académie et priait tous les auteurs en renom d'écrire à la gloire de son maître [60].

Son beau-frère d'Ouville, tenta maladroitement de sauver la tradition littéraire des fous. En fait son recueil *L'élite des contes,* publié en 1641 et augmenté en 1680 n'est qu'une médiocre compilation de contes, bons tours et bons mots, dont les auteurs devenus anonymes n'ont plus de visage, et où disparaît toute historicité [61].

Avec la charge disparaissent ensemble leur histoire et leur mythologie [62].

Discussion

Plard. — Je voudrais poser deux petites questions à M. Stegmann. Tout d'abord, sait-on dans quelles conditions on recrutait les fous de cour ? D'autre part, à quel niveau de noblesse se considérait-on obligé socialement d'avoir un fou de cour ?

Stegmann. — Je ferai deux réponses extrêmement prudentes, comme pour tout ce qui concerne ces fous.

En ce qui concerne votre première question : le recrutement des fous de cours est très varié. On sait par des histoires qu'il y en a un qui était précisément apothicaire et médecin et qui était en situation difficile à l'égard de la justice, et c'est à son passage que le roi l'ayant repéré pour un mot d'esprit touchant à son procès a dit : « Je t'emmène avec moi. » Dans d'autres cas : je vous ai cité ce très curieux texte où l'on va chercher des fous patentés. Voici encore un cas intéressant. Dans une famille pauvre de trois enfants, on destine le cadet à l'Eglise : c'est lui qui devient plus tard fou en titre d'office. En général, ce sont des orphelins : dans l'aide à la famille, on fait toujours mention de la seule mère.

La deuxième question est beaucoup plus simple : on n'est jamais tenu d'avoir un fou. Les fous d'Eglise semblent extrêmement nombreux, on ne sait trop pourquoi. Il y avait des simples d'esprit dans les couvents et on les y accueillait d'autant plus volontiers que ce que nous a dit M. Marc'hadour me semble extrêmement juste, qu'ils étaient à la fois des gens à protéger socialement et la représentation

[59] Louis XIII aurait joué au barbier. Le bouffon l'ayant mal payé, le Roi se serait plaint. Marais aurait répliqué : « Vous aurez plus, *quand vous serez maître* » et Richelieu aurait licencié le fou. Cité par A. CANEL, p. 240.

[60] « On ne saurait faire plus plaisamment un conte qu'il le fait, il n'y a pas meilleur comédien au monde. » TALLEMANT, II, 245. Le recueil est celui du *Sacrifice des Muses* (1635) auquel Corneille osa refuser de collaborer.

[61] *L'élite des contes,* 1641, augmenté en 1680 (rééd. G. Brunet, 2 vol., 1883) compilé à toutes mains, conteurs italiens, espagnols, romans picaresques, voire les Dicts médiévaux ou l'Evangile des quenouilles.

A titre d'exemple, pour les fous, — qui ne sont pas tous de Cour — d'Ouville tire du Pogge une aventure de Gonella, fou de Nicolas, duc de Ferrare : encore ici l'anecdote est située par les noms propres. Les quelques autres histoires de bouffons commencent ainsi avec quelques variantes : « Un seigneur avait un bouffon... ». L'une d'elles (I, 188) est visiblement une reconstruction, à la fois pâle et romanesque, d'une vengeance de Brusquet sur Strozzi.

[62] Avec *Le courrier facétieux* (1650), *Les Divertissements curieux* (1654), *Les Agréables divertissements* (1654), *L'Enfant sans souci* (1682), *Le Bouffon de la Cour* (1682), leur forte personnalité, leur fonction et leurs bons tours se noient au milieu des histoires de paysans naïfs, jeunes mariés, moines paillards et maris trompés, sans âge et sans visage, bâtarde postérité du génial Boccace.

(de l'image de la créature divine particulièrement désarmée. Les évêques les prenaient sous leur coupe, ce qui ne voulait pas dire qu'ils étaient bouffons en titre. Quant aux nobles, il n'y a pas de règle. En avait qui voulait. On en trouve beaucoup et partout, et d'autant plus, semble-t-il, quand les rois n'en ont pas ou n'en ont plus. Il y a aussi tous les bouffons marginaux, surtout sous Louis XIII, qui ne sont pas en titre, et qui en ont tout de même un peu la fonction.

Brabant. — Il y a beaucoup de grands personnages qui avaient des nains auprès d'eux et peut-être certains d'entre eux jouaient-ils parfois le rôle de fou ?

Stegmann. — Certes oui. Ainsi les nains de Catherine. Mais aucun n'a eu le rang de fou « en titre d'office ».

Brabant. — Trouvait-on parfois à la cour un nain et un fou à la fois ? Avez-vous des renseignements sur ce goût curieux des grands personnages pour les nains ?

Stegmann. — Pensez-vous au fou de Thomas More ?

Marc'hadour. — Puisque vous mentionnez le fou de More — je pensais à lui, pas à propos de sa taille ; il est plus grand que Thomas More, et plus grand que John More Junior — il est le plus beau personnage, physiquement, dans le portrait de la famille de Thomas More par Holbein. Et il est socialement important là où More se trouve avec son père, son fils, sa femme, ses filles — mais non ses beaux-fils — ; le fou s'y trouve, dans une position qui n'est pas marginale. On sait par ailleurs qu'il était à table avec la famille tous les jours et qu'il y parlait. Vous avez dit, M. Stegmann, que ces fous étaient des cas pathologiques, qu'ils étaient simples d'esprit, en dessous de la moyenne intellectuellement ; or deux de ceux que vous nous avez présentés sont devenus maîtres des postes, donc bourgeois cossus, ce qui ne donne pas l'impression du tout qu'ils fussent désarmés devant la vie. Celui de Thomas More me paraît avoir été une créature plutôt bizarre, dont les remarques étaient pittoresques, respecté même s'il jouait un peu le rôle que tenaient aussi les singes dans ces familles de la Renaissance. Il disait des choses qui, peut-être parce qu'elles n'étaient pas tout à fait normales, étaient comme des grossissements de certaines caractéristiques de l'homme, et elles en étaient peut-être plus visibles, ce qui leur conférait une valeur stimulante pour l'intellect de la famille. Le fou de More attend encore une investigation. Il était noble pour Holbein comme pour la littérature thomas-morienne, mais on ne voit pas bien s'il était réellement dingot, ou s'il jouait un rôle ; sans doute un peu des deux.

Stegmann. — Permettez, cher abbé, de rectifier un propos que je n'ai pas tenu : « au-dessous de la moyenne humaine ». Ils sont marginaux et ils ont un type de folie qui justement fait que, comme Caillette, ils soient nettement des simples d'esprit, capables de dire des niaiseries qui sont souvent de l'humour involontaire ; les autres sont nettement de type mélancolique, de type anormal. Ils ont d'ailleurs des pseudonymes assez typiques, quand on sait qu'il s'agit bien de pseudonymes. Ceux-ci indiquent des mythomanes avec une tendance à la fois à la mélancolie et à la mythomanie. Ce ne sont jamais de purs idiots. Chicot, qui apprit l'espagnol et l'italien, était aussi un excellent militaire. Il accompagnait le roi partout et il est mort d'ailleurs de sa folie, puisque c'est en amenant un captif à Henri IV que celui-ci, furieux d'avoir été fait prisonnier par un fou, lui colle un bon coup sur la tête et qu'il en meurt huit jours après. Ces exemples, si divers, impliquent tous un caractère pathologique.

Pour en revenir aux nains, il y en a beaucoup, et eux font partie de la ménagerie. A côté des fous du roi, il y a les fous de la reine. Catherine de Médicis n'a jamais donné le poste à l'un de ses nombreux nains, puisqu'elle en avait sept et trois naines. Rappelons d'ailleurs que beaucoup se sont mariés et ont eu des enfants.

Charpentier. — D'abord une toute petite parenthèse qui m'a été rappelée par ce que vous disiez à l'instant du fou mélancolique. Il n'est peut-être pas indifférent de se souvenir du sonnet liminaire de Des Périers dans *Les Nouvelles Récréations* où il fait rimer « folie-mélancolie » : « Donnons, donnons quelque lieu à folie, Et en un jour plein de mélancolie, Mêlons au moins une heure de plaisir. » Je crains de ne pas paraître très sérieuse en rompant le discours très sérieux de l'histoire, au profit de celui beaucoup plus conjectural de la littérature.

Ce matin, M. Stegmann, vous disiez que le fou béni, le fou signe d'une sagesse secrète qui est au-delà de la sagesse des sages, n'avait pas trouvé sa place dans la littérature de la Renaissance. Or vous nous avez parlé de celui qui est plus ou moins le maître spirituel de ce colloque : François Rabelais, et cette intervention de Triboulet dans sa fiction romanesque m'a toujours paru capitale. Je voulais intervenir sur un double point. Il me semble que ce rôle central, capital du fou, apparaît à deux niveaux très formels : d'abord au niveau narratif, car enfin il intervient en plein centre du roman, à un moment où la quête s'enlise. Panurge a épuisé toute la science officielle, toute la science populaire, et qui lui donne la réponse ? Le fol. Il a prêté au fol la réponse qu'il portait en lui, qu'il avait envie de formuler, ou plutôt que Pantagruel et lui-même avaient envie de formuler, mais cela n'a aucune importance. Ensuite au niveau formel qui me paraît très important car vous avez longuement développé la grande double glose de Panurge et Pantagruel. Il y a aussi une longue préparation à l'arrivée de ce fol. Bien avant qu'il arrive, il est présenté par Panurge et Pantagruel aussi sous une forme tout à fait exceptionnelle qui est celle des litanies. Il y a dans le roman un assez grand nombre de listes monstrueuses de mots, de phénomènes linguistiques extraordinaires, mais les litanies sont une forme très particulière, très stricte, évidemment surchargée d'intentions, et Rabelais (si j'ai bien compté), ne l'emploie que trois fois de façon stricte : dans la double litanie des « Couillon » et dans celle des fols. Or, si l'on regarde le sujet de ces litanies, il est clair qu'il touche deux sujets capitaux : la génération et la folie.

Stegmann. — Je répondrai que je suis en partie d'accord avec vous. Sur le premier point, je n'ai peut-être pas été assez net sur la survivance du caractère divin du fou à travers cette littérature. Je signale tout de même quelques points précis qui sont deux textes de Brantôme — l'un de ceux qui a le mieux compris, avec Des Périers, le fou. Je ferai remarquer par parenthèse que Des Périers n'assimile lui non plus jamais le fou au fou folklorique, au fou de carnaval. Or Des Périers est tout à fait sensibilisé au folklore. Ses *Contes* sont le plus grand livre depuis les *Cent nouvelles nouvelles*. Il y a tout ce côté que Rabelais a très bien senti lui aussi. Sur le cas de Brantôme, je signale quelques phrases typiques : « *Ils disent tous ce qu'ils savent* (c'est la spontanéité naïve et tout ce que l'on peut en tirer) *ou le devinent par quelque instinct divin.* » Voilà la sous-jacence prophétique permanente du simple d'esprit et du fou. A la fin des anecdotes sur Brusquet qui occupe douze colonnes de l'histoire de la vie de Strozzi, Brantôme conclut son chapitre par : « *Dieu aide au fol et aux enfants.* » Quant à la consultation de Triboulet, je fais quelques réserves. Est-elle au centre du livre ? Triboulet n'intervient qu'au 3e livre, et avec cette ambiguïté que j'ai essayé de dégager. Vous dites : c'est la consultation centrale ; je dirais seulement : c'est une consultation importante.

Charpentier. — Je voudrais ajouter un mot sur ce point pour m'exprimer plus complètement. Que le fol n'apparaisse pas dans les deux premiers livres, cela ne m'étonne pas. Il y a une espèce de trou, de déhiscence remplie d'inquiétude, comme cela se lit bien dans les deux prologues et dans la dédicace du Quart Livre, entre la première production de Rabelais et les trois autres livres. Et que le fol apparaisse à l'heure de la maturité littéraire ne me surprend pas. Je ne ferais peut-être pas une théorie entière sur la consultation de Triboulet, mais je crois que l'on touche quand même l'un des centres sensibles du livre. Je ne voudrais pas marcher dans les plates-bandes de M. De Grève, mais lorsqu'il parle d'un discours en folie, je crois que par un autre biais il cherche à rejoindre ce thème central de la folie.

Stegmann. — Je reste, pour ma part, méfiant sur une lecture de Rabelais d'un discours en folie et de l'apologie de la folie présente à tous les moments. Ce qui me gêne beaucoup dans le texte de Rabelais, c'est que Rabelais, dans cette présentation initiale de Triboulet, l'a partiellement confondu avec le fou de carnaval. Les litanies sont d'un emploi signifiant, mais de quoi ? Elles ne font que confirmer le mystère de l'écriture rabelaisienne, et le fait de savoir quand il est sérieux et quand il ne l'est pas. Mais malgré tout cette façon de l'introduire, avant et après des corneculades (?), c'est un peu gênant pour celui qui veut donner une leçon particulièrement privilégiée au centre de son livre. Si je parle de trois niveaux, c'est dans la façon dont il a conduit son récit. Le premier, c'est justement cette présentation qui me semble truquée, confuse, dangereuse pour l'interprétation, si on s'en tient là. Le deuxième niveau, c'est la consultation elle-même qui est vraiment l'équivalent des fanfreluches anti-dotées ou de la contestation par signes. Après, dans les commentaires, ce double niveau : le niveau de l'abaissement de la folie et de cette curieuse petite réhabilitation finale. Au niveau du récit, on procède par paliers ; au niveau de la signification, nous en avons trois et non pas deux. Mais comment faut-il le lire, à quel niveau, que choisir et que privilégier ? Malgré leurs divergences, les critiques récents me tentent tous, sans jamais pleinement me convaincre.

Charpentier. — Pas forcément dans le sens humaniste de Screech, mais au moins une très grosse énigme à ce moment-là.

Pot. — J'aimerais revenir au problème spécifique du fou de cour, à propos d'un ouvrage important qui a été très lu et imité au XVIe siècle : le Des Cas des hommes et des femmes illustres de Boccace. Ce qui frappe dans ce texte, c'est le danger permanent d'un brusque renversement de situation qui guette tout personnage important et haut placé. On y reconnaît la célèbre « roue de fortune » qui fait que personne ne peut être assuré de son destin. Or le fou de Cour ne jouerait-il pas justement, dans cette optique, un rôle « apotropaïque » en désamorçant à l'avance les dangers d'un excès de sécurité et de puissance ? Ainsi s'expliquerait que le fou apparaisse comme le double exact du prince jusqu'à s'habiller chez le même tailleur que lui et à être le seul à manger à sa table. Ne prévient-il pas en quelque sorte les risques impliqués par la démesure et l'« hybris » du prince, par son absolutisme ?

Stegmann. — Votre question est double : la question de l'ubris et la question du double. Sur le problème de l'ubris il est certain que toute la littérature moderne sur ce sujet n'a cessé de rapprocher le rôle du fou du petit personnage des triomphes romains, qui était là pour rappeler aux puissants de ce monde que le jour même de la montée au Capitole, il n'était qu'un homme. Mais dans la littérature du XVIe siècle, le fou — au moins celle dont je parle — il n'y a pourtant rien qui le rappelle.

Sur le second point, l'image du double, vous avez tout à fait raison et c'est mon interprétation, subjective, je l'avoue : on ne peut pas donner de preuves formelles qu'elle ait été sentie comme telle.

Sur le *De casibus* de Boccace … (il y a aussi le texte de Pétrarque et cette littérature abondante des *Vies des hommes et des femmes illustres*). On ne peut guère parler de la condition humaine au XVIe siècle, sans faire appel longuement à ces traités. Mais dans le cas des fous à la Cour, on ne voit pas qu'il y ait là une image de la fragilité de la personne humaine, de la fortune. Autrement dit, l'image du double, oui ; celle de la chute possible, non. Bélisaire mendie dans les rues, aucun grand ne devient fou de cour.

Chaput. — Permettez-moi d'intervenir pour attirer votre attention sur un texte que j'avais sous les yeux la semaine dernière. C'est un texte du début du XIIIe siècle, une chronique de Pierre des-Vaux-de Cernay, qui s'appelle l'*Histoire albigeoise*. Il y a une situation précise où on traite du fou de cour. Il s'agit de Raymond VI, le comte de Toulouse, qui assiège Simon de Montfort dans un château à Castelnaudary, et il est en position de faiblesse, ce qui fait qu'il se place dans un camp retranché. Ce qu'il craint le plus, ce sont les sorties de Simon de Montfort. Cette situation est assez ridicule, certes, et le seul qui se permette d'intervenir et de mentionner le ridicule de la situation au comte de Toulouse, c'est son fou. Le chroniqueur, pendant une dizaine de lignes, parle de ce fou du comte de Toulouse, et on voit très clairement que le seul qui puisse se permettre de dire une chose pareille au comte, c'est son fou parce qu'il ne tolère de personne d'autre d'être rabroué de la sorte. Cela replace le fou de cour et son influence politique beaucoup plus loin que le XVIe siècle.

Stegmann. — Vous avez raison et votre exemple est dans l'ouvrage de Canel (1873) cité dans ma bibliographie. Par la suite les fous de Cour conservent cette liberté de parole qui prend une valeur politique.

Un problème demeure pourtant, pour affirmer une continuité tout à fait assurée des fous en titre d'office, c'est la critique des sources. Beaucoup sont tardives et suspectes : on prête aux riches ou l'on transpose des histoires d'un fou à l'autre. Cette action politique est surtout de leur libre parole, qu'on leur pardonne d'autant plus que, comme je l'ai dit, leur humour est souvent involontaire.

Backvis. — Je voudrais ajouter un exemple et je crois que c'est un cas-limite. Le fou du roi Sigismond Ier (1507-1548), Stańczyk, est le seul fou qui a laissé une tradition durable, qui a commencé dès la génération suivante. Et ce fou y apparaît comme quelqu'un qui, par un raccourci paradoxal, inattendu — et bien entendu assez volontiers grossier — remet les choses à leur place, c'est-à-dire qu'il exprime la réalité des choses à l'encontre de ce qui est reçu d'après les conventions. Mais le plus amusant de la chose c'est que dans la Galicie de la seconde moitié du XIXe siècle (la Galicie autrichienne), un groupe d'hommes qui ont été pendant tout un temps — pendant plusieurs décennies — très influents et qui étaient extraordinairement sérieux, se sont mis délibérément sous le signe du fou Stańczyk. Leurs adversaires les appelaient des « pompiers », non pas dans le sens que les peintres donnent à ce mot, mais dans un sens beaucoup plus immédiat. Ils se les représentaient comme scrutant perpétuellement tout le territoire de la Galicie pour voir si quelque part quelqu'un n'allumait pas une étincelle de patriotisme romantique menaçant de provoquer une nouvelle insurrection, pour que ces « pompiers » héritiers spirituels de Stańczyk se précipitent pour l'éteindre. Vous avez ici le cas d'un fou qui a patronné une pensée politique qui est certainement discutable, mais qui en tout cas était délibérément raisonnable et prudente. Ce que l'on vient de dire maintenant touchant son rôle politique — justement cela m'a fait réfléchir parce qu'il est caractéristique que Sigismond le Vieux a encore eu un fou, — son fils Sigismond Auguste — et pour autant que je le sache ses successeurs n'en ont pas eu. Le cas de Bébé n'est pas significatif parce que tout ce que l'on dit touchant Leszczyński regarde le temps où il était roi de Lorraine et non pas souverain polonais. C'est dire que je me demande si le fou n'a pas disparu de la cour de Pologne à partir du moment où le roi est devenu le premier magistrat de la République. Et à ce moment-là ce n'est plus au fou à lui dire des vérités qui peuvent être désagréables, ce sont les députés qui les disent très abondamment à la Diète. Voilà peut-être une contribution, tout à fait marginale bien entendu, au rôle des fous dans les anciennes cours.

Céard. — Il s'agit d'une question touchant le gouverneur. A-t-on connaissance d'un certain nombre de personnages qui aient tenu cette fonction ? D'autre part, et ma seconde question est plus importante, — question de titulature — je crois savoir qu'il s'appelait « gouverneur des fous, des nains et des singes », ce qui nous renvoie à toutes les autres questions.

Stegmann. — Nous avons deux sources différentes. On connaît les fous en titre aux XIVe et XVe siècles, pour les Etats. Au début du XVIe siècle, on en a encore. Mais ce n'est pas par les comptes royaux que l'on connaît les fous de la fin du siècle. Dans la littérature qui les concerne, les gouverneurs sont toujours cités. Deux cas différents pourtant : dans certains cas on connaît même leur nom propre, le plus souvent on ne sait rien de plus d'eux, ni à quel milieu social ils appartenaient.

Votre question est susceptible de plusieurs interprétations. D'abord, le gouverneur n'est pas toujours intendant de la ménagerie et des fous.

Céard. — Je crois qu'il faut mettre la ménagerie à part. Par exemple le maréchal de Retz qui s'occupait de la ménagerie sous Charles IX n'avait absolument pas la responsabilité des singes. Ils sont vraiment à part.

Stegmann. — L'alliance des fous et des singes ne me semble pas constante. A supposer qu'elle l'ait été, le statut même du fou en est-il vraiment changé ? Le gouverneur s'occupe de cet ensemble ; c'est fâcheux qu'on les associe. Cela implique-t-il qu'ils soient traités en bêtes familières : quand ils tombent malades, on les soigne attentivement, sauf d'ailleurs que je ne voie pas qu'on en ait soigné un seul pour sa folie ! Autre signe de distinction : la seule punition qu'on donne au fou, c'est de l'envoyer aux cuisines. Ce qui prouve une chose, c'est qu'il n'y est pas ordinairement et que la punition la plus grave, c'est de le livrer aux valets ou aux pages.

Les traitements burlesques de la folie
aux XVIᵉ et XVIIᵉ siècles

Hyacinthe BRABANT

Professeur ordinaire à l'Université Libre de Bruxelles

> Qu'est-ce que la raison ? La folie de tous.
> Qu'est-ce que la folie ? La raison d'un seul.
>
> S. da RENZI [1]

Il y a tant de petits artifices grâce auxquels les charlatans ou médecins prétendus en imposent aux personnes crédules, qu'un livre entier, si j'avais besoin d'en faire un expressément, ne suffirait pas même à les comprendre tous (...) Tantôt il y en aura qui se vanteront de pouvoir guérir l'épilepsie et qui feront pour cela une ouverture derrière la tête, en forme de croix, puis ils prétendront avoir tiré de la plaie quelque chose qu'ils avaient tenu caché jusque là dans leur main... [2].

Ces lignes sont du fameux Rhazès, médecin arabe d'origine persane qui vivait à la fin du IXᵉ siècle. Elles prouvent que, contrairement à ce qu'ont cru, ou paru croire quelques historiens de la médecine [3], certains traitements charlatanesques pratiqués à la Renaissance par de prétendus thérapeutes afin de guérir divers troubles de l'esprit ou des névroses, étaient déjà connus dans le Haut Moyen Age. On peut en trouver une preuve dans la sculpture d'une miséricorde de stalle d'une ancienne église de Diest en Belgique (XVᵉ siècle). On y voit (fig. 1) un fou agenouillé tenant dans la main gauche sa marotte qu'il contemple en souriant et dans la main droite, une « pierre de folie » [4].

Comme l'observe justement M. Foucault, c'est « vers la fin du Moyen Age que la folie et le fou deviennent des personnages majeurs dans leur ambiguïté : menace et dérision, vertigineuse déraison du monde et mince ridicule des hommes » et « dans la littérature savante (comme dans les coutumes populaires), la Folie est au travail, au cœur même de la raison et de la vérité ; une floraison d'images va s'épanouir sur ce thème et c'est là sans doute un des phénomènes les plus curieux de l'histoire de l'esprit humain » [5].

Cependant, les traitements charlatanesques de la « pierre de tête » sont probablement très anciens car, depuis que l'être humain existe, il a sans nul doute

---

[1] Cité d'après Bruno CASSINELLI, *Histoire de la Folie.*

[2] Traduction de l'historien anglais de la médecine Jean FREIND (1675-1728), cité d'après E. BOUCHUT, *Histoire de la Médecine et des doctrines médicales*, t. 1, pp. 248-249. La citation traduite par Freind est extraite d'un ouvrage de RHAZÈS intitulé *Des qualités nécessaires dans le médecin que l'on choisit pour se confier entièrement à sa conduite.*

[3] Voir entre autres H. MEIGE, *Les peintres de la médecine (Ecoles flamandes et hollandaises). Les opérations sur la tête*, pp. 234 et suiv. Voir aussi dans l'*Histoire générale de la médecine*, etc. du Dr LAIGNEL-LAVASTINE, *Histoire de la psychiatrie.*

[4] Cette sculpture de l'église de Diest est reproduite dans le livre de L. MAETERLINCK, *Le genre satirique, fantastique et licencieux dans la peinture flamande et wallonne : les miséricordes de stalle. Art et folklore*, p. 137.

[5] M. FOUCAULT, *Histoire de la folie à l'âge classique*, pp. 24 à 26.

souffert de névralgies, de céphalées et de nombreuses affections psychiques parmi lesquelles l'hystérie, l'hypochondrie et l'épilepsie ainsi que de tumeurs et de lésions cérébrales dont la symptomatologie était alors mal connue et le diagnostic difficile. Tous ces troubles, la médecine et la chirurgie des époques anciennes étaient impuissantes à les guérir, encore qu'à la Renaissance, la trépanation (fig. 2), opération connue depuis la préhistoire, ne semble pas avoir été moins pratiquée qu'aux époques antérieures [6]. Mais c'était une intervention chirurgicale aussi délicate que dangereuse, aussi douloureuse que redoutée. Le domaine offert aux charlatans pour l'exercice de leurs discutables « talents » était donc immense. Il est vrai qu'aujourd'hui, en dépit des énormes progrès accomplis par la médecine, ces malfaisants personnages ne restent, hélas, pas sans emploi.

On sait qu'au cours de diverses affections psychiques et de certaines céphalées, les patients déclarent avoir l'impression qu'un insecte, un petit animal ou un objet, quand ce n'est pas un démon, se déplace sans cesse à l'intérieur de leur crâne et leur cause ainsi d'intolérables souffrances. Comme le remarque H. Meige, déjà dans l'Antiquité, on retrouve cette idée que la folie peut être causée par un insecte logé dans la tête, par exemple un taon [7] ou encore un grillon. Faut-il rappeler

---

[6] Hippocrate n'a-t-il pas déjà décrit deux trépans : celui à tarière et celui à couronne avec pyramide, encore que « ce dernier semble avoir été inconnu de Galien », comme le rappelle H. MEIGE (*Les opérations sur la tête*, p. 234). Le trépan à couronne est une espèce de tube d'acier dont une extrémité est dentelée et comprend en son centre une *pyramide*, sorte de foret ainsi appelé à cause de sa forme. Quant au trépan à tarière, c'est un trépan à lames tranchantes. Au Moyen Age, le fameux médecin et chirurgien Gui de CHAULIAC, CHAULIEU ou CAULIAC, qui vécut dans la seconde moitié du XIVe siècle et qui exerça à Lyon puis à Avignon où il fut le médecin de trois papes, osa utiliser le trépan dont d'autres chirurgiens craignaient de se servir mais qu'employaient, dit-il, « les opérateurs parisiens et ceux de Boulogne ». A la Renaissance, un autre médecin célèbre, Giovanni da Vigo ou Jean Vigo (1450-1524), inventeur d'une sorte de sparadrap qui porte son nom et auteur d'un traité de chirurgie publié vers 1511, qui eut plus de quarante éditions et fut traduit dans les principales langues européennes, préconisa, lui, le trépan à couronne. A peu près un demi-siècle plus tard, le grand chirurgien Ambroise PARE (1510-1590) décrivit l'instrumentation nécessaire à la trépanation dans ses *Dix livres de chirurgie* (pp. 84 à 86, 202 et 203, 220 de l'édition de 1564).

[7] H. MEIGE, *La médecine au Musée du Prado*, p. 512. Une estampe de ce Jean-Théodore De Bry est assez explicite en ce qui concerne les rapports du taon, de la guêpe et de la pierre de folie. Cette estampe ancienne représente l'officine d'un opérateur de cette « pierre » très particulière. On y lit ce vers latin :
Nil opus Anticyras abeas, hic tollitur oestrum
qu'on peut ainsi traduire : « Celui-ci enlève le taon, il ne sert à rien d'aller à Anticyre. » Ce vers est une variante d'un proverbe de l'Antiquité qui affirmait que « pour guérir les fous, il faut les envoyer à Anticyre ». Cette ville, d'abord nommée Cyparissus, était située dans l'ancienne Phocide, au sud de Delphes sur le golfe de Corinthe. On y préparait l'ellébore recueilli surtout sur la montagne Helicon, consacrée aux Muses. Cette plante était censée guérir la folie. Anticyre fut d'abord le nom d'un médecin grec, qui, au moyen d'ellébore, avait guéri Hercule d'une sorte d'épilepsie. Plus tard, on donna le nom d'Anticyre à la ville où ce remède était préparé. Quant au mot *oestrum* (de oestrus), il signifie non seulement la mouche, le taon, mais aussi la guêpe, le délire, la folie. (On sait que, quand un taon pénètre dans l'oreille d'un cheval, celui-ci s'affole et est difficile à maîtriser). Peu à peu le taon et la mouche prétendument responsables de la folie devinrent... une araignée, un hanneton et même... un rat ! On peut en donner comme preuve un dessin de Corneille Fischer. Il date de 1655 et représente un vendeur de mort-aux-rats. La légende dit :
> Si par un remède nouveau
> J'extirpais les rats du cerveau,
> Combien de gens auroient besoin de spécifique,
> Et combien dans Paris seroient de mes pratiques.

Le « rat des fous » pouvait aussi être une souris et l'on disait jadis en Hollande d'une personne en proie à des obsessions : « Elle a un nid de souris dans la tête. »

Fig. 1. — Image d'un fou tenant dans sa main gauche une marotte et dans la droite une « pierre de folie ». Sculpture, datant du XVe siècle, de la miséricorde de stalle d'une ancienne église de Diest en Belgique. (Reproduite d'après L. MAETERLINCK, *Le genre satirique, fantastique et licencieux dans la sculpture flamande. Les miséricordes de stalles*, fig. 85).

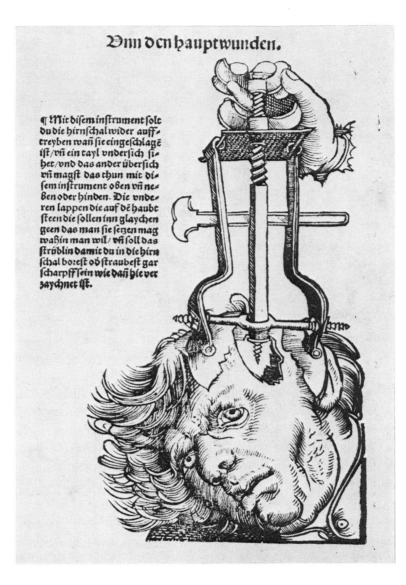

Fig. 2. — La trépanation crânienne. Gravure sur bois extraite d'un ouvrage in-folio imprimé en 1517 à Strasbourg ; le *Feldbuch der Wundarztnei,* de Johann von Gersdorff, chirurgien allemand originaire de Silésie qui exerça la chirurgie à Strasbourg au début du XVIe siècle.

le titre de la nouvelle CXXVII de Bonaventure Des Périers intitulée : *D'un chevalier aagé qui feit sortir les grillons de la teste de sa femme par une saignée, et laquelle auparavant il ne pouvoit tenir soulz bride qu'elle ne luy feist souvent des traitz trop gaillardes et brusques.*

Mais parmi les hôtes insolites qu'à la fin du Moyen Age et à la Renaissance on supposait se trouver dans la tête de certains malades et y provoquer la folie, il faut en premier lieu mentionner *les pierres*. Dans les Flandres et en Hollande, ne disait-on pas, déjà au XVe siècle, d'un individu plus ou moins déséquilibré : « Il a une pierre dans la tête », et lorsqu'il paraissait guéri de ses troubles psychiques : « On lui a enlevé la pierre de folie », tout comme on dirait aujourd'hui : « On lui a extirpé l'araignée qu'il avait dans le plafond » ou « la chouette qui voletait dans son clocher » [8].

La croyance dans la présence d'une pierre à l'intérieur de la tête de certains individus ayant l'esprit dérangé se trouvait renforcée, à la Renaissance, par le fait connu depuis longtemps que des calculs peuvent se développer dans divers organes du corps humain. « Or, affirme Ambroise Paré, pour le dire en un mot, les pierres se peuvent engendrer en toutes les parties de notre corps, tant intérieures qu'extérieures [9]. » De plus, on sait combien, à cette époque, était répandue la croyance dans les vertus magiques des *bézoards* ou *lapis bezoardicus*, ces concrétions calculeuses qui se développent dans certaines parties du tube digestif et des voies urinaires des mammifères et de l'homme [10].

N'oublions pas non plus que des ostéomes ou des kystes peuvent se constituer dans les tissus mous ou sur certains os et donner aux malades l'impression qu'une pierre est enchâssée à cet endroit [11]. La formation de ces masses plus ou moins dures était, pour les gens peu instruits du XVIe siècle, entourée de mystère, ce qui a sans doute aussi contribué à renforcer chez eux l'idée que ces « pierres » peuvent se former sur le crâne et provoquer la folie, idée qu'un poète flamand du nom de Jan van Stijevoort, en 1524, a bien exprimée dans une strophe dont voici la traduction :

> La pierre mûrit rapidement en secret ;
> Mise à nu comme un navet,
> Elle se laisse facilement extraire,
> Mais l'opération n'est pas sans danger
> Parce qu'il faut être à demi-fou,
> A demi-raisonnable pour bien vivre [12].

Ce qui précède nous aide à comprendre pourquoi les peintres et graveurs des Flandres et de Hollande (qui ont excellé dans la représentation des scènes de la vie

---

[8] H. MEIGE, *Les opérations sur la tête*, pp. 240 et 241. Selon cet auteur, « ce dicton populaire (il a une pierre dans la tête) était très commun dans les farces où l'on ne manquait pas de l'appliquer au personnage chargé du rôle d'un sot naïf et pusillanime. La locution remonterait, paraît-il, aux romans du roi Arthur » !

[9] Ambroise PARÉ, *Des Monstres, des Prodiges, des Voyages*, p. 211.

[10] Voir l'article « bézoard » dans le *Dictionnaire de médecine* de LITTRÉ. Les calculs urinaires de l'homme par exemple étaient supposés être des antidotes, des contre-poisons, encore qu'Ambroise Paré ait fait sur un condamné à mort la démonstration de l'inefficacité des bézoards (voir H. BRABANT, *Médecins, malades et maladies de la Renaissance*, pp. 110 et suiv.).

[11] Voir à ce sujet les traités de dermatologie tels que celui de A. ROOK et coll., ou encore celui de W.F. LEVER (p. 424), ainsi que certaines thèses médicales comme celle de A. VALETTE, *Sclérodermie et pierres de la peau.*

[12] R.L. DELEVOY, *Bosch*, p. 27. Nous n'avons pu trouver de renseignements biographiques précis sur le poète flamand Jan van Stijevoort.

quotidienne, surtout quand elles comportent quelque élément pittoresque ou satirique) ont été souvent séduits par l'opération charlatanesque dite des « pierres de tête » ou des « pierres de folie », opération qui fut pratiquée aux Pays-Bas depuis le XVᵉ jusqu'au XVIIIᵉ siècle [13]. Aussi ces peintres l'ont-ils maintes fois choisie comme sujet de leurs œuvres, quoique moins souvent que l'extraction dentaire ou d'autres petites opérations de chirurgie externe [14].

On connaît de nombreux tableaux, dessins ou gravures représentant cette burlesque opération de la « pierre de tête ». La plus ancienne (fig. 3) semble bien être celle de Hieronymus Van Aeken (vers 1450-1516) dit Jérôme Bosch ou Van Bos ou encore en Espagne, El Bosco. Cette peinture se trouve au musée du Prado à Madrid et a été terminée entre 1475 et 1480. Intitulée tantôt « La cure de la folie », tantôt « L'opération des pierres dans la tête », c'est une œuvre des débuts du peintre. La composition en est « simple, élémentaire et le modèle sommaire des figures, les plis cassés des costumes, la géométrie incertaine des accessoires » semblent bien le prouver [15]. Une inscription en flamand précise le sens du tableau. En voici la traduction :

> Maître, opérez-moi promptement du caillou,
> Mon nom est Lubbert Das [16].

L'entonnoir placé sur la tête du médicastre serait le symbole de la tromperie ou de la folie. A la Renaissance, il devint même, dit-on, celui de l'infidélité [17]. Quant au livre que porte sur la tête la spectatrice que l'on considère généralement comme étant une nonne, il est difficile d'en préciser le symbolisme [18]. Peut-être est-ce simplement une bible ou un ouvrage de chirurgie ou encore quelque accessoire absurde ? Quant au gibet et à la roue que l'on aperçoit vaguement dans le fond du tableau, peut-être rappellent-ils le châtiment qui attend les trompeurs, ou encore sont-ils le symbole de « la dégradation morale » [19] ? Dans ce tableau, comme dans beaucoup d'autres œuvres de Bosch, la signification de certains détails reste obscure. Cependant, ainsi que l'observe J. Combe, si la composition de ce tableau est assez gauche et le dessin pauvre, ce qui est nouveau « c'est la vie

---

[13] C'est là l'opinion de H. MEIGE (*La médecine au Musée du Prado*, p. 512). Cependant, il est certain que l'opération de la « pierre de folie » a déjà été pratiquée au Moyen Age, comme nous l'avons laissé entendre plus haut. En effet, il existe des représentations d'opérations crâniennes à l'époque médiévale dont certaines pourraient être destinées à guérir des céphalées rebelles ou des troubles psychiques. (Voir par exemple l'ouvrage de Loren Mac KINNEY, *Medical Illustrations in Medieval Manuscripts*, ou celui de P. HUARD et M.D. GRMEK, *Le premier manuscrit chirurgical turc, rédigé par Charaf Ed-Din* (1465) ou encore, des mêmes auteurs : *Mille ans de chirurgie*.

[14] Il faut placer dans une catégorie à part les scènes de dissection et les représentations de documents anatomiques, nombreuses dans la peinture flamande et hollandaise.

[15] R.L. DELEVOY, *op. cit.*, pp. 24 et suiv.

[16] D'après R.L. DELEVOY (*op. cit.*, p. 27). Le nom de Lubbert se rencontrerait souvent dans la littérature flamande pour désigner un benêt, un sot, un nigaud, un ignorant. Cependant H. MEIGE, dans son étude historique sur *Les opérations de la tête* (p. 250), au lieu de « Lubbert », lit dans cette inscription « Bibbert » et en donne une autre traduction qui nous paraît fantaisiste ; la voici :

> Maître opérez-moi de la pierre rapidement,
> Mon nom est Blaireau Frissonnant (*sic*).

[17] Cependant J. CHEVALIER et A. GHEERBRANT, dans leur *Dictionnaire des symboles*, ne font pas mention de cette interprétation.

[18] Le livre est le symbole du savoir et par extension des secrets de l'univers. Parfois il signifie aussi un message, de haute signification (J. CHEVALIER et A. GHEERBRANT, *op. cit.*, article « livre »).

[19] R.L. DELEVOY, *op. cit.*, p. 27.

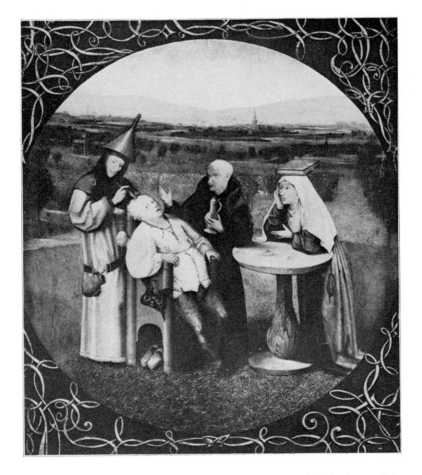

Fig. 3. — L'opération de la pierre (de folie) ou l'Opération chirurgicale burlesque. Peinture de J. Bosch. Musée du Prado, Madrid.

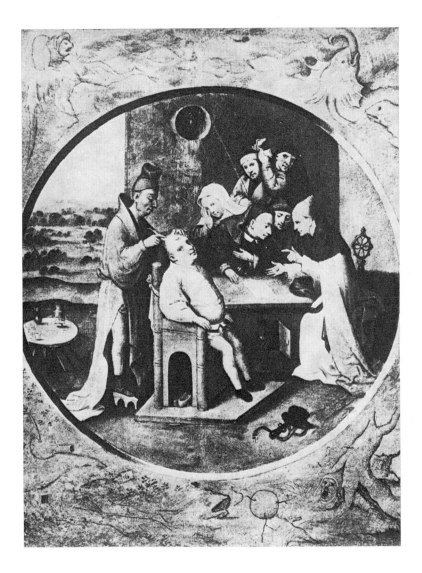

Fig. 4. — L'enlèvement de la pierre. Peinture de l'Ecole de J. Bosch. Rijksmuseum, Amsterdam.

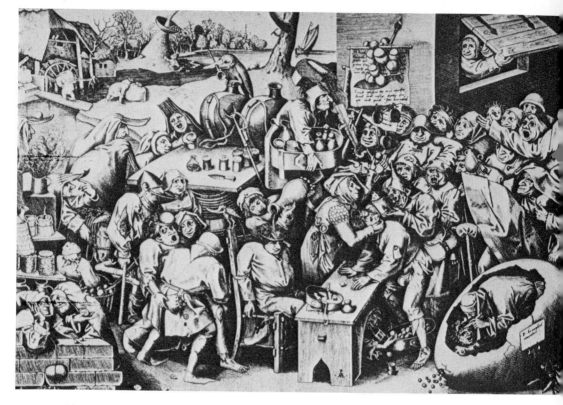

Fig. 5. — L'opération des pierres de tête. Peinture ou dessin de Pierre Breughel l'Ancien, gravé par P. Coeck (1559).

morale, le sens de l'existence humaine, les rapports de l'homme avec l'univers
où il passe, qui deviennent les sujets du peintre. Ici, c'est le thème de la folie,
de l'inconscience de la vie humaine, du sommeil de l'âme oublieuse de son origine
et de sa fin. C'est aussi, comme le souligne l'inscription calligraphiée qui encadre
la composition circulaire, la vanité de toute médecine humaine dans l'oubli des
voies de Dieu, que précisent deux religieux en s'associant par leur présence à ces
soins dérisoires. La nonne (?) s'est absurdement coiffée du Livre, de l'Ecriture
Sainte (?) et semble l'avoir oublié là justement où son œil ne peut l'apercevoir » [20].

Un autre tableau caricatural représentant « L'opération de la pierre de folie »
a été attribué à J. Bosch par certains critiques. Il se trouve au « Rijksmuseum »
d'Amsterdam et il est probablement dû à un des élèves de J. Bosch (fig. 4).
Un opérateur au costume grotesque entaille le front d'un patient obèse, au visage
curieusement placide, tandis que près de lui une femme éplorée (comme on voit
souvent dans les représentations de scènes de chirurgie ou de médecine à cette
époque) le contemple avec effroi. Non loin d'elle, un autre « chirurgien » (?) montre
à deux curieux une « pierre de folie » posée sur la paume de sa main. Une autre
petite « pierre » se trouve au milieu d'un linge sur la table. Enfin, à l'arrière-plan,
un aide bande le front d'un second patient qui sans doute vient d'être « opéré ».
Dans le haut du tableau se trouve peinte une niche ronde où loge un hibou ou une
chouette, oiseau symbolisant peut-être la sagesse et la raison. On le retrouve dans
à peu près toutes les scènes du même genre [21].

Pour en terminer avec J. Bosch, il faut encore souligner que, dans son célèbre
Char de foin, le charlatan que l'on voit en bas du tableau et qui procède à l'examen
buccal d'une patiente est placé devant un éventaire où pendent, non des dents,
mais des concrétions dont certaines sont très probablement des calculs ou des
« pierres de tête ».

Un autre peintre de l'époque de la Renaissance a aussi représenté l'opération
burlesque des « pierres de folie ». C'est Pierre Breugel l'*Ancien* ou *le Drôle*
(1530-1569). Lui aussi fut séduit par les scènes grotesques ou fantastiques [22]. Une
de ses gravures est d'un vif intérêt pour le sujet qui nous occupe (fig. 5). La scène
se passe dans une grande pièce au désordre pittoresque. A gauche, un homme âgé
vêtu d'une longue robe à col de fourrure et dont le bas s'orne d'une inscription :
« Den Deken Ronse in Vlaedere » (Le doyen de Renaix en Flandres), extirpe au

---

[20] J. COMBE, *Jérôme Bosch*, p. 10. La personnalité et le symbolisme de Jérôme Bosch ont
posé de difficiles problèmes aux critiques et aux médecins. Tandis que certains ont vu en lui une
sorte de super-mystique hanté par les horreurs de l'enfer et l'absurdité du monde, d'autres le
considèrent comme un schizophrène en proie à la « crainte de la pénétration » fréquente chez
ce genre de malades. Pour d'autres encore, les tableaux de Bosch seraient une tentative de psy-
chothérapie entreprise par ce peintre pour libérer son subconscient (voir notamment à ce sujet
les études de F. JOWELL, R.E. HEMPHILL et A.R. LUCAS).

[21] H. MEIGE (*Les opérations sur la tête*) considère que ce tableau est de J. Bosch et le date
du XVe siècle. Mais dans d'autres ouvrages consacrés à ce peintre, par exemple celui de
J. COMBE, ce tableau ne figure pas dans la liste de ses œuvres. Pourtant les objets et animaux
fantastiques peints sur le cadre sont bien dans la manière de Bosch. On admet aujourd'hui que
ce tableau est d'un de ses imitateurs. A propos du hibou ou de la chouette représenté dans ce
tableau, rappelons que ces oiseaux figurent dans beaucoup de tableaux de l'époque dont les
sujets sont plus ou moins symboliques, par exemple la chouette dans le panier de l'*Escamoteur*
ou le hibou de l'estampe intitulée *La forêt qui entend et le champ qui voit*, de J. Bosch.

[22] Pierre Breugel ou Brueghel dit l'*Ancien* ou le *Vieux* ou le *Drôle* ou encore le *Paysan*
(1510 - ou 1530-1569) est assez connu pour que nous nous dispensions de retracer, même som-
mairement, les principaux événements de sa vie et les caractéristiques de sa peinture.

moyen d'une grosse tenaille une « pierre de tête » hors du front d'un patient lié sur une chaise et qui hurle de douleur tout en repoussant brutalement l'aide du charlatan occupé à le maintenir. Près de ce groupe, un autre assistant de l'opérateur bande le front d'un patient qui vient d'être opéré. Dans la partie gauche du tableau, un troisième patient aux yeux bandés et qui semble également lié sur son siège, consent stoïquement à l'intervention chirurgicale. Derrière lui, on aperçoit deux autres « malades » dont l'un subit en criant l'extirpation de sa pierre tandis que le second, dont le front est bandé, regarde curieusement celui qui se débat. Un hibou est perché sur le dossier de sa chaise. Enfin, par la porte ouverte de l'officine, on voit arriver d'autres malades. Leur front s'orne encore de la « pierre de folie ». L'un de ces malades est en si mauvaise condition qu'un homme serviable le porte sur son dos. Quant à la vieille femme (une sorcière ?) placée dans une position grotesque au centre du tableau, elle manie un soufflet, sans doute pour activer le feu qui couve sous une espèce de cornue où mijote quelque remède absurde [23].

Au Rijksmuseum d'Amsterdam, il existe une gravure représentant aussi ce qu'on pourrait appeler ironiquement « la Clinique du doyen de Renaix » et elle porte un texte flamand dont voici la traduction :

> Vous, habitants de Mallegem [24], soyez bien d'accord :
> Moi, femme sorcière, je désire être aimée de vous ;
> Pour vous guérir, je suis arrivée ici,
> A votre service, avec mes aides, fièrement.
> Entrez librement, grands et humbles, venez sans retard.
> Avez-vous la guêpe dans la tête ou les pierres vous gênent-elles ?

Le graveur flamand P. Coecke [25] a gravé une autre œuvre encore plus burlesque de Breugel l'Ancien, ayant pour sujet l'opération de la « pierre de tête ». Ici, une vingtaine au moins de malades se bousculent pour arriver au « comptoir » d'un opérateur tandis que de nombreux autres personnages s'intéressent à l'intervention chirurgicale. Dans le coin inférieur droit de la gravure, on aperçoit un charlatan incisant le front d'un malade à l'intérieur d'un œuf énorme d'où jaillit, par une fissure, une cascade de « pierres de folie ». Cet œuf, que l'on retrouve chez d'autres peintres, en particulier chez Jérôme Bosch, doit-il être ici considéré comme représentant la vanité ou comme signifiant l'évasion du malade hors de son obsession, après l'opération salvatrice ? C'est possible, mais non certain. Faut-il voir un autre symbole dans les pièces de monnaie qui s'échappent de l'escarcelle d'un assistant bousculé par le malade qu'il maintient ? C'est moins douteux car les pièces de monnaie ressemblent un peu aux « pierres de tête » auxquelles elles doivent sans doute de se trouver rassemblées là. Mais chacun des détails du tableau mériterait

---

[23] Outre les exemplaires de cette gravure faits d'après le tableau de P. Breugel l'Ancien, H. MEIGE a signalé la présence d'une œuvre analogue dans une collection particulière au début de ce siècle (*Un nouveau tableau représentant les arracheurs de « pierres de tête »*, pp. 170 et suiv.).

[24] Dans d'autres légendes de gravures, *Mallegem* est écrit *Malgum*. Sans doute s'agit-il de la commune belge de Maldeghem (Flandre orientale).

[25] Pierre Coecke ou Koeck ou Coucke ou encore Koecke dit Van Aelst (Alost, 1502 - Bruxelles, 1550), dessinateur et graveur, fut un remarquable artiste dans les branches les plus diverses. A noter qu'il a existé également un peintre paysagiste nommé Mathieu de Kock ou Cock (Anvers, 1500 ou 1505 - 1552 ou 1554) ainsi qu'un Jérôme Cock ou de Kock (Anvers, 1509 ou 1510-1570) qui fut à la fois imprimeur, graveur et peintre paysagiste, enfin un François de Cock, peintre de portraits (Anvers, 1643-1709) et un Jean-Claude de Cock, peintre et sculpteur (Anvers, fin du XVIIe siècle - 1735). Mais dans le cas qui nous occupe, c'est bien de Pierre Coecke qu'il s'agit.

Fig. 6. — L'opération de la pierre de folie, parfois appelée : La clinique du Doyen de Renaix en Flandre. Peinture de Pierre Breughel l'Ancien.

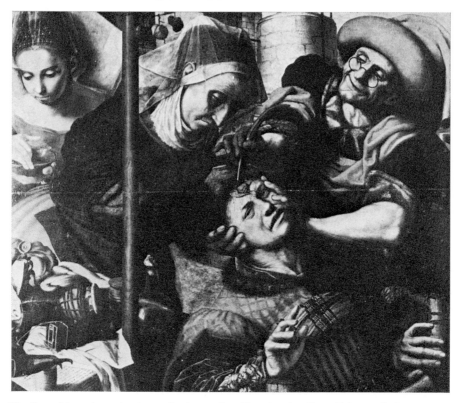

Fig. 7. — L'arracheur de pierres de tête ou Le chirurgien de village. Peinture de Jan Sanders, dit Van Hemissem. Musée du Prado, Madrid.

un commentaire tant ils sont curieux ou riches de signification, depuis l'inévitable hibou à l'extrême gauche jusqu'au patient de la partie centrale qui subit une sorte de « lavage de cerveau », sans oublier, dans la partie supérieure de la gravure, le curieux diablotin et le bizarre édifice pointu surmonté d'une corbeille au symbolisme mystérieux et d'où s'échappent de grosses pierres (?) rondes (fig. 6).

Ces gravures de Breugel l'Ancien ont inspiré plusieurs imitateurs. L'une de leurs œuvres est signalée par H. Gaudier comme se trouvant au musée de Saint-Omer en France [26] sous le titre inapproprié : « Un hôpital ». Cette peinture a été attribuée à Breugel, mais n'est pas de lui [27]. Quoique la scène soit inversée par rapport à celle représentée par Breugel, on y retrouve, avec certaines différences dans l'habillement et les attitudes, à peu près tous les personnages imaginés par le vieux peintre flamand. Enfin, une autre imitation de son tableau sur la cure de la « pierre de folie » se trouve au musée de Bayeux et une autre encore au musée de Budapest.

Après Bosch et Breugel, il faut mentionner le flamand Jan Sanders dit Van Hemessem, peintre de la première moitié du XVIe siècle [28]. Au musée du Prado à Madrid se trouve un tableau de lui (fig. 7) intitulé : « Le chirurgien de village » ou encore « L'arracheur de pierres de tête ». Ce tableau représente un opérateur âgé retirant du front d'un patient un corps étranger qui est sans doute une « pierre de folie », mais on ne peut l'affirmer avec certitude. La gravité avec laquelle le sujet est traité permet de comprendre pourquoi certains commentateurs ont cru

[26] H. GAUDIER, *A propos d'un tableau du Musée de St-Omer représentant les « arracheurs de pierres de teste »*, pp. 205 et suiv. L'affirmation de Gaudier est exacte.

[27] H. GAUDIER, *op. cit.*, pp. 205-206 écrit : « Attribué à Breughel Pierre le vieux, dit le drôle ou des paysans (...), une étiquette (de ce tableau) donne cette indication peu précise : Breughel d'Enfer (*sic*) : " Un Hôpital ". C'est là sans nul doute une double erreur.» Quant à la fausse signature « Holbein » qu'on lit dans un coin du tableau, en bas et à droite, elle est « grossièrement apocryphe ». Il est probable qu'en cherchant bien, on trouverait encore d'autres œuvres inspirées de la cure des « pierres de folie » selon Breughel. Comme l'observe avec raison H. MEIGE, *Les opérations sur la tête*, p. 171, la famille de Breughel compta de nombreux peintres et graveurs et « les estampes de P. Breughel l'Ancien ont servi de prétexte à nombre de peintures exécutées par ses successeurs, homonymes, fils, petit-fils ou arrière-petits-fils ». Outre Pierre Breughel l'Ancien (1510 ou 1530-1569), on connaît en effet un Pierre Breughel d'Enfer, fils de Pierre (vers 1564-1637 ou 1638) un Jean Breughel de Velours (1568-1625) un autre Jean Breughel (1601 - après 1677), fils de Jean de Velours, un Ambroise Breughel (1617-1675), autre fils de Jean de Velours, un Abraham Breughel (né à Anvers en 1672 et mort à Rome en 1720), un Jean-Baptiste Breughel (né à Anvers en 1670 et mort en 1719) qui est le père d'un autre Abraham Breughel dit *le Jeune*, et nous allions oublier un Corneille Breughel (avant 1500 ?) et un François-Jérôme Breughel qui vivait dans la seconde moitié du XVIe siècle (*Biographie Nationale Belge* et *Biographie universelle ancienne et moderne* de MICHAUD).

[28] Jean Sanders dit Jan van Hemessen ou d'Hemssen (Hemixem, près d'Anvers) vécut au début du XVIe siècle et mourut après 1555. Il fut l'élève de Henri van Cleve ou van Cleef qui était un des membres d'une ancienne famille artistique anversoise (elle comptait un Henri van Cleve inscrit en 1453 à la corporation de Saint-Luc, un Henri van Cleve inscrit en 1489 à cette corporation, un Corneille van Cleef et un Guillaume van Cleef, peintres eux aussi, enfin le fameux Josse *le Fou* (vers 1510 - après 1534) et d'autres peintres encore. Jean Sanders est « un artiste de haute signification, maître absolument de la technique et dont les œuvres invitent à l'étude la plus attentive. Les personnages de Sanders sont vêtus à l'ancienne mode, sa précision de ligne confine à la sécheresse ». Il a eu un atelier d'élèves assez fréquenté mais, à la suite sans doute de revers de fortune, il alla se fixer à Harlem. Outre un fils naturel, il eut deux filles : Christine et Catherine (1520 - après 1580). Cette dernière fut peintre comme son père, mais se spécialisa dans les portraits et les sujets religieux. Elle épousa un musicien nommé Chrétien de Morien. D'autres personnes qui ne semblent pas membres de cette famille ont, vers la même époque, porté le nom de Sanders ou *Sanderus*. Parmi eux, on compte deux médecins (*Biographie Nationale Belge*).

qu'il s'agissait d'un chirurgien retirant une pierre de fronde de la tête d'un « soldat » blessé. Mais parmi les accessoires obligatoires des chirurgiens de l'époque (diplôme, pots d'onguents et instruments), accessoires qu'on retrouve dans ce tableau, on distingue, en haut d'une perche « une sorte de planchette à laquelle sont suspendus par des ficelles de petits corps arrondis » qui sont peut-être des éponges ou des tampons destinés à arrêter les hémorragies, mais plus probablement des corps étrangers tels que des calculs ou des « pierres de folie » extirpés par le chirurgien.

Commentant ce tableau, H. Meige estimait que, s'il renferme une intention satirique, « elle y est presque insaisissable » et que l'idée même d'une allusion aux *pierres de la tête* « ne peut venir que par comparaison avec les tableaux des humoristes qui ont traité ce sujet » [29]. A notre avis, cette intention n'est pas aussi insaisissable que Meige le pensait. En effet, s'il s'agissait d'une pierre de fronde encastrée dans l'os frontal, le patient serait atteint d'une fracture du crâne et devrait, étant donné la gravité de son état, être opéré en position couchée.

Mentionnons encore une peinture de Jean Théodore De Bray, De Brie ou de Bry qui se trouve au musée Boijmans de Rotterdam. Ce tableau a longtemps été attribué à Frans Hals le Jeune [30]. Le sujet en est *La guérison des pierres de tête* [31]. L'attitude des deux personnages qui y sont représentés est fort bien observée : l'opéré crispant les poings et clamant sa souffrance, l'opérateur tout occupé par son travail et dont le visage reflète une concentration comique (fig. 8).

Signalons encore une gravure (fig. 9) de Nicolas Weydmans [32] qui se trouve au Rijksmuseum d'Amsterdam ; on peut y lire la légende suivante en vers flamands :

>Accourez, accourez, avec grande réjouissance ;
>Ici l'on fait l'opération de la pierre de tête.

Mentionnons aussi un tableau (fig. 10) de Jean Victoors [33] intitulé *Le Charlatan* où l'on voit l'opéré porter la main à la tête dont on vient (apparemment) d'extirper une « pierre de folie » que le charlatan lui montre ; une autre pierre semble faire saillie sur la face externe de sa jambe, — ensuite un tableau de Jan Steen [34] au musée Boijmans de Rotterdam (fig. 11). Il est intitulé *L'opérateur*. On y voit les « pierres de folie » tombant en abondance de la main gauche du charlatan dans un plat que tient une vieille femme tandis qu'un gamin rieur prépare des pierres de réserve dans un panier. De sa main droite, l'opérateur incise, non sur le front mais derrière l'oreille, le patient ligoté sur sa chaise et qui hurle de douleur. Comme beaucoup de peintures de Jan Steen, la scène est conçue dans

---

[29] H. MEIGE, *Les opérations sur la tête*, p. 255.

[30] Ce tableau se trouve au Musée Boijmans à Rotterdam. Frans Hals *le Jeune* (1618-1669) est un des deux fils du célèbre Frans Hals *le Vieux* né à Anvers entre 1580 et 1584 et mort à Haarlem en 1666.

[31] Jean-Théodore De Bry, De Brie ou De Bray (1528-1598) est un peintre, graveur, imprimeur et libraire hollandais probablement d'origine liégeoise. Il ne faut pas le confondre avec Adrien De Bie (Lierre, 1594 - après 1662) qui fut un peintre d'histoire et un portraitiste.

[32] Nicolas Weijdmans est un artiste hollandais de la première moitié du XVIIe siècle. Nous n'avons pu jusqu'ici recueillir de renseignements à son sujet.

[33] Jean Victoors (1620-1677) est un peintre hollandais originaire d'Amsterdam.

[34] Jean Steen (1626-1679) est un peintre originaire de Leyde, en Hollande. A part quelques tableaux religieux, il peignit surtout des scènes populaires, souvent conçues dans un esprit satirique et moralisateur. Un autre tableau de ce peintre également intitulé *L'opérateur* se trouve au musée d'Art ancien de Bruxelles. En outre, il faut mentionner *Le charlatan* de Steen qui se trouve au Rijksmuseum d'Amsterdam.

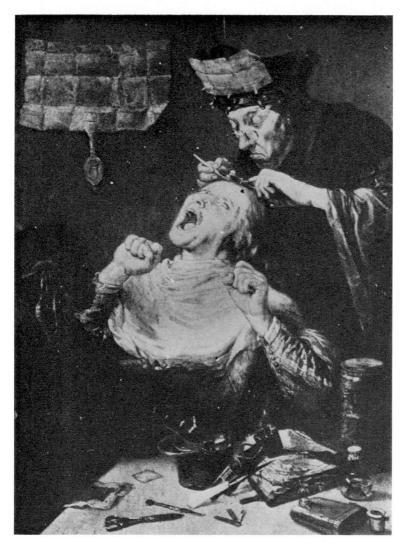

Fig. 8. — La guérison des pierres de tête. Peinture de Jean-Théodore De Bray, De Brie ou Debry. Ce tableau du musée Boijmans à Rotterdam a parfois été attribué à Franz Hals le Jeune.

Fig. 9. — L'opération des pierres de la tête, d'après une gravure de Nicolas Weydmans. Cabinet des estampes du Rijksmuseum d'Amsterdam.

Fig. 10. — Le charlatan. Peinture de Jan Victoors.

Fig. 11. — L'opérateur. Peinture de Jan Steen. Musée Boijmans à Rotterdam.

un esprit satirique qu'on retrouve dans une œuvre attribuée à Adrien Brouwer [35] et ayant pour sujet *Un arracheur de pierres de tête*, tableau qui se trouvait avant la dernière guerre dans un musée rhénan. Il représente bien une opération de ce genre car, autour de la bannière de l'opérateur, pend un chapelet de « pierres de folie », témoignage de la dextérité du charlatan. Le loqueteux sournois qui tente d'introduire sa main dans la poche de cet opérateur a-t-il l'intention de renouveler son stock de « pierres », ou bien veut-il s'approprier l'argent gagné par super-cherie, geste qui comporterait, en ce cas, une leçon de morale ? A noter aussi la présence d'une vieille femme et d'un petit enfant à droite du tableau. Le front de ces deux personnages est entouré d'un linge sous lequel on voit saillir la tumeur frontale, car la pierre de folie se manifeste, hélas, à tout âge ! Enfin, dans le fond du tableau chemine une femme soutenant un homme titubant, ivre sans doute. C'est là sans nul doute une allusion à une autre conséquence de l'opération de la « pierre de tête ». Elle passait en effet pour guérir aussi la dipsomanie, nom dis-tingué de l'ivrognerie.

Enfin, signalons encore la gravure ayant pour titre *Une opération sur la tête de Jan van der Bruggen*, d'après David Teniers (fig. 12).

Au contraire, ce ne sont pas des « pierres » que nous voyons sortir de la tête du malade dans une autre gravure du XVIIe siècle, d'origine allemande et dont l'auteur n'est pas indiqué (fig. 13). Cette gravure représente aussi « La guérison de la folie ». Au centre de l'image, on aperçoit un personnage à perruque, le « ser-gent des chimères », qui semble sorti tout droit d'une comédie de Molière. Tout en esquissant un pas de danse, il brandit un flacon semblable à ceux qui servaient alors à mirer l'urine. Dans la partie droite de la gravure, on voit un malade coiffé d'une étrange cornue : il est plongé jusqu'à mi-corps dans un baquet plein d'un liquide inconnu. De l'extrémité de la cornue jaillissent non seulement une foule d'objets symbolisant toutes les passions des hommes et les préoccupations des esprits détraqués, mais aussi de nombreuses *souris* qui, enfermées dans la tête des malades, y provoquaient, croyait-on, la folie.

Dans la partie gauche de l'image, un autre malade se croit « enceint » et dans son ventre rebondi est plongé une sorte de tuyau muni d'un robinet ; par ce tuyau, le malade expulse une quantité d'étranges animalcules qui, en circulant dans son organisme, y entretenaient son hypochondrie.

Il semble que l'auteur de cette gravure se soit inspiré d'une œuvre presque identique de J. Lagniet, artiste sur qui nous reviendrons plus loin. Cette œuvre, parue en 1657, est intitulée *Le médecin qui voit dans les urines* et porte en sous-titre *Les Fols en tout temps se font cognoistre*. Au-dessous de cette gravure, on peut lire les deux quatrains suivants :

---

[35] Cette peinture se trouvait avant la dernière guerre au musée de peinture de Cologne ou d'Aix-la-Chapelle. Nous ignorons si elle y est encore. En réalité, cette œuvre a très probable-ment été exécutée par un imitateur d'A. Brouwer et ce nom qui se trouve sur l'enseigne de l'opérateur est apocryphe. En effet, la facture et le coloris de ce tableau sont d'une qualité inférieure à celle du maître. Rappelons qu'Adrien Brouwer ou Brauwer ou Brouwers ou De Brauwere est un peintre de genre probablement originaire d'Audenaerde en Belgique. Selon certains, il y serait né en 1605, mais d'autres affirment qu'il aurait vu le jour à Haarlem en 1608 et qu'il y serait mort de la peste en 1640. Cependant, quelques biographes situent sa mort à Anvers en 1638. Adrien Brouwer a peint beaucoup de « scènes de genre » avec un « réalisme intelligent » (*Biographie universelle* de MICHAUD et *Biographie nationale belge*).

> Je suis ce Médecin qui voit dans les urines,
> Les effetz merveilleux contre nature faits ;
> En purgeant les esprits de leurs humeurs malines (*sic*),
> Je sais de mes secrets sortir de bons effets.
>
> Aux uns par l'alembic je purge la cervelle,
> Aux autres l'intestin par un gros robinet,
> Ainsi de ces vapeures (*sic*) par ma mode nouvelle,
> Je rends de tous ces fous l'esprit et le corps net.

Cette gravure est une satire des médecins charlatans qui, au XVIIe siècle, se flattaient de faire des pronostics certains sur la maladie du patient en examinant les urines (qu'ils n'hésitaient pas à remplacer parfois par... de l'eau de pluie) dans lesquelles ils prétendaient par exemple voir flotter de minuscules cercueils (fâcheux pronostic !) ou encore des animalcules cause de la maladie, animalcules que, dans la gravure de Lagniet, le malade expulse grâce au robinet qu'on lui a enfoncé dans le ventre.

Mentionnons encore un autre tableau sans signature, signalé par H. Meige [36] et appartenant à l'Ecole flamande du XVIIe siècle ; il faisait jadis partie d'une collection particulière. Nous ignorons où il se trouve actuellement. L'intérêt de ce tableau réside dans le fait qu'une véritable « pluie de pierres » jaillit du crâne incisé du pauvre patient et qu'une affiche montre les portraits de tous les clients à l'esprit dérangé qui sont passés sous le bistouri du charlatan. Toute cette scène on ne peut plus pittoresque n'est qu'un épisode d'une réjouissance villageoise. L'opération de la « pierre de folie » semble donc bien avoir été, comme le souligne l'auteur précité, « une pratique notoire de la vie populaire » et un habituel épisode des réjouissances villageoises.

Mais le document peut-être le plus intéressant sur ce sujet est une gravure du flamand Carolus Allard [37]. Elle groupe onze scènes à un ou plusieurs personnages, accompagnées de quinze légendes en vers flamands. En haut de la gravure, dans un cartouche, on lit : « Comt Mannen en Vrouwen Alle Bey/En Laet u snyden van de key » (*Venez tous ici, Hommes et Femmes/ Et laissez-vous opérer de la pierre*). Cinq de ces scènes nous intéressent particulièrement. La première représente un grand bonhomme avec un pot sur la tête et fumant une longue pipe. Il a les pieds placés dans une cruche symbolique et porte une seconde pipe allumée dans son haut-de-chausse tandis que deux autres pipes fumantes sont fichées dans son dos (fig. 14). Une grosse « pierre de tête » est fixée à son front. La légende dit que « puisque le tabac a la propriété de chasser toutes les maladies, il est surprenant que la pierre de ce grand flandrin reste si volumineuse », ce qui nous rappelle la croyance selon laquelle l'usage du tabac pourrait contribuer à la guérison du dérèglement de l'esprit [38]. En ce cas, de quelle façon agirait-il ? Tout simplement par la fumée qui, pénétrant dans le cerveau, en chasserait les mauvaises humeurs et les vapeurs néfastes dont l'accumulation trouble, croyait-on, la raison. Comme la migraine était aussi attribuée à des « humeurs crasses » accumulées dans le cerveau, il ne faut pas s'étonner que la reine Catherine de Médicis, qui en

[36] H. MEIGE, « *Pierres de tête* » et « *Pierres de ventre* », p. 84.

[37] Carel Allard ou Carolus Allaerd (1648 - après 1706), dessinateur et graveur, a eu pour maîtres ou modèles Pieter van der Faes surnommé Peter Lely (1618-1680), Jan Lievensz ou Johannes Liviaeius (1546-1599) et d'autres encore. C. Allard est surtout connu par ses « Assemblées de Quakers » d'après Egbert van Heemskerk.

[38] A. CABANES, *Remèdes d'autrefois. Comment se soignaient nos pères*, pp. 279 et suiv. Voir aussi dans le tome IV de notre ouvrage *Esculape chez Clio* (à paraître) le chapitre intitulé : *La bataille de Pica Nasi* et l'*éternuement thérapeutique*.

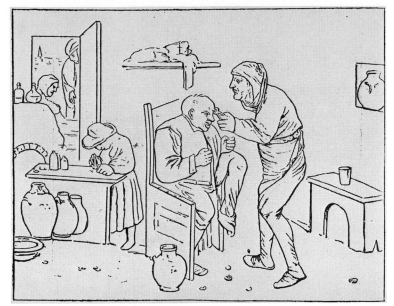

Fig. 12. — Une opération sur la tête. Gravure de Jan van der Bruggen, d'après David Teniers. Cabinet des estampes du Rijksmuseum d'Amsterdam.

Der Schwanger Baur und Grillen vogt, Haben ietz gfunden hilff und rath.

Fig. 13. — Gravure d'auteur anonyme représentant « le paysan qui se croit... enceint » et un autre fou dont la tête est placée dans un alambic qui l'aide à expulser les animaux chimériques, causes de sa folie. Le charlatan au milieu de la gravure déclare : « Nous en avons à présent trouvé le remède. » Cette gravure est presque une copie d'une œuvre de J. Lagniet représentant la même scène.

Fig. 14. — Détail d'une gravure de Carel Allard représentant le traitement de la « pierre de folie » par le tabac. A noter la botte coiffant un opérateur de la « pierre ».

souffrait assez fréquemment, reniflât parfois du tabac pour la dissiper par des éternuements thérapeutiques !

Dans la gravure de C. Allard, au-dessous du fumeur de pipe, on aperçoit un opérateur comiquement coiffé d'une botte (autre symbole ?) dans laquelle est fiché un petit drapeau (fig. 14). Il incise le front d'un patient gémissant dont la tête et le corps sont solidement fixés à la chaise opératoire (en l'occurrence une chaise... percée) en dessous de laquelle on aperçoit un récipient qu'il n'est pas nécessaire de nommer et dont la présence confirme que la frayeur ou la douleur provoquaient parfois chez l'opéré de la pierre de folie, des incidents... d'ordre digestif ! [39] D'après la légende de cette gravure, l'opérateur s'appelle Maître Jean Babillard et il annonce à ses clients de Malgum (Maldeghem) que « si la pierre les turlupine, lui, il leur triturera le cerveau ! » Peut-être a-t-il vraiment existé à cette époque un Jan Kakelaer ou Kernakel (Babillard) ?

En haut et à droite de cette scène, on en distingue une autre de nature à peu près identique, si ce n'est que l'opérateur porte un chapeau encore plus grotesque que le précédent et que l'opéré tient un broc à la main. Ce broc, que l'on retrouve dans plusieurs gravures et peintures consacrées à des sujets chirurgicaux, contient sans doute une boisson alcoolisée, peut-être destinée à aider le patient à supporter la douleur ou à récompenser l'opérateur. Ce qui tend à le confirmer, c'est la légende placée sous cette scène : « Ah ! Maître Jatte-à-lait, faites-moi souffrir le moins possible ; quand ma pierre sera partie, il y aura une rasade à boire. »

Non loin de ces personnages, assis dans une haute chaise que surmonte un hibou, on aperçoit un homme au visage mélancolique dont le bonnet s'orne d'une patte de mouton, animal timide et craintif par définition. Le patient porte un bras en écharpe et tient un long coutelas placé dans une vieille gaine troué. Ce personnage regarde anxieusement l'extirpation de la « pierre » pratiquée non loin de lui et soupire, d'après la légende : « S'il faut souffrir tant de mal pour se faire débarrasser de cette pierre, il n'y a rien d'étonnant que les jeunes et les vieux gardent presque toujours un caillou dans leur tête. »

La scène que cet homme regarde occupe la partie inférieure droite de la gravure. C'est manifestement une copie de celle figurant sur le tableau de Breughel l'Ancien. Tout y est en effet : l'opérateur armé d'une tenaille qui extrait la pierre du front du patient, le coup de poing que ce dernier donne dans l'œil de l'aide occupé à le maintenir, le curieux observant l'opération et jusqu'à la vieille femme assise dans un panier qui s'efforce de faire chauffer des cautères ; d'après la légende, elle se plaint qu'en dépit de son soufflet et de ses efforts, elle ne parvient pas à allumer les charbons. La légende de cette scène nous révèle la pensée de l'opérateur : « J'aurais beau ouvrir cent yeux, il n'est pas en mon pouvoir de retirer la pierre à tous ceux qui en souffrent. J'ai parcouru le monde entier et me suis toujours occupé de ces pierres ; or je n'ai jamais rencontré ni homme ni femme qui n'ait une pierre dans son corps. » Quant à l'opéré, nous apprenons par la légende qu'il s'appelle Aaron (Arert) : « Aaron-à-la-tête-malade frappe Siewert sur la joue, alors qu'on est occupé à lui retirer la pierre. » Il est à noter que cet aide porte un couteau à son chapeau et que l'opéré en a deux : l'un à sa ceinture, l'autre qu'il tenait à la main avec son chapeau et qu'il lâche sous l'effet de la douleur (fig. 15). Pourquoi tous ces couteaux ? Sont-ils des symboles ou simple-

---

[39] L'opéré est d'ailleurs précis à ce sujet : « Avec la douleur que j'éprouve, dit-il d'après la légende, il n'est pas étonnant qu'une sueur nauséabonde suinte en dessous de moi ! »

ment le rappel d'une habitude qu'avaient les petites gens d'être toujours armés ? Il est difficile de le préciser. Mais pour ce qui est des charlatans, le couteau ou le sabre placé dans leur ceinture est mis là pour rappeler l'allure martiale qu'ils aimaient à se donner. D'ailleurs, certains de ces charlatans extrayaient les dents avec la pointe d'un sabre ou d'un couteau pour étonner davantage les badauds.

Derrière la chaise du mélancolique s'avance un homme souriant. C'est Gisbert Cœur-Léger. Avec son chapeau, il essaye d'attraper le hibou perché sur le dossier de la chaise. Il porte sur son dos un malade trop las pour marcher et dont le front s'orne d'une volumineuse « pierre de folie ». Sans doute s'agit-il d'un joueur invétéré car il porte des cartes plantées dans son chapeau. De plus, une sorte de louche est passée à sa ceinture.

Enfin, dans la partie inférieure de la gravure, au centre, un homme élimine une « pierre de ventre » de la façon... la plus naturelle et déclare, d'après la légende, « qu'il est heureux de s'en tirer à si bon compte alors que les autres souffrent tant pour se la faire extraire ». Au-dessus de lui, un nain nommé Petit-Claes-le-bossu enlève au moyen d'une tenaille une « pierre de folie » hors de l'extrémité inférieure du tube digestif d'un patient dont le bas du dos est largement découvert. Peut-être le graveur a-t-il voulu ici simplement évoquer les cailloux parfois avalés par les patients dans un moment d'égarement ?

Les deux scènes restantes sont d'un moindre intérêt : l'une représente un « docteur » de taille minuscule, le sabre au côté et coiffé d'un grand chapeau à plume ; il a un ventre rebondi, ce qui lui donne une allure grotesque. Cependant, avec le plus grand sérieux, ce docteur appelé Manshert « qui sait voir par le trou d'une aiguille », mire un flacon d'urine où se trouve, semble-t-il, une pierre. Près de lui, une femme soutenue par un homme nommé Tewes Treuselaer (c'est-à-dire Lambin, un paysan à l'esprit peu délié), vomit abondamment et expulse ainsi une pierre. Cette femme, c'est « Trude Roelen dont le corps est tellement rempli de pierres que Tewes est obligé de la conduire au docteur ». Il s'agit sans doute d'une hystérique comme on en rencontrait beaucoup à cette époque et qui « rendait » par la bouche une foule de corps étrangers, tous plus bizarres les uns que les autres [40].

Dans le coin supérieur droit de la gravure d'Allard, est représentée une scène de caractère érotico-sadique. On y voit un moine flageller une patiente. Il lui dit : « Pendant si longtemps j'ai piqué et poussé pour parvenir à faire sortir cette pierre qu'à la fin je me suis décidé à employer cet instrument rugueux. Mais plus je m'efforce de piquer et de battre, moins vous vous débarrassez de cette pierre. » Et la patiente de répondre : « Ah ! Frère à la tonsure fraîche, ne vous découragez pas. Car cette façon de retirer la pierre est fort agréable. Bien que vous me frappiez durement, je souffrirais volontiers davantage encore. » Quel est le plus fou des deux, celui qui a la pierre au front ou celle qui l'a... autre part qu'au front ?

Dans toutes ces scènes qui préfigurent un peu nos bandes dessinées d'aujourd'hui, la verve satirique de l'artiste verse parfois dans la gauloiserie et la scatologie, comme ce fut assez souvent le cas à cette époque ; elles ont certainement été inspirées par des scènes vécues. Il ne faut cependant pas perdre de vue que beaucoup d'artistes des XVIe et XVIIe siècles se contentaient souvent de recopier les œuvres de certains de leurs confrères en y apportant seulement quelques modifications et sans toujours en respecter la signification profonde.

---

[40] Voir à ce sujet, notre *Esculape chez Clio*, t. 1, p. 100.

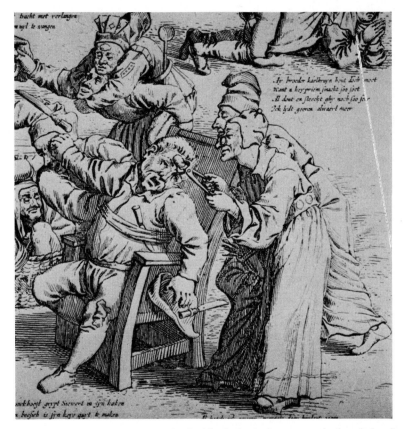

Fig. 15. — Détail de la même gravure de C. Allard ; la douloureuse opération de la pierre de tête au moyen d'une tenaille. Cette scène est manifestement inspirée de celle du tableau de Breughel (fig. 5).

A côté de tous ces tableaux ou gravures représentant des cures de la « pierre de folie », on connaît une série d'autres œuvres peintes ou gravées qui ont parfois été considérées comme représentant des opérations du même genre, alors qu'en réalité il s'agit souvent de *saignées derrière l'oreille* [41], conseillées par divers auteurs médicaux de l'Antiquité ou du Moyen Age, comme remède à certaines affections de la tête et du cerveau et notamment « les humeurs croupissantes du cerveau » ainsi que les « assoupissements, rêveries, migraines et vertiges ».

Parfois aussi il s'agit soit du traitement de plaies crâniennes, soit encore de l'enlèvement de petites tumeurs cutanées situées sur le front, telles que lipomes ou kystes sébacés. En général, dans tous ces tableaux ou gravures, le sérieux de l'opérateur, le calme relatif de l'opéré et l'absence de concrétions pouvant être considérées comme des « pierres de folie », permettent d'exclure toute autre interprétation.

Ces incisions derrière l'oreille ou sur la tête ont fait le sujet d'un certain nombre de gravures, dessins et peintures des artistes des Pays-Bas. Citons par exemple, dans un musée allemand, *La chambre du chirurgien* d'Abraham Diepraam [42] dont le sujet est soit une saignée temporale, soit la pose d'un emplâtre sur la tête, l'*Opération crânienne* dont l'auteur est un peintre flamand ou hollandais inconnu ; cette œuvre représente très probablement une saignée [43], un *Charlatan* de Jan Steen où la supercherie des « cailloux de folie » n'est pas clairement indiquée, ce qui donne à penser qu'il s'agit aussi d'une saignée ou d'une quelconque petite opération à la tête comme dans le tableau intitulé *Le vieux chirurgien* d'Adrien Brouwer.

Mentionnons aussi une gravure [44] attribuée à Lucas De Wael [45] et dont le sujet

41 Paul d'EGINE ou *Paulus Œginatus,* médecin du VIIe siècle après J.-C. et auteur d'un *Abrégé de la médecine* en 7 livres, recommandait l'incision *derrière les oreilles* comme remède à diverses affections parmi lesquelles la migraine et certaines céphalées, tandis que l'*incision sur le front* lui paraissait indiquée dans « les défluxions chaudes » tombant sur les yeux et dans les cas où le malade « sent comme courir dans le front de petits vermisseaux ou fourmis ». Les médecins arabes tels que Jean Mesue (vers 776-855 ou 857) et Albucasis (?-1107) recommandaient plutôt le cautère pour les céphalées, les vertiges, les éblouissements et autres « maladies froides et humides du cerveau » ; on trouvera notamment des représentations de ces traitements dans les deux ouvrages de P. HUARD et M.D. GRMEK, *Le premier manuscrit chirurgical turc rédigé par Charaf Ed-Din* (1465) et *Mille ans de chirurgie,* ainsi que dans l'ouvrage de L. Mac KINNEY, *Medical Illustrations in Medieval Manuscripts.* Ambroise Paré recommandait l'incision de l'artère temporale contre la migraine et le *vertigo* ou scotomie. Fabricio d'AQUAPEN-DENTE (1537-1619) dans le tome II (chap. III) de son traité des *Opérations chirurgicales,* se déclara aussi partisan des incisions dans les vaisseaux du front et des tempes, mais suivies de l'application d'un *cautère potentiel.*

42 Cette œuvre a fait partie de la galerie de peinture de Schwerin (Allemagne). Abraham Diepraem ou Diepraam (?-?) est un peintre d'importance secondaire dont les nombreuses scènes d'intérieur ont surtout un intérêt documentaire. D'une facture assez lourde, elles manquent en général d'originalité et leur coloris est plutôt terne.

43 Cette œuvre se trouvait au début de ce siècle au musée de Carlsruhe. Nous ignorons si elle s'y trouve encore. H. MEIGE qui signale cette peinture dans son étude intitulée *Les peintres de la médecine ; documents nouveaux sur les opérations sur la tête* (p. 209), dit que « c'est une peinture froide et sans verve d'un épisode banal de chirurgie populaire ». Voir aussi du Dr LIÉTARD, *Lettre du directeur du Janus à Amsterdam,* p. 375.

44 H. MEIGE, *Documents nouveaux sur les opérations de la tête,* pp. 207 et suiv.

45 Au XVIIe siècle, il y eut à Anvers non pas deux frères peintres portant le nom de De Wael, mais trois : le premier, prénommé Lucas (1591-1652 ou 1661), était paysagiste et peintre de batailles, le second, Jean (1558-1633), fut peintre d'histoire, le troisième, prénommé Corneille (Anvers 1594-1662), fut graveur et peintre d'animaux, de batailles et de scènes historiques. Enfin, il a existé un Jean-Baptiste de Wael qui était graveur et dont la vie est peu connue.

est considéré par H. Meige comme pouvant représenter une opération de la
« pierre de tête », mais qui est probablement une banale intervention de petite
chirurgie sur le sommet du crâne, *Le barbier-chirurgien* ou *La saignée derrière
l'oreille* (veine auriculaire postérieure) de Lucas de Leyde[46] où la présence de
grelots sur le manche du couteau de l'opérateur (fig. 16) a incité certains à penser
que l'opérateur était un charlatan ou l'opéré, un détraqué (en réalité, si l'opérateur était habile, les deux grelots fixés au manche du couteau ne devaient pas
tinter), un *Opérateur* de Jan ou Andries Both[47], *Le charlatan* d'Adrien van Ostade[48], le dessin à la sanguine représentant *L'opération sur la tête* de David Teniers
le Jeune[49] : il s'agit sans doute d'une étude pour le tableau du même peintre qui
se trouve au musée du Prado à Madrid ; Jean van der Bruggen en a fait une
gravure (fig. 17) interprétée à tort comme représentant une opération de la
« pierre de folie »[50].

On note aussi la présence de « pierres de tête » et de calculs divers exposés sur
des tables ou accrochées aux enseignes des charlatans opérant en plein vent, par
exemple dans une *Kermesse* attribuée à Pierre Breughel le Jeune. Les charlatans
en effet avaient tout intérêt à entretenir les croyances naïves dans le rôle pathologique de ces « pierres » !

De ces tableaux ou gravures il faut encore rapprocher celui intitulé *Un char-
latan*, d'après Adrien Van Ostade, celui représentant une grande *Kermesse* de
P. Breughel le Jeune, *Le charlatan* de Jan Steen[51], *Le charlatan* de Frans van
Mieris, etc.[52]. De plus, H. Meige mentionne une *Opération sur la tête* d'un certain
Malo... ou Mato... (?), nom vraisemblablement erroné et qui serait, selon Meige,

[46] Lucas de Leyde (1494-1553), peintre et graveur hollandais, montra, déjà à l'âge de neuf
ans, des dons remarquables pour le dessin et la peinture. On a dit qu'il fut empoisonné par des
confrères jaloux, mais il est plus probable qu'il mourut de phtisie.

[47] Cette gravure se trouve au cabinet des estampes du Rijksmuseum d'Amsterdam. Les deux
frères Jan et Andries Both sont des peintres hollandais, tous deux nés vers 1610 à Utrecht et
morts en 1650, l'un à Utrecht, l'autre à Venise. Ils étaient très unis et leur manière de peindre
était si semblable qu'on les a parfois confondus.

[48] Cette peinture se trouvait dans la galerie des peintures de Mannheim. Adrien Van Ostade
est un peintre allemand, né à Lübeck en 1610 et mort à Amsterdam en 1685. Il fut l'élève de
Frans Hals et le condisciple d'Adrien Brouwer. Van Ostade a peint souvent des fumeurs, des
buveurs ainsi que des scènes grotesques et populaires. Il a eu un frère dont il fut le maître de
peinture et qui se prénommait Isaac (Lübeck, 1617 - Amsterdam, 1654). Ce dernier a peint un
Chirurgien de village, mais ce chirurgien pratique une extraction dentaire et non une cure de
folie.

[49] Ce dessin, qui n'est pas satirique, date de 1634 et ne comporte que deux personnages :
l'opérateur et l'opéré. C'est peut-être une étude pour le tableau sur le même sujet qui se trouve
au Musée du Prado à Madrid. Rappelons que les Teniers ou Taisnier appartiennent à une
famille de peintres originaires d'Ath (Belgique). Elle comprenait David Ier (1582-1649), son fils
David II *le Jeune* (1610-1690), son petit-fils David III junior (1638-1685) et son arrière-petit-fils
David IV (1672-1731).

[50] Jean Vander Bruggen est un graveur flamand né à Bruxelles en 1649 et qui s'en alla à
Paris faire le commerce d'estampes. Ses œuvres sont nombreuses et empreintes de beaucoup de
facilité.

[51] La première de ces œuvres se trouve dans un musée allemand (Augsbourg), la seconde
au Rijksmuseum d'Amsterdam.

[52] Ce tableau se trouve à la Galerie des Offices à Florence. Les Van Mieris appartiennent
à une famille hollandaise qui compta plusieurs peintres : Frans dit *le Vieux* (Leyde, 1635-1681),
élève de Gérard Dou ou Dow (Leyde, 1613-1680) qui nommait ce Frans « le prince de ses
élèves », Jan Van Mieris (Leyde 1660 - Rome, 1690) fils de Frans, qui peignit une *Boutique de
barbier,* ensuite Willem, frère de Jan (Leyde, 1662-1747), enfin Frans dit le *Jeune* (Leyde, 1689-
1763), fils de Willem et qui à son tour eut un fils peintre nommé Willem Van Mieris *le Jeune.*

Fig. 16. — Le barbier-chirurgien ou la Saignée derrière l'oreille. Gravure de Lucas de Leyde. Le manche du long couteau est orné de grelots qui, si le chirurgien est habile, ne doivent pas tinter pendant l'opération. Ces grelots ont fait croire à certains commentateurs que le tableau représentait l'opération de la pierre de folie.

Fig. 17. — L'opération sur la tête (ou la saignée rétro-auriculaire ?) par Jan Van Der Bruggen. D'après le tableau de David Teniers le Jeune.

celui d'un peintre flamand du XVIIᵉ siècle, mais on ne sait rien de précis à ce sujet [53] et l'explication qu'en donne ledit critique est plus que douteuse.

Cette liste de peintures et de gravures concernant la « pierre de tête » n'a pas la prétention d'être exhaustive car notre but n'est pas de dresser un catalogue de ce genre d'œuvres, mais bien, à travers une série d'illustrations caractéristiques, d'étudier la persistance à la Renaissance de quelques traitements absurdes de certaines formes de folie.

Dans un autre ordre d'idées, il nous paraît important de souligner que les cures burlesques de la folie ont été à peu près exclusivement représentées par des peintres flamands, hollandais ou allemands, alors que des scènes de petite chirurgie et tout particulièrement les extractions dentaires ont été fréquemment le sujet choisi par des peintres français, italiens ou espagnols.

En France, ce n'est qu'au XVIIᵉ siècle qu'on découvre un nouveau traitement du dérangement de l'esprit et ce traitement, d'un caractère bouffon, offre cette particularité de ne s'adresser qu'aux femmes. C'était, il est vrai, l'époque où la vieille querelle entre les partisans et les adversaires du sexe faible venait de se rallumer, notamment à la suite de la publication par Jacques Olivier, « licencié en droit canon », de son *Alphabet de l'imperfection et malice des Femmes, dédié à la plus mauvaise du monde*. Puis vint le temps où certaines extravagances des imitatrices des *Précieuses* incitèrent les antiféministes à croire plus que jamais à la « folie » des femmes, le mot « folie » étant pris surtout dans le sens d'inconséquence ou de sotte versatilité [54].

C'est au milieu de ce XVIIᵉ siècle agité par les publications des misogynes et les contre-attaques de leurs adversaires qu'en France un curé de la ville de Meaux nommé Pierre Janvier créa le personnage nommé *Lustucru*. Cet ecclésiastique facétieux déclare en effet dans ses *Mémoires* [55] : « En 1660, je fis un almanach qu'on appela " Lustucru "; c'étoit un forgeron qui raccommodoit des têtes de femmes. Il eut une grande vogue ; on en fit des jetons [56] où d'un côté étoit écrit : *Unicus est specie*, deux forgerons frappant sur l'enclume une tête de femme, de l'autre côté un âne chargé de têtes de femmes ; sur le bât un singe ; autour étoit écrit : *Omnes ferens malum*. Les ânes et ignorants de Meaux m'en voulurent pour cette affaire, ainsi que les flatteurs auprès des évêques, gens ignorans qui me promettoient beaucoup et m'ont manqué de parole. »

L'estampe en effet ne fut guère prisée en haut lieu. En revanche, elle fut fort goûtée par le public car on fit sur Lustucru et les « forgerons céphaliques »,

---

[53] H. MEIGE, *Documents nouveaux sur les opérations sur la tête*, p. 208.

[54] J. AVALON, *Lustucru, médecin céphalique*, p. 141.

[55] Ces mémoires sont, d'après J. AVALON, *op. cit.*, p. 141, restés manuscrits. Le passage qui nous intéresse ici a été publié en 1866 dans la *Revue de Numismatique* par Anatole de BARTHÉLEMY (1821-1904), auteur d'un *Manuel de numismatique ancienne* (1851) et spécialiste réputé des monnaies gauloises et médiévales.

[56] Le jeton de Lustucru est une pièce ronde en cuivre de 25 mm de diamètre. Elle est reproduite dans l'ouvrage de F. FONTENOY, *Nouvelle étude des jetons* (1850) et le numismate A. de BARTHÉLEMY en parle dans un article sur les jetons de Meaux, article publié en 1866 dans la *Revue de Numismatique*. J. AVALON, *op. cit.*, pense que l'estampe dont parle le curé de Meaux pourrait être un peu antérieure à 1660. En tout cas, le *Recueil des plus illustres proverbes* de Jacques LAGNIET est de 1657. Lagniet est un graveur français et un marchand d'estampes du XVIIᵉ siècle. Ses œuvres sont fort recherchées en raison de leur verve caustique. Parmi les plus connues, on cite, outre son *Recueil des plus illustres proverbes* (in-4°), la *Vie de Tiel l'espiègle*, les *Aventures du fameux don Quichote de la Manche*, etc.

chargés de réparer les cervelles féminines détraquées, de nombreuses gravures et diverses pièces de vers [57].

Ce forgeron d'un nouveau genre fut appelé *L'eusses-tu-cru*, vite contracté en *Lustucru* [58] pour bien faire ressentir sans doute le peu de confiance que l'on devait accorder aux « guérisons » qu'il se flattait d'opérer. Au contraire, J. Lieure, dans son ouvrage sur l'*Ecole française de gravure au XVIIe siècle*, laisse entendre que Lustucru était « une espèce de Barbe-bleue de bas étage qui tuait les femmes et qui fut à son tour massacré par elles » [59]. Mais il ne donne aucune preuve de son affirmation.

La première des estampes les plus connues de la série « Lustucru » serait d'Alexandre Boudan, graveur et marchand d'images [60]. Cette estampe populaire de facture assez médiocre connut un tel succès que J. Lagniet la copia à peu près telle quelle pour l'insérer dans son *Recueil des plus illustres proverbes* (fig. 18). Elles représente « l'opérateur céphalique » dans sa forge. Le centre de l'image est occupé par une enclume sur laquelle est placée une tête de femme solidement fixée par une tenaille que maintient le forgeron Lustucru. Il frappe ladite tête avec un marteau, aidé dans cette opération par deux compagnons dont l'un est également armé d'un volumineux marteau. Lustucru lui recommande : « Touche fort sur la bouche, elle a meschante langue [61]. »

Dans la partie droite de l'estampe, on voit un autre forgeron chauffant, avant de la marteler, une tête de femme sur des charbons ardents, tandis que son compagnon, maniant le soufflet de cette forge, maugrée : « Voici une teste bien obstinée ! » Près de ces deux ouvriers, on aperçoit un âne pénétrant dans la forge. Conduit par un singe, il porte un volumineux panier rempli de têtes de femmes tandis que, devant lui, une sorte de débardeur porte sur ses épaules une hotte

[57] J. AVALON, *Lustucru, médecin céphalique*, p. 141.

[58] Selon Jean AVALON, *id.*, cette orthographe de *Lustucru* ne tarda pas à s'imposer. LITTRÉ (*Dictionnaire*) signale que ce nom a persisté longtemps dans le langage populaire, mais qu'il est aujourd'hui tombé en désuétude, ce qui n'est pas exact. Quant au *Grand Larousse encyclopédique*, il dit que le mot vient *peut-être* de *L'eusses-tu-cru* et signifie « pauvre diable, homme niais et ridicule », ce qui ne correspond plus en tout cas à sa signification première (Voir l'*Ecole française de gravure, XVIIe siècle*, p. 160).

[59] J. LIEURE, *L'Ecole française de gravure au XVIIe siècle*, p. 160.

[60] Alexandre Boudan, « imprimeur du Roy pour les tailles-douces », était « un personnage très aimé des artistes parce qu'il soignait admirablement le tirage de leurs planches ». Il naquit vers 1666 et mourut au début du XVIIIe siècle. Il était le fils du graveur Jean Lenfant (?-1674) et d'une dame Marguerite Boudan ! Alexandre était à la fois graveur et marchand d'estampes. Il était installé à Paris, rue Saint-Jacques, à l'enseigne de l'*Image Saint-Maure*. Jacques Sarrabat, un graveur dont on ignore la biographie, hormis qu'il naquit aux Andelys, a fait un portrait d'Alexandre Boudan, d'après Claude Lefebvre, autre graveur originaire de Fontainebleau où il naquit vers 1632 ou 1635. (J. LIEURE, *op. cit.*).

[61] Deux des pièces de la série des *Lustucru* ont été gravées par Sébastien Le Clercq. Il s'agit de *Lustucru forgeant la tête des femmes* et de *La tête de Lustucru mise sur l'enclume par les femmes*. « Le grand maître de la Vignette, au XVIIe siècle, est Sébastien Leclercq ». Fils d'un orfèvre de Metz, il y naquit en septembre 1637. A treize ans déjà, il gravait un *Profil de la ville de Metz* (1650). Pourtant, il était, paraît-il, « si faible et si fluet que, l'hiver, il avait des engelures à ne pouvoir marcher et que celles (les dames de Metz) qui voulaient l'avoir dans ce temps étaient obligées d'envoyer un valet pour l'emporter entre ses bras ». A la fin de 1665, S. Le Clerc quitta Metz pour venir s'installer à Paris. Présenté à Le Brun (1600-1650) qui le prit sous sa protection, il grava de nombreuses planches dont la plupart connurent un grand succès. Le 21 novembre 1673, Sébastien épousa une jeune Flamande nommée Charlotte van Kerkove, fille du teinturier en chef des Gobelins. L'œuvre de S. Le Clerc fut considérable et est très recherchée. Il mourut le 25 octobre 1714, dans la septante-septième année de son âge. (D'après J. LIEURE, *L'école française de gravure, XVIIe siècle*, pp. 76, 128-129 et 166).

Fig. 18. — L'incomparable et fameux Lustucru. Estampe vendue par Basset le Jeune, rue Saint-Jacques au coin de la rue des Mathurins à Paris. Cabinet des estampes de la Bibliothèque Nationale à Paris (Reproduit avec l'autorisation de la B.N.).

débordante de têtes. La légende de cette partie de l'image proclame : « Qu'il est (cet âne) chargé de fourberie ! »

Encore dans la partie droite de l'estampe, on aperçoit un ouvrier limant une tête féminine maintenue dans un étau. Il soupire : « Qu'elle est difficile à repolir ! » Mais le mari encourage l'ouvrier en lui promettant à boire. Non loin d'eux, on voit un autre homme essayant de faire entrer son épouse dans la forge. La femme se débat en criant : « Non, je n'iray pas », tandis que le mari rétorque : « Vous y viendrez, meschante teste, chez Lustucru ! »

Enfin, à l'arrière-plan, par l'entrée de la forge, on aperçoit un navire plein de têtes de femmes dont un débardeur est en train de remplir une brouette.

L'enseigne de la « forge céphalique » représente une femme sans tête avec ces mots : « Tout en est bon ». Une série de têtes féminines, sans doute celles qui ont déjà été « rectifiées », autrement dit « guéries de leurs folies », sont rangées sur des étagères et prêtes à être livrées à leurs possesseurs.

Au-dessus de l'estampe, on lit les quatrains suivants :

> Vous pauvres malheureux que l'esprit lunatique
> Des femmes d'aprésent fait toujours enrager
> Et qui ne croyez pas le voir jamais changer,
> Amenez les icy dedans nostre boutique.

> De quelque qualité que leurs testes puisse estre
> Nous y mettrons si bien la lyme et le marteau
> Que la lune en son plein fust elle en leur cerveau,
> Au sortir de chez nous vous en serez le Maistre.

> Nostre boutique aussi n'est point jamais déserte.
> L'on y voit aborder de toutes nations,
> Toutes sortes d'Estats et de conditions ;
> Jour et nuit en tout temps, elle demeure ouverte.

> On ameine en vaisseaux, a cheval, en brouettes,
> Sans intermission l'on nous fait travailler,
> Nous n'avons pas le temps mesme de sommeiller,
> Car tant plus nous vivons, leurs testes sont mal faites.

Dans un cartouche, en bas de l'estampe, on lit encore : « A l'enseigne tout en est bon. Céans Mtre Lustucru a un secret admirable qu'il a rapporté de Madagascar pour reforger et repolir sans faire mal ny douleur les testes de Femmes Acariastres, Bigeardes, Criardes, Diablesses, Enragées, Fantasques, Glorieuses, Hargneuses, Insupportables, Lunatiques, Meschantes, Noiseuses, Obstinées, Piegrieches, Revesches, Sottes, Testues, Volontaires et qui ont d'autres incommodités, le tout à prix raisonnable, aux riches pour de l'argent et pauvres gratis. »

En constatant le succès de cette estampe, A. Boudan en grava une autre de meilleure facture représentant L'illustre Lustucru en son tribunal (1660). On y voit des maris venus de partout et offrant au fameux médecin céphalique, vêtu d'habits magnifiques et assis sur un trône, son marteau à la main, de riches présents en hommage de gratitude pour les services qu'il leur a rendus en améliorant la tête un peu folle de leurs épouses [62].

---

[62] C'est ainsi qu'au premier plan, on distingue un paysan portant sur ses épaules un couple de poulets qu'il compte offrir au grand « opérateur céphalique » (à rapprocher du panier d'œufs que l'on aperçoit sur certaines gravures représentant l'opération de la « pierre de folie »). Près de ce paysan se trouve son fils esquissant un geste de surprise admirative car son père lui dit : « Voilà M. Lustucru qui a rendu ta mère sage. »

A gauche de l'estampe sont groupés les maris français, à droite les maris étrangers. D'après le cartouche figurant au-dessus d'eux, ces derniers proclament :

> Suprême opérateur, vostre illustre Remède
> Par son renom fameux est venu jusqu'à nous.
> Comme nous avons tous besoin de la mesme aide,
> Nous venons l'implorer, n'espérant plus qu'en vous :
> Les françoys ont assez ressenty dans leurs femmes
> Comme pour les changer, heureuses sont vos flames ;
> Parmy nos Nations venez en faire autant,
> Et soyez asseuré, si par toute la France,
> Ils vous ont satisfait pour vostre récompense,
> Que vous serez chez nous du moins aussi content.

Quant aux « maris françoys » groupés à gauche de l'estampe, le cartouche qui les concerne porte les vers que voici :

> Grand homme, par vos soins, presque toutes nos femmes
> Sont bonnes maintenant et nous donnent la paix :
> Vous vous estes rendu si puissant sur leurs âmes
> Que mesme en vous nommant on en voit les effets ;
> Pour vous remercier d'une pareille grâce
> Quoyque nous vous donnions, votre bienfait surpasse
> Les plus rares présents qui jamais ont paru :
> Ce que donc nous pouvons dedans cette impuissance
> Est de nous efforcer que par toute la France
> On célèbre sans fin le nom de Lustucru.

La facétie de Lustucru inspira un cycle littéraire dont la pièce la plus importante a sans doute été la *Description du Tableau de Lustucru*. En vingt strophes de dix vers, elle décrit de façon détaillée l'estampe de 1660 [63] et complète cette description par celle de l'estampe de Lagniet : *Le massacre de Lustucru* [64] ou *La grande destruction de Lustucru par les femmes fortes et vertueuses*, gravée par S. Leclercq en 1663 (fig. 19). Car, comme on l'imagine aisément, ces attaques contre les femmes, attaques si excessives, si injustes, si déplaisantes appelèrent bientôt une riposte de la part de leurs défenseurs. Cette riposte consista en une série d'estampes ou de poèmes où Lustucru est mis à mal par les femmes, sa forge détruite et ses instruments dispersés. On lui inventa même une épouse nommée tout simplement *Lustucrue* et qui « racommodoit les testes des meschants maris » [65].

---

[63] Elle a été réimprimée par Edouard FOURNIER dans ses *Variétés historiques et littéraires*, 1859.

[64] On connaît également un grand nombre de pièces dirigées contre les « Précieuses » et E. FOURNIER en donne la liste. TALLEMAND DES RÉAUX, t. 7 de ses *Historiettes*, rapportant les mésaventures conjugales de Madame de Langey (Marie de Saint-Simon, fille d'Antoine de Saint-Simon, sieur de Courtaumer et de Suzanne Madelaine, née vers 1639, mariée en 1653 à René de Cordouan, marquis (impuissant) de Langey ; remariée à Jacques Nompar de Caumont, duc de la Force ; morte en 1670, - TALLEMAND DES RÉAUX, disions-nous, écrit (pp. 160 et 161) ce qui suit : « Or depuis cela, quelque folastre s'avisa de faire un almanach où il y avoit une espèce de forgeron grotesquement habillé, qui tenoit avec des tenailles une teste de femme et la redressoit avec son marteau. Son nom estoit *L'eusse-tu-cru* (sic) et sa qualité, *médecin céphalique*, voulant dire que c'est une chose qu'on ne croyoit pas qui pust jamais arriver que de redresser la teste d'une femme. Pour ornement, il y a un asne chargé de testes de femmes, mené par un singe ; il en arrive par eau et par terre, de tous costez. Cela a fait faire des farces, des ballets et mille folies. » D'autre part, PRECLIN et TAPIE écrivent dans *Le XVIIᵉ siècle. Monarchies centralisées* (p. 226) : « Colbert modifia l'assiette des impôts... La gabelle fut augmentée ainsi que diverses taxes, ce qui provoqua en Boulonnais la révolte de Lustucru. »

[65] Cité d'après E. FOURNIER, *Variétés historiques et littéraires*. Sur les « Précieuses », on peut consulter : René BRAY, *La Préciosité et les précieux* ; Roger PICARD, *Les salons littéraires et la société française, 1610-1789*, etc.

Fig. 19. — La grande Destruction de Lustucru, par les Femmes Fortes et Vertueuses. Gravure de S. Leclercq, 1663. Cabinet des estampes de la Bibliothèque Nationale à Paris. (Reproduit avec l'autorisation de la B.N.).

En outre, dans la comédie de Baudeau de Somaize intitulée *Les véritables Pré-
tieuses* (*sic*), un poète révèle qu'il vient de composer une tragédie intitulée *La mort
de Lusse-tu-cru* (*sic*) [66].

Enfin, pour atténuer ce que sa description en vers d'un portrait de Lustucru
pouvait avoir d'injurieux pour le beau sexe, un poète de l'époque s'empresse
d'affirmer à la fin de son poème que les femmes de Paris, cette « merveille des
autres villes », n'ont nul besoin des soins de Lustucru :

> Car si cet homme incomparable
> Fond les testes si dextrement
> De ce sexe altier et charmant
> Qui nous est tant inexorable,
> On en doit pourtant excepter
> Ces objets qu'on voit habiter
> La merveille des autres villes,
> Où, sans perdre leur gravité,
> Les dames sont aussi civilles
> Qu'elles sont pleines de beauté [67].

Pourtant, bien plus tard, en 1810, le souvenir du « forgeron céphalique » était
toujours bien vivant en France puisqu'une estampe parut cette année-là chez
N. Basset le Jeune à Paris. Elle s'intitule : *L'incomparable et fameux Lustucru,
forgeron de Cithère* (*sic*). En outre, on publia des almanachs sous le titre : *Lustucru*. Enfin, la célèbre chanson de la *Mère Michel* a contribué à perpétuer le souvenir du « forgeron céphalique » jusqu'à nos jours.

En terminant cette étude de certains traitements charlatanesques des troubles
de l'esprit aux XVIe et XVIIe siècles, nous voudrions souligner deux points qui
nous paraissent importants.

Le premier, c'est que, chez certains malades, les traitements burlesques de la
« pierre de folie » provoquaient sans aucun doute la guérison. Comme l'a noté
avec raison Weber dans son tableau de la caricature médicale : « Tous ceux qui
souffrent de désordres nerveux qui sont sous la dépendance de l'hystérie, tous
ceux que « la foi guérit », tous ceux qui sont matière à miracles, c'est pour ceux-là
que l'opération en question peut devenir la source de l'autosuggestion curative [68]. »
Ainsi on peut aussi expliquer les cures opérées par certains saints réels ou imaginaires tels que saint Avertin, prié pour le... vertige, saint Vitus ou Guy pour la
danse de saint Guy, saint Cado (de *cadere* : tomber) pour les troubles de l'équilibre et tous les saints et saintes qui, parce que le bourreau leur avait fait perdre
la tête, étaient considérés comme capables de guérir ceux chez qui elle n'était que
dérangée [69].

Le second point à souligner, c'est que toutes ces facéties ne doivent pas nous
faire oublier le sort lamentable des aliénés jusqu'au début du XIXe siècle et même
plus tard encore. Souvent traités en Europe comme des possédés du diable ou des

---

[66] L'œuvre de BAUDEAU ou BODEAU de SOMAIZE a été réimprimée par Paul
LACROIX en 1868. Ce Beaudeau de Somaize que Paul Lacroix dans sa « Notice sur les véritables précieuses » qualifie avec raison « de parasite qui n'est né à la vie littéraire que sous
l'influence du *Cocu imaginaire* et des *Précieuses ridicules*... n'a pas été à proprement parler
un plagiaire de Molière ». Toutefois Somaize était sans talent et ses attaques contre le grand
comédien apparaissent aujourd'hui aussi ridicules que mesquines. Sa comédie « Les véritables
Précieuses » est une contre-façon de la pièce de Molière.

[67] Brochure, s.l.n.d., in-4°.

[68] A. WEBER, *Tableau de la caricature médicale*, pp. 52 et suiv.

[69] J. AUDARD, *Les origines de la psychiatrie moderne*, pp. 20 à 23.

êtres malfaisants, notamment au Moyen Age et à la Renaissance, emprisonnés, brutalisés et parfois condamnés au bûcher, on les retrouve au XVIIIᵉ siècle, chargés de chaînes, couchés sur la paille et considérés comme des bêtes curieuses qu'à Paris le public allait contempler pour se distraire. Car en 1780 encore, « les idées sur les fous étaient inférieures à ce qu'elles étaient du temps d'Hippocrate » [70] et l'on sait que ce sera un grand titre de gloire pour le professeur Philippe Pinel (1745-1826), médecin de l'hôpital de Bicêtre, puis de la Salpêtrière à Paris, d'avoir fait enlever les chaînes des aliénés et de s'être opposé aux brutalités dont ils étaient victimes [71]. Cette tâche fut poursuivie par le médecin Jean-Etienne-Dominique Esquirol (1772-1840) qui lui aussi contribua à faire cesser le régime barbare auquel les fous étaient soumis. Enfin, on ne peut ici passer sous silence le nom de l'illustre Jean-Martin Charcot (1825-1893) qui rénova la pathologie nerveuse et ouvrit de nouvelles voies de recherches aux grands psychiatres modernes auxquels les tâches ne manquent pas, car la vie d'aujourd'hui engendre plus de fous que la science n'en guérit.

BIBLIOGRAPHIE

AUDART, J., « Les origines de la psychiatrie moderne », *Pro Medico,* t. 14, pp. 20-23, 1937.

AVALON, J., « Lustucru, médecin céphalique », *Pro Medico,* t. 10, pp. 141-147, 1933.

BAUDEAU DE SOMAIZE, *Les véritables précieuses. Notice bibliographique,* par M. Paul LACROIX, Genève, chez J. Gay et fils, éditeurs, 1868.

Biographie Nationale, publiée par l'Académie Royale des Sciences, des Lettres et des Beaux-Arts de Belgique, Etablissements Emile Bruylant : de 1866 à l'époque actuelle.

BONAVENTURE DES PÉRIERS, « Récréations et joyeux devis », *in* P. JOURDA, *Conteurs français du XVIᵉ siècle,* Bibliothèque de la Pléiade, N.R.F. Paris, 1965.

BOUCHUT, E., *Histoire de la médecine et des doctrines médicales,* 2 vol., Paris, Librairie Germer Baillière, 1873.

BRAY, R., *La Préciosité et les précieux,* Ed. Albin Michel, Paris, 1948.

CABANES, A., *Comment se soignaient nos pères. Remèdes d'autrefois,* Paris, A. Maloine éditeur, 1910.

CASSINELLI, B., *Histoire de la folie,* Bocca frères éditeurs, Paris, s.d. (1939).

COMBE, J., *Jérôme Bosch,* Collection Prométhée, Editions Pierre Tisné, Paris, 1946.

DECHAMBRE, A., *Dictionnaire encyclopédique des Sciences Médicales,* P. Asselin et G. Masson, Paris, 1873.

DELEVOY, R., *J. Bosch, étude biographique et critique,* Collection « Le goût de notre temps ». Editions d'art Albert Skira, Genève, 1960.

ELOY, N.F.J., *Dictionnaire historique de la médecine ancienne et moderne,* 4 vol. A Mons, chez H. Hoyois, imprimeur-éditeur, M.DCC.LXXVIII.

FOUCAULT, M., *Histoire de la folie à l'âge classique,* Union Générale d'Editions, Paris, 1961.

---

[70] *Id.*

[71] *Id.* Dans un vieil ouvrage belge sur la folie datant du premier quart du siècle dernier (J. GUISLAIN, *Traité sur l'aliénation mentale et sur les hospices des aliénés*), on peut lire : « Il serait inutile de rapporter ici tous les procédés inhumains qu'on a mis en usage comme moyens de répression. Cette description serait trop révoltante ; qu'il nous suffise de dire que les coups, les chaînes, les nerfs de bœuf et nombre d'autres procédés indignes ont plus d'une fois rendu l'aliéné opiniâtre, méfiant et souvent imbécile (*sic*) » (t. 2, p. 261). Et l'auteur de citer une sorte de cercueil en osier où seule la tête était libre, la caisse d'horloge où l'aliéné était enfermé en position verticale, sa tête remplaçant le cadran de l'horloge, le masque de cuir qui lui fermait la bouche, l'empêchant ainsi de parler ou de crier pendant qu'il était immobilisé dans la camisole de force, le fauteuil de coercition, la roue mobile que, comme un écureuil, l'aliéné, au moindre mouvement, faisait tourner, etc.

FOURNIER, E., *Variétés historiques et littéraires, Recueil de pièces volantes rares et curieuses en prose et en vers*, P. Daffis, Editeur. A Paris, chez Pagnerre, Libraire, M.DCCCLIX.

GAUDIER, H., « A propos d'un tableau du Musée de St-Omer représentant les " Arracheurs de Teste " », *Nouvelle Iconographie de la Salpêtrière*, t. 13, pp. 205-207, 1900.

GUISLAIN, J., *Traité sur l'aliénation mentale et sur les hospices des aliénés*, 2 vol. A Amsterdam, chez J. van Hey et fils et Les Héritiers H. Gartman, 1826.

HEMPHIL, R.E., « The Personality and Problems of Hieronysmus Bosch », *Proc. Roy. Soc. Med. (Section of the History of Medicine)*, t. 58, pp. 131-144 (1965).

HUARD, P. et M.D. GRMEK, *Le premier manuscrit chirurgical turc rédigé par Charaf Ed-Din (1465)*, Les Editions Roger Dacosta, Paris, 1960.

JOWELL, F., « The Paintings of Hieronysmus Bosch », *Proc. Roy. Soc. Med. (Section of the History of Medicine)*, t. 58, pp. 131-144 (1965).

LAIGNEL-LAVASTINE, Dr, *Histoire de la médecine, de la pharmacie, de l'art dentaire et de l'art vétérinaire*, 3 vol., Paris, Albin Michel, s.d. (1936).

LEVER, W.F., *Histopathology of the Skin*, Fourth Edition, London, Pitman Medical Publishing Co, Philadelphia, J.P. Lippincott Company, 1967.

LIÉTARD, L. « Lettre au directeur du *Janus* à Amsterdam », *Janus*, t. 2, p. 375, 1897-98.

LIEURE, J., *L'école française de gravure, XVIIᵉ siècle*, Collection « A travers l'art français », La Renaissance du Livre, Paris, s.d. (1931).

LITTRÉ, E., *Dictionnaire de médecine, de chirurgie, de pharmacie, de l'art vétérinaire et des sciences qui s'y rapportent*, Dix-septième édition. Paris, Librairie J.-B. Baillière et Fils, 1893.

LUCAS, A.R., « The Imagery of Hieronysmus Bosch », *Amer. Journ. of Psychiatry*, t. 124, pp. 1515-1525 (1968).

Mac KINNEY, L., *Medical Illustrations in Medieval Manuscripts*, University of California Press, Berkeley and Los Angeles, 1965.

MAETERLINCK, L., *Le genre satirique, fantastique et licencieux dans la sculpture flamande et wallonne. Les miséricordes de stalles*. Art et folklore, Paris, Jean Schmit, Librairie, 1910.

MARTIN, A.V.J. et TESTUT, C., *Les sources de l'art. La Médecine*, Les Editions Pierre Amiot, Paris, 1966.

MEIGE, H., « Les peintures de la médecine (Ecole flamande et hollandaise). Les opérations sur la tête », *Nouvelle Iconographie de la Salpêtrière*, t. 8, pp. 228-264, 1895.

MEIGE, H., « Documents nouveaux sur les opérations sur la tête », *Nouvelle Iconographie de la Salpêtrière*, t. 11, pp. 199-212, 1898.

MEIGE, H., « Un nouveau tableau représentant les arracheurs de " Pierres de tête " », *Nouvelle Iconographie de la Salpêtrière*, t. 12, pp. 169-176, 1899.

MEIGE, H., *Art et médecine*, L. Maretheux, imprimeur, 1, rue Cassette, Paris, 1895-1899.

MEIGE, H., « " Pierres de tête " et " pierres de ventre " », *Nouvelle Iconographie de la Salpêtrière*, t. 13, pp. 77-99, 1900.

MEIGE, H., « La médecine au musée du Prado », *La Presse Médicale*, n° 56, pp. 509-512, 1903.

MICHAUD, L.G., éditeur, *Biographie universelle ancienne et moderne*. A Paris, 1841.

PARÉ, A., *Dix Livres de La Chirurgie avec Le Magasin des Instrumens nécessaires à icelle Par Ambroise Pare, premier chirurgien du Roy et Iuré*. A Paris. De l'Imprimerie de Iean le Roger, Imprimeur de sa Majesté, au vray Pottier. Avec privilège, 1564.

PARÉ, A., *Des Monstres, des Prodiges, des Voyages. Texte établi et présenté par Patrice Boussel*. « Au Livre-club du Libraire », Paris, 1964.

PICARD, R., *Les salons littéraires et la société française, 1610-1789*, 2ᵉ édition. Bibliothèque Brentano's, New York, 1943.

PRECLIN, E. et TAPIE, V.L., *Le XVIIᵉ siècle. Monarchies centralisées*, Collection « Clio », Presses universitaires de France, Paris, 1943.

ROOK, A., WILKINSON, D.S. and EBLING, F.J.G., *Textbook of Dermatology*, Two volumes. Blackwell Scientific Publications, Oxford and Edinburg, 1968.

VALLETTE, A., *Sclérodermie et pierres de la peau. Essai physio-pathologique*. Thèse pour le doctorat en médecine de la Faculté de Strasbourg, n° 10, année 1927. Editions universitaires de Strasbourg, 1927.

WEBER, A., *Tableau de la caricature médicale depuis les origines jusqu'à nos jours*. Avec 130 gravures. Collection « Hippocrate ». Paris, Editions Hippocrate, 1936.

Discussion

Namer. — Je voulais apporter simplement, à ce qu'a dit le docteur Brabant, quelques petits témoignages personnels, non pas du tout soulever des problèmes d'érudition. Il a parlé, à part le problème de la pierre de folie, également de la considération que l'on avait à une certaine époque pour les fous considérés un peu comme des sortes de prophètes qui auraient, si j'ai bien compris, comme une mission divine et auraient un contact direct avec Dieu. Je voulais vous signaler que, en Egypte, où j'ai passé quelques années, j'ai vu couramment des fous dans les rues, et ceux-ci n'étaient pas du tout poursuivis à coups de pierres ; mais au contraire, les gens allaient vers eux se prosterner et baiser leurs vêtements. Le fou était une personne sacrée. Deuxièmement : j'ai noté qu'il y avait des fous qui étaient, dans le sens inverse, maltraités. Au Mozambique où je suis allé pendant la guerre, on a voulu nous montrer comment on traite les fous. On nous a amenés en plein désert et on nous a montré des fous dans des cages, exactement comme des bêtes, et on les nourrissait à travers les barreaux. Vous avez dû parler d'une certaine forme de persécution contre les fous ; je vous signale que c'est une chose qui existe actuellement. Troisièmement : Monsieur Stegmann a parlé de quelques attitudes de l'Eglise à l'égard de certaines formes de folie. J'ai fréquenté pendant longtemps l'asile Sainte-Anne, comme étudiant, et j'ai connu là un personnage qui venait d'entrer : c'était un prêtre. Il s'appelait l'abbé Maréchal. Il avait demandé à être hospitalisé. « Je suis ici sur le conseil de mon évêque, dit-il. Je suis allé lui dire ce que je voyais tous les jours : le Christ descendre de sa croix et venir vers moi et m'embrasser ; alors j'ai demandé conseil à l'évêque pour savoir ce que je devais faire de cette vision. » — « Il me dit : mon enfant, allez vous recueillir pendant quelques mois à l'asile Sainte-Anne. » Je trouve cela merveilleux, pas de la part de l'évêque, mais de la part de ce prêtre qui n'a pas hésité une seconde. Cela, c'est de l'humilité chrétienne. Je voulais simplement vous apporter ce témoignage personnel et actuel.

Brabant. — Je n'ai pas souvenir d'avoir dit que le fou était un prophète. C'est certainement dans une autre conférence, que cela a été dit. Dans mon exposé, je n'ai pas abordé ce sujet. J'ai vu, lors d'une récente séance de l'Association des Ecrivains Médecins, il y a trois ou quatre semaines, un film qui avait été fait au Togo. On y voyait, autour d'un arbre, les fous enchaînés et abandonnés complètement, sans soins. Mais oserions-nous dire que nos asiles psychiatriques modernes sont toujours des modèles et que les fous y sont toujours bien traités ? Il faut reconnaître d'ailleurs que la vie avec des fous demande de grandes qualités humaines et je crois qu'il doit être difficile de recruter des gardiens qui ont toutes les qualités requises. Mais je m'empresse d'ajouter qu'il existe aussi à l'heure actuelle un remarquable effort de compréhension à l'égard des insensés. Mais, à la Renaissance, on connaît de nombreux cas où des fous ont été persécutés et l'ont été notamment avec l'approbation des autorités religieuses. Il suffit de penser à tous les procès d'hystériques et de prétendus possédés. Il y a énormément de degrés dans la déraison. Il y a même tellement de nuances qu'il est évident qu'à la Renaissance certains « fous » ont été persécutés, simplement parce qu'ils avaient des idées plutôt bizarres. On connaît aussi par exemple de faux prophètes qui étaient certainement des gens un peu détraqués ; ils ont été brûlés ou enfermés.

Céard. — C'est sur une remarque de votre exposé qui m'a beaucoup intéressé que je voudrais attirer votre attention. Vous avez parlé de ces traitements charlatanesques, de l'extraction de la pierre de folie, par exemple, en insistant sur tout ce qu'il y a d'illusion, de rude tromperie dans ce traitement. Je voudrais simplement signaler que, dans la médecine de la meilleure qualité, au XVIe siècle, la médecine de bon aloi, l'usage de l'illusion comme traitement est assez fréquemment répandu. Je pense à Ambroise Paré, à des chapitres de l'*Introduction à la chirurgie* (« Exemples des maladies faites par imaginations fantastiques ») où il insiste sur la nécessité de recourir souvent à des illusions pour guérir ces malades. D'autres médecins le disent également. Silvius insiste sur le fait qu'il faut parfois aller dans le sens des illusions, des imaginations que se font par exemple les maniaques, pour ne pas les enfermer dans leur solitude. Il y a une valeur sérieuse du traitement par l'illusion.

Brabant. — J'ai aussi souligné qu'il était incontestable que certains malades se déclaraient guéris après ce faux traitement et je pense qu'ils étaient de bonne foi. Ce n'était donc pas seulement la crainte de souffrir à nouveau au cours d'une nouvelle opération qui leur faisait dire cela.

Charpentier. — La pharmacopée moderne connaît cela sous la forme de placebo.

Brabant. — Les succès occasionnels des charlatans s'expliquent de la même façon que ceux obtenus par les placebo. Ce genre de malades qui étaient guéris par la pierre de folie doivent être rapprochés de ceux que la foi sauve.

Pot. — Il faut tenir compte du fait que la Renaissance a une conception de l'imagination qui est beaucoup plus matérielle que la nôtre ; aussi ces guérisons par l'imaginaire étaient-elles parfaitement crédibles pour l'époque. Dans les traitements de la mélancolie, par exemple, il arrive fréquemment que l'on ait à recourir à des techniques purement imaginaires de toutes sortes aboutissant même souvent à de véritables mises en scène théâtrales. On évite de contrecarrer les idées du malade, on abonde plutôt dans son sens en jouant le jeu avec lui ; on lui permet de réaliser ses imaginations en espérant par là même avoir une influence sur elles. Autre cas plus frappant et plus étrange pour nous : les médecins de la Renaissance admettent communément que la vision d'un tableau peut influencer une femme qui accouche à tel point que l'enfant reproduira matériellement les traits entrevus sur une peinture. Il ne s'agit donc plus seulement d'une pure illusion, mais d'une véritable imprégnation de l'imaginaire par le matériel.

Brabant. — Je suis tout à fait d'accord avec vous, sauf peut-être sur un point, à savoir qu'à l'heure actuelle il n'en va plus de même. Au siècle dernier encore, un journal très sérieux de France imprimait qu'une dame qui avait vécu et cohabité bibliquement avec son mari mordu par un chien enragé, avait mis six semaines plus tard au monde cinq petits chiens noirs. Plus récemment, un autre journal racontait qu'une chatte avait mis au monde trois petits chiens et deux chats. Si vous lisez des revues comme *Planète*, vous verrez que le rôle de l'imagination et la crédulité humaine sont encore considérables à notre époque. Heureusement pour les médecins d'ailleurs, parce qu'il faut toujours une certaine « foi » du malade pour qu'il s'estime guéri. Rappelez-vous le cas d'Ulrich de Hutten qui est mort de syphilis, convaincu qu'il en était guéri. Il en était même tellement convaincu qu'il a écrit un livre pour expliquer comment il avait été guéri et pour conseiller aux autres de suivre le même traitement. De pareils exemples, on pourrait en citer beaucoup.

Folly and Society in the Comic Theatre of the Pléiade

Tilde SANKOVITCH

Assistant-professor à la Northwestern University à Evanston

In 1552, when Etienne Jodelle launches his *L'Eugène* on the improvised stage erected in the courtyard of the Collège de Boncourt, he renovates the French comic genre and creates the Renaissance comedy through the invention of this one character more effectively, and influences the theater more lastingly, than through any of his important formal innovations.

The personage is announced toward the end of the Prologue in this manner :

> Ja ja marchant, enrage de sortir
> Pour de son heur chacun advertir [1].

Conventional though this way of introducing a character may be, it suggests, in this case, the immense energy, the explosive force, of a man for whom nothing really exists outside the closed circle of " son heur ", his own spiritual and material comfort, pleasures, and desires. Far from being the typical abbé of the farces, as the critics have generally interpreted him, Eugène is a creature of the Renaissance, and carries on him the marks of the particular kind of folly which the late Renaissance has produced, and which is composed simultaneously of total adhesion to and total disavowal of a certain image of the self, and of the divided personality which is the consequence of the double attitude toward this self. The fundamental image, moreover, is entirely self-constructed, and rests in nothing more than its own desirability and its own ready availability. There is never any attempt to ground it in anything resembling reality, to the point that the very notion of " real " becomes absurd and is abandoned without further ado. The " points de repère " are purely literary, and belong to the intellectual, philosophical, and especially to the generally fashionable themes of the day, or rather to their shallow, exaggerated, applications.

In the first scene of Jodelle's play, Eugène constructs himself " à coups d'illusion ", and erects before our eyes the scaffolding of his imagined, his dreamed-of self, for he abolishes the whole world in favor of this self. Passing rapidly from a pseudo-metaphysical anxiety concerning human life and destiny to an extraordinary affirmation of his own good fortune, he cries out :

> En tout ce beau rond spacieux,
> Qui est environné des cieux,
> Nul ne garde si bien en soy
> Ce bonheur comme moy en moy [2].

He glides from a level of cosmic expansion to an expansion and concentration of

---

[1] Etienne JODELLE, *Œuvres Complètes*, éd. Enéa Balmas, Paris : Gallimard, 1965-1968, 2 vol., *L'Eugène*, vol. 2. Prologue.

[2] *Ibid.*, I, 1.

the self which at first seems to devour the universe and then to concentrate intently upon itself, in an immense effort to be liberated from all alien elements. Independent " des parens qui naistre me feirent " [3] and of all other legal or affective ties, this self will have no emotional attachments, and will communicate only, in an ecstasy of Narcissim, with itself, feeding on its own gratified desires in a supreme identification of man with his pleasure. When Eugène speaks of " les plaisirs nourriciers de nous " [4] he expresses succinctly the valorisation of pleasure as a vital principle of the truly liberated man.

Eugène compares himself to kings and noblemen, to merchants, peasants, and artisans, in short, to the whole spectrum of society, and concludes that he alone is not subjected to human or natural law, that *his* existence alone is not

> ... à autre joug submise,
> Sinon qu'à mignarder soymesmes [5].

He thus possesses himself as no other man does, and he reaches further out yet to include all of nature in his grasp :

> Avoir les bois, avoir les eaux
> De fleuves ou bien de fontaines,
> Avoir les prez, avoir les plaines,
> Ne recognoistre aucuns seigneurs,
> Fussent ils de tout gouverneurs [6].

The obsessively repeated " avoir " which seems to suck the whole earth into the insatiable core of his own being, and the leap of mad pride which leads him to defy God — " le gouverneur de tout " — himself, mark the apotheosis of his self-originated image, the ultimate self-glorification. This pride may be seen as a malignant outgrowth, a parodic exacerbation of a certain image of Renaissance man, such as we find it in many texts, for instance in these words which Pico della Mirandola puts in the mouth of the Creator addressing Adam : " Nec certam sedem, nec propriam faciem, nec munus ullum peculiare tibi dedimus, o Adam, ut quam sedem, quam faciem, quae munera tute optaveris, ea, pro voto, pro tua sententia, habeas et possideas. Definita ceteris natura intra praescriptas a nobis leges coercetur. Tu, nullis angustiis coercitus, pro tuo arbitrio, in cuius manu te posui, tibi illam praefinies [7]. " Thus, Eugène fixes, chooses, invents, his nature.

We are indeed, with this character, far from the one-dimensional monk or the lascivious, simple-minded curé of the farces. Our personage has entered into the realm of the Renaissance, or rather that of the Renaissance ideal gone out of control, degenerated into a madness characterized and caused by the unique adhesion of self to self, rather than of self to ideal.

Language is the indispensable tool of this psychological manoeuvering, since it is with words alone that Eugène affirms and defines himself while annulling others. No past or present deeds, no remarkable background, no outstanding physical or intellectual abilities are even alluded to by him to justify his pride. He does not need such justification, for he is purely what he has decided to be, and that is what he *says* he is. He neither proves nor demonstrates it. He is totally

---

[3] *Ibid.*
[4] *Ibid.*
[5] *Ibid.*
[6] *Ibid.*
[7] G. Pico DELLA MIRANDOLA, *De Hominis Dignitate,* éd. E. Garin, Firenze : Valecchi, 1942, pp. 104-106.

in his words, and in his words alone, and if his language is grandiloquent, rhetorical, sententious, it is because his only references outside himself are literary. Literature, to Eugène, is not an opening of vistas into the world, but a closing-down upon purely interiorized and exclusively formal designs of being.

When he says :

> ... que le Ciel de son tonnerre
> Face paour à la pauvre terre,
> Tousjours, Monsieur, moy je seray,
> Et tous mes ennuis chasseray [8],

he separates himself from the rest of the world, claims for himself eternity, unchangeability, and invulnerability — non-human privileges — and, dismissing heaven and earth, leaves only himself in his universe, as a sort of demi-god, given not so much to the pursuit of happiness as to the acquisition of painlessness. The preoccupation with this non-human prerogative, inspired of course by the ideals of epicureanism and stoicism, is the dominant factor in Eugène's life and thinking.

His refusal of the common human condition is inseparable from his folly, and from his dependency on words. Language is the link, not between himself and others, not between human and human, but between himself and his mind. Language, here, does not open up the world in a Rabelaisian explosion, but encloses it in an implosion, a bursting inward, which causes reverberations and echos, but only in the self-oriented mind from which the words emanated and to which they return, skittering as haphazardly as drops of water on a hot surface.

Extremely sensitive as he is to the power of words, Eugène has emptied them of all implications but those which point to him, so that, while on the one hand he does not, through language, establish contact with others, they, on the other hand, are unable to communicate with him, unless they stumble on words which provoke in him a recognition of himself. Enclosed as he is in his folly, he knows only its private language, language which must build him but also may destroy him, for after he has so daringly created himself in a brilliant juggler's act, Eugène betrays this hypothetical creature recklessly. He tears down the structure he has erected, and, collapsing into the sorry, mediocre, unliberated being he has so strenuously negated, destroys his illusory persona. The passage from his superior to his inferior self is quite unconscious, as an involuntary spasm might be, and, as a spasm might be caused by an outside stimulant, it is caused by language, and unwittingly provoked by Messire Jean, Eugène's chaplain and satellite. When this personage describes the delights of his master's life — the practical implications of the pleasure doctrine — such as agreeable pastimes, soft clothes, exquisite food and drink, he ends up with these lines :

> Et puis, l'on sent venir le feu
> De la chatouillarde amourette,
> Soudain en la queste on se jette,
> Tant qu'on revienne tous taris
> Par ces pisseuses de Paris [9].

These rather vulgar terms seem to act as a secret code-word, and to precipitate in Eugène a sudden switch to his true preoccupations and his true pleasures, all connected with the sordid pair of Alix, his mistress, and her parasite husband, Guillaume.

---

[8] *L'Eugène*, I, 1.
[9] *Ibid.*

Far from being superior and free, Eugène now appears painfully enslaved to his passion for Alix, and his abject fear that Guillaume might discover the affair. This second image of Eugène is, on its low level, just as beset with folly and separated from reason : neither his love nor his fear seem justifiable, since Alix is certainly not much more than a prostitute (of course folly and passion are inseparably linked !), and Eugène himself seems to recognize her true nature :

> Apres, mon amour est douteuse,
> Et je crains que ceste mignarde
> D'aller autre part se hasarde.
> Car ces femmes ainsi friandes,
> Suivent les nouvelles viandes [10].

Reducing himself to " une viande " for a woman such as Alix, he totally mutilates his self-image, and admitting his fear of Guillaume, he adds insult to injury, for what indeed could Guillaume, powerless, penniless, and completely dependent on him, do to harm or in any way stop him ? But of course this total abjectness of the second Eugène must counter-balance the total glory of the first, and must under-line the unredeemable duplicity of the personage.

This deep split in the personality is seen by Jodelle as characteristic of all his personages, or rather of those, who belong to a certain stratum of society, defined, more than by anything else, by language, as if to construct one's dream-ego one needs the indispensable tools of a certain, philosophical, heroic, Petrarchan, courtly vocabulary. This particular kind of folly is a class-privilege. This is not to say that the lower class personages are all in one piece : they too play roles — the faithful servant, the loyal mistress, the unsuspecting husband — but their role-playing corresponds to a necessity of material sustenance, rather than to a need to create or re-create the self. They act out of shrewdness, rather than out of the compulsion *not* to be what one is. This is a compulsion of the privileged.

So, for example, Florimond, the *miles gloriosus*, the *pitre épique* of this comedy. He displays his glowing evocations of past military glory, and his great contempt for the soft, spoiled life in Paris, but finally he desires nothing more than to have his share of luxury. He proclaims " les saincts droits de l'amour ", but will be very happy

> d'aller avec ma bonne Alix
> Esprouver le bransle des licts [11].

Incongruously, this brave warrior fights his sole battle of the play in his ex-mistress's kitchen against a terrified woman and her cowardly husband.

So, also, Hélène, Eugène's spinster sister. She builds herself up as the heroine of a perfect courtly and neo-platonic love-story, in which figure elements of love-service, total devotion, voluntary chastity, and spiritual union. But this wholly literary concoction falls apart when, towards the end of the play, she concedes that she really wants to have Florimond as her lover, with or without the benefits of marriage. When Eugène strikes a bargain with Florimond and arranges the affair, she sighs contentedly : " ore je me sens à mon aise " [12].

Language, in both cases, is the constructing element of the self-preferred images of glorious soldier, courtly lover, chaste heroine, and the levels of language are

---

10 *Ibid.*
11 *Ibid.*, II, 1.
12 *Ibid.*, V, 2.

the signal and the sign of Florimond's and Hélène's imagining and betrayal of themselves, and of the incurable cleavage in their deepest being.

Jodelle sets down the pattern of folly as essentially a product of the self-induced separation from reality, and of the preference for the imaginary being which replaces reality to the exclusion of all others, combined with sudden detachments and lapses from this exalted ego to a more sordid plane. The pattern is an obsessive one, it repeats itself constantly, and becomes a movement whose rhythm it is impossible to break.

The same mechanism may be found in all the comedies of the Pléiade, but Jodelle goes farther still, when he turns Eugène into an effective and efficient madman, thus giving folly a power which affects and imperils the society around it. The madman manages to impose the vision of his superiority and of the way the world should be, thus causing a dangerous confusion between normality and abnormality, since it is his folly-induced universe which he will force the satellites to accept as the normal one. At the end of the play a small, orderly society, a family circle, one might say, is established around Eugène... or should it be called an ati-society, an anti-family ? For Eugène's order does not conform to the norms of a healthy, normal, or normalized family, confirmed, as is often the case, by the formation of a young couple, which is both socially and economically desirable, and emotionally satisfying. In L'Eugène we are left with a sort of " famille à l'envers ". We have before us a grotesque group : not one, but three couples, all sterile, all sordid, all entirely self — rather than society — directed. It is a " gentille bande " indeed, as Eugène remarks, and they are all dominated by Eugène, who has molded his entourage to create the perfect environment in which to play out his folly, unhampered and undisturbed. The effect is claustrophobic. At the end of the play, all the characters are prisoners of the abbé's obsessive vision. His last words echo his first :

> Suivons ce plaisir souhaitable
> De n'estre jamais soucieux :
> Tellement mesme que les Dieux
> A l'envi de ce bien volage,
> Doublent au Ciel leur Sainct breuvage [13].

He has assumed the role of manipulator, and the others settle into being manipulated ; we glimpse a universe where all relationships are necessarily exploitative and perverted.

The critics, such as Emile Chasles [14], Henri Chamard [15], Enéa Balmas [16], Barbara Bowen [17], Raymond Lebègue [18], have uniformly condemned the ending of the

---

13 Ibid., V, 5. These words are attributed to Eugène by all the modern editors of the play : Marty-Laveaux, Fournier, Viollet-le-Duc, Lintilhac. E. Balmas, in his two editions of L'Eugène (1955 and 1968) attributes them to Guillaume, without explaining this attribution. The first edition of the comedy by Charles de La Mothe (Paris : Nicolas Chesneau and Mamert Patison, 1574), which E. Balmas has used, attributes the words to Eugène. This seems consistent with the interior logic of the play, since Eugène returns here to an idea which he has developed in act I, scene 1, and which has guided his actions throughout the play.

14 Emile CHASLES, La comédie en France au XVIe siècle, Paris, Didier, 1862, p. 24.

15 Henri CHAMARD, Histoire de la Pléiade, Paris, Didier, 1939-1940, 4 vol., vol. 2, p. 18.

16 Enéa BALMAS, Œuvres complètes d'Etienne Jodelle, op. cit., vol. 2, p. 441.

17 Barbara BOWEN, Les caractéristiques essentielles de la farce française et leur survivance dans les années 1550-1620, Urbana : University of Illinois Press, 1964, p. 103.

18 Raymond LEBÈGUE, Le Théâtre Comique en France, de Pathelin à Mélite, Paris, Hatier, 1972, p. 105.

play as immoral and cynical. Its deep-seated pessimism is undeniable. It is an unavoidable consequence of the fact that a madman such as Eugène is allowed to expand his ego to embrace, or rather to seep into reality, after he had already expanded it monstrously in his fantasies.

In the other Pléiade plays, there is never again quite such a strong personality as Eugène, but the mechanism of the self-centered maniac is repeated over and over again. They all have certain traits in common : the power to deceive themselves, and to cling to their self-deception ; the deeply divided personality ; the threat they pose to " normal " society around them ; the intoxicating usage of language ; finally, the dangerous appearance of normality. The danger lies in the fact that we are here in the presence of madmen who are not labeled " Sots ", who do not wear foolscaps, who do not rave in dialects like Pathelin, who, on the contrary, assume the prestige of erudite and literary discourse, who pursue goals, generally connected either with love or money or both, which are ordinary enough, but which their folly transforms into the pursuits of lunatics. We are in the presence of monsters who attack the fabric itself of society.

If disaster is averted, it is by no more than the merest chance, and indeed by the most purely chance-like of occurrences, namely, the recognition. Three out of the five surviving original French Pléiade plays use the recognition-formula as a way of solving a situation. L'Eugène, as we have seen, ends on the ruins of good society, and in Grévin's La Trésorière the two dominating forms of folly, love and money, annul and disarm one another. As George E. Duckworth points out, " this [recognition] formula was already old when it was taken over from Greek comedy by the Roman dramatists " [19], and it is common in Italian Renaissance literature. In the Pléiade plays the procedure takes on strongly normative overtones as it, at the last minute, salvages society from folly.

In Belleau's La Reconnue, the aging, grumpy, unhappily married lawyer, Monsieur, is about to conclude the unworthy union between Antoinette, a helpless young Huguenot girl left in his care, and his socially and intellectually inferior clerk, Maître Jean, in order to keep Antoinette under his influence, and, he hopes, to seduce her. In the nick of time, the captain, Antoinette's protector, and her long-lost father arrive. Monsieur's devilish plans and the non-marriage with Maître Jean are undone, Antoinette takes up her rightful place as daughter of a gentleman and fiancée of l'Amoureux, a very suitable young man indeed. The body social is saved from stain, normality is restored, folly defused.

It is clear, of course, that folly is, by its context and intent, a crime against society, rather than a sin, in the theological sense of the word. The unsuitable marriage endangers society and is put on the same level as the shameful affair. Society punishes the culprit by excluding him from its newly refurbished, shining, circle. At the end of La Reconnue, Monsieur, rendered ineffective, is condemned to remain in the unclean, malodorous hell of his quarrelsome ménage :

> Monsieur est la qui contrefait
> Au coin de nostre cheminee
> Une vieille idole enfumee
> Tout transi et tout esperdu [20].

---

[19] George E. DUCKWORTH, The Nature of Roman Comedy. A Study in Popular Entertainment, Princeton, Princeton University Press, 1952, p. 147.

[20] Le Théâtre Français au XVIᵉ et au XVIIᵉ siècle, Paris : Laplace, 1871, 2 vol., Belleau, La Reconnue, vol. 1, V, 4.

In Grévin's *Les Esbahis* two foolish, absurd, old men plot the marriage of one of them to the daughter of the other. Gérard seems to find a suspicious pleasure in giving his young and pretty daughter, Madalène, to his crony, Josse, and to spy on them through the keyhole. The recognition here is an ironic one : Agnès, Josse's wife, thought to have died after she ran away from her husband long ago, turns up as a prostitute, and is reunited with a very reluctant Josse. As Gérard points out :

> ... là où la chèvre est liée
> Il fault qu'elle broute... [21].

The reestablishment of this marriage, marked by disgust, adultery, and distrust, saves good society, for it enables Madalène to marry her young Avocat. The two foolish old men are left behind, rather pitiful, very different from the dashing gentlemen " en fleur de l'aage " [22] they should have liked to be.

In *Les Corrivaux* by Jean de La Taille, Filadelfe's mad passion for Fleurdelys almost leads him to desert Restitue, whom he has made pregnant, and to commit incest, since Fleurdelys is really his lost sister. Filadelfe is completely enthralled by his folly, " sans raison " [23], as one of the other personages remarks about him. Madness and dreams have usurped the place of reason and reality. Northrop Frye talks about the demonic nature of incest and says that " the possibilities of incestuous combinations form one of the minor themes of comedy " [24]. In comedy the demon may be exorcised, as happens in *Les Corrivaux*, by a recognition. In this case, the shock of the discovery cures not only society, by forming two desirable marriages, but also cures the possessed one himself : when Filadelfe learns the secret of his irresistible attraction and passion for Fleurdelys, he is delivered of his folly, and, as one awakened from a dream, falls back in the normal society he so nearly destroyed.

All these plays spring from an esthetic of folly : folly is the key to all that is interesting in them. The characters oscillate perpetually between the poles of their duplicity, trying to actualize their illusions, sliding into their hopeless realities. The language skips to and fro along its levels of deception and betrayal. Both have their source in what Michel Foucault calls " la forme la plus rigoureusement nécessaire du qui-pro-quo dans l'économie dramatique " [25]. Folly is, of course, the fundamental *qui-pro-quo* : the substitution of abnormal for normal, of dream for reality, of danger for security.

Of course, society, sixteenth century society such as it is reflected in these plays, is already teetering on the brink of madness. In *L'Eugène* for example, Messire Jean claims that

> ... en ceste ville-ci
> On voit ce commun badinage,
> De souffrir mieux un cocuage
> Que quelque amitié vertueuse [26].

---

[21] Jacques GRÉVIN, *Théâtre complet et poésies choisies*, éd. L. Pinvert, Paris, Garnier, 1922, V, 4.

[22] *Ibid.*, I, 2.

[23] Jean DE LA TAILLE, *Dramatic Works*, éd. Kathleen Hall and C.N. Smith, London, University of London Athlone Press, 1972, I, 2.

[24] Northrop FRYE, *Anatomy of Criticism : Four Essays*, Princeton, Princeton University Press, 1957, p. 181.

[25] Michel FOUCAULT, *Folie et déraison. Histoire de la folie à l'âge classique*, Paris, Plon, 1961, p. 49.

[26] *L'Eugène*, I, 1.

Arnault, Florimond's faithful servant, laments that brave soldiers go unrewarded, while all riches and pleasure are enjoyed by

> ... ces pourceaux nourris
> Dedans ce grand tect de Paris,
> Qui n'oseroyent d'un jet de pierre
> Eslongner les yeux de leur terre [27].

These, and similar, evocations of an upside-down world contribute to give Eugène's upside-down family a dizzying appearance of normality. The general state of affairs seems to sanction private folly, and to encourage private obsession.

A certain frenzy reigns in all of these plays. All the characters, even the minor ones, are driven by a compulsion of some sort : gain, desire, jealousy, hunger, fear, and so on. On reading these plays we receive an impression of breathless chaos and deep dissatisfaction. Madness seems always to lurk behind the corners of everybody's seemingly ordered life. Order is all-important to the bourgeois society of the plays, but the elements of this order are themselves infected by the dominating folly, and deteriorate into shams or grotesque exaggerations of order.

Religion, for instance, is presented as being totally perverted from its spiritual goals. Eugène sells ecclesiastical privileges in order to further his sensual designs ; assignations are made in church, God is on the side of the money-makers, and sin is reduced to the fear, the very bourgeois fear, of " qu'en dira-t-on ". Only Antoinette, the Huguenot girl in Belleau's La Reconnue, seems to be purehearted in matters of religion. Balmas suggests that it is because of the implied criticism of orthodox catholicism that " Belleau dut juger préférable ou plus prudent de ne jamais sortir de ses tiroirs le texte de cette comédie " [28].

The subject of food offers another example of madness. On the one hand the plays respect the rigid order of mealtimes, which impose their ritual character on every household ; on the other hand, the preoccupation with food, in La Reconnue, for instance, goes out of bounds, and becomes a true obsession. The vocabulary of food or of eating spills over into all domains, love especially, and communicates to them the grim and desperate preoccupation with possession, acquisition, total assimilation of the nourishing substances into the greedy self.

In these comedies, all of human experience is touched by folly. Love, aspirations, religion, parental and filial affection, patriotism, as well as the humblest of daily pursuits, all are tinged with madness, suffused with dreams which are but the products of wandering minds, split in two by inadmissible tensions. Folly does take on the polite and hypocritical countenance of bourgeois propriety and disciplined society, but the torments, the ugliness, and the rages of madness are there. They have merely assumed masks : the man with the mask enters French comedy. No traces of humanist optimism remain, no neat Brant — or Erasmus — like descriptions of folly or categorizing of error : to categorize, to describe, is to tame, is to save what may be saved. Here, a whole society is shown as sinking under the weight of the condemned, useless dreams of the Renaissance.

Language has become the accomplice of folly, but also the clue to folly's true nature. The brutish quality of some of the vocabulary, the love-vocabulary in particular, shows us the imposture, not only of the refined speech behind which

---

[27] Ibid., II, 2.
[28] Enéa BALMAS, Comédies du seizième siècle, Milano, Viscontea, 1969, p. 310.

the personages try to hide, but of their deepest pretensions. Language is the instrument of dissembling, but also of revealing. Through it we perceive how folly, driven by propriety to assume masks, festers in the core of the characters' being, turning, first them, and then all of their society, into monsters.

Discussion

Stegmann. — Il n'y a aucune objection à votre exposé qui était extrêmement cohérent, intéressant, neuf sur l'ensemble de ces comédies de la Pléiade. Il m'a semblé pourtant que vous étiez un peu sévère pour les gens qui les condamnaient. Mais même le cher Enéa Balmas qui veut sauver Jodelle, lui-même a été très sévère pour ces comédies. Pourtant, celles de Jodelle sont les meilleures. Ce que vous m'avez dit me semble s'appliquer essentiellement à l'*Eugène* de Jodelle. Est-ce par hasard si vous avez si longtemps parlé de l'*Eugène*, et si peu du reste ?

Sankovitch. — Pour répondre à votre première remarque, je dirai que je ne condamne pas du tout ceux qui condamnent *Eugène*. Je les comprends très bien. De la part d'Enéa Balmas, je dois dire que cela m'a quand même un peu déçue parce qu'il m'a semblé qu'il a montré plus de compréhension pour Jodelle que n'importe quel critique. C'est le seul de tous les critiques à avoir vu que l'*Eugène* n'est pas l'abbé des farces. Tous les autres critiques l'ont seulement considéré comme cela, et Balmas a au moins vu que si la pièce est cynique, ce n'est pas le cynisme des farces comme disent tous les autres critiques. Je vois très bien pourquoi les autres ont pu le dire. Je me suis surtout occupée de l'*Eugène* parce que, d'après moi, c'est la pièce la plus intéressante, la plus originale. On voit toujours le même mécanisme, mais d'une façon beaucoup plus pâle, plus stéréotypée, moins originale. Il me semble que l'*Eugène* est certainement la pièce la plus intéressante. L'*Eugène* est la seule pièce où il y ait un personnage de cette force. Toutes les autres pièces sont des pièces de plusieurs personnages, tandis que l'*Eugène* est une pièce d'un seul personnage, ce qui la rend toujours plus passionnante, plus fascinante. C'est aussi la première de ces pièces. Je crois qu'ainsi elle a innové toute la conception du personnage théâtral, du personnage comique. Je crois que c'est une innovation que l'on pourrait tracer à partir d'*Eugène* jusqu'à ce jour. C'est pour cette raison que je me suis penchée surtout sur l'*Eugène*.

Stegmann. — D'autre part, vous avez essayé de montrer un double visage d'*Eugène*, de sauver le personnage en montrant que cet égoïsme forcené, cet attrait du plaisir était un trait de folie intelligente qui était de l'égoïsme épicurien. C'est une interprétation fort légitime. Je me demande si elle est bien dans les intentions de Jodelle, qui a bien fait de cet homme, n'est-ce pas, le bouc émissaire de tout ce qu'il détestait.

Sankovitch. — Je suis tout à fait d'accord. Je n'ai pas voulu sauver *Eugène* en voulant en faire un personnage sympathique. J'ai plutôt essayé de le sauver comme personnage dramatique. J'ai voulu en faire un personnage comique intéressant, ne pas le laisser comme l'abbé des farces. Il joue le rôle de cet intellectuel stoïcien épicurien, mais ce que je condamne en lui ce n'est qu'un rôle qu'il joue, c'est une image qu'il se fait de lui-même. Cet épicurisme hautain cache des choses sordides, et je ne vais pas dire que l'*Eugène* c'est une malheureuse victime de la société. Je veux expliquer d'où vient le pessimisme de ces pièces, pas seulement de l'*Eugène*, que je vois comme un concours de circonstances qui sont propres à cette Renaissance finissante.

Quelques considérations sur le Niemand et ... Personne

Enrico CASTELLI-GATTINARA

Professeur à l'Université de Rome
Président du Centre International d'Etudes Humanistes

I

Les considérations qui suivent sur le *Niemand* et ... *Personne* entendent-elles établir l'identification de *Chacun* avec *Personne* ? Voilà le problème qui se rattache à celui de la « folie ».

L'image de la « folie », comme Robert Klein, tragiquement trop tôt disparu, l'a justement remarqué, est un instrument d'auto-compréhension. Figuration de la *indignitas hominis*, obsédante pour les contemporains qui descendaient de ceux qui avaient fait de la *dignitas hominis* la pierre angulaire de leur philosophie, elle illustre et résume toute une anthropologie qui fut extrêmement actuelle à la Renaissance. Robert Klein écrit à ce propos : « L'arme spirituelle du fou, l'ironie qui opère le détachement, servait aux moralistes de toute sorte pour dénoncer précisément la folie ou l'aveuglement, qui étaient la condition normale de la vie dans le monde. L'ambivalence des désirs de l'âme incarnée répond à l'ambivalence de la folie ; le tiraillement est si constant et si commun, qu'un *Jeu des Fées* représenté en 1561 à Anvers par la Chambre de Rhétorique de Bois-le-Duc a pu montrer le Roi des Fées guérissant les fous ordinaires par le don de la folie totale. L'humaniste, lui, devait guérir les gens par le moyen contraire [1]. »

La fortune de Lucien dans le monde de l'humanisme, conjointe à l'œuvre de Leon Battista Alberti, d'Erasme et de More, introduit la dimension de l'ironie au temps de l'éclipse du Moyen Age, suivi par la Renaissance qui est, certes, la renaissance d'une sorte de stoïcisme, mais aussi la fin de l'aventure du gothique et l'avènement de la *divina proporzione*.

L'éloge du mendiant (dans le *Momus* d'Alberti), le seul qui soit vraiment libre, recèle un éloge de la folie. Dans le *Momus*, les trois discours sur l'existence des dieux sont les discours d'une folie *sui generis*, celle qui est le plus sentie — étrangement — par celui qui croit trouver une perfection dans la doctrine de la *proporzione*, dans l'idéal de la construction (du palais, de la place, de la rue) selon les nouveaux canons ; j'ai dit « étrangement », précisément parce que l'*étrange* (l'étranger) est un des aspects de la liberté, est ce qui s'oppose au *conforme* — conforme à un plan géométrique de l'existence : séduisant mais insupportable.

L'histoire de la perspective, a écrit Panofsky, « peut être conçue comme un triomphe du sens de la réalité distançante et objectivante, ou bien comme le triom-

---

[1] R. KLEIN, « Le thème du fou et l'ironie humaniste », dans *Umanesimo e Ermeneutica*, cahier de « L'Archivio di Filosofia », 1963.

phe de la volonté de puissance de l'homme qui tend à annuler toute distance ; soit comme une consolidation et une systématisation du monde extérieur, soit comme un élargissement de la sphère du Moi » [2]. C'est l'histoire de l'*insecuritas* filtrée dans la philosophie de la vie de Bruegel l'Ancien à travers la série des dessins pour les gravures exécutées par Cock. L'histoire est un désordre infernal, et la « Patience » est ce qui permet le passage à un monde meilleur.

Dans l'humanisme et dans la Renaissance Léonard et Bosch, Dürer et Michel-Ange, l'école danubienne et le Bruegel du *Misanthrope* ont leur rôle, mais aussi celui des paysans.

La *Narrenschiff* de Sebastian Brant ne fait qu'un avec la figure du *Niemand* (*Elckerlijk, Everyman, Jedermann*), et le *Niemand* est, en un certain sens, le symbole de l'*insecuritas*, celui qui est responsable de tous les maux. Le symbole du mal-être est *Chacun* (*Elck*). La vraie sagesse qui dévoile dans la personnification de toutes les fractures (le *Niemand*) le visage de l'humanité.

Dans mon livre *Images et Symboles*, une étude de philosophie de l'art sacré [3], j'ai relevé qu'une étude comparative entre la *Table de la Sagesse* (ou *Table des sept péchés*, comme on l'appelle communément) de Bosch et les figurations du *Niemand* pourrait jeter une lumière sur le rapport entre un « pénitentiel peint » et le tableau de l'« existence commune », axée sur les ustensiles épars le long du chemin de la vie banale. La figuration du *Niemand* est celle de la *Moria* elle-même (*Personne* est responsable de la perte des significations des outils journaliers). On pourrait dire que si l'humanisme authentique est celui du *De vanitate scientiarum* d'Agrippa et du *De veris principiis* de Nizolio, non moins authentique est l'humanisme nordique du *Niemand* (le *Nobody* anglais) qui est la mise au point d'un nouveau type d'humanisme. La solidarité réside dans l'anonymat. *Chacun* est coupable (ce qui équivaut à : *Personne* est coupable — l'égalité dans la culpabilité). Indifférence à l'égard de la différenciation ? Pour *Chacun* l'indifférencié est une offense (prélude de la mentalité démocratique).

Anonymat et folie, *scientia* et *damnatio* sont le point de départ pour un approfondissement ultérieur du monde de la Renaissance. Le sens de l'anonymat est étroitement conjoint au sens du tragique. L'homme de la rue n'est personne, mais l'homme de la rue attribue à *Personne* ses méfaits. Le drame allégorique *Elckerlijk* (*Miroir du salut de Chacun*) est en stricte connexion avec le *Niemand*, même si le contenu eschatologique le différencie de l'image de *Personne*. Citer *Chacun* devant le tribunal de Dieu (noyau de l'allégorie) c'est mettre au point non pas la note commune de la pensée (la raison de tous), mais ce par quoi *tous* et *personne* sont la même chose.

La fin de la *securitas* est l'avènement de la nouvelle conception de l'homme, où l'« astuce » a des prétentions que le désordre des événements annule mettant au premier plan la représentation ironique d'un « monde à l'envers » et le droit à la folie. C'est sur ce droit qu'Erasme médite en franchissant les Alpes pour arriver à Constance, ce droit qui nous a donné le célèbre *Morias Encomion*, témoignage d'une réalité qui nous pousse à dépasser la raison du droit lui-même.

---

[2] E. PANOFSKY, *Die Perspective als « symbolische Form »*, Leipzig-Berlin, 1927.
[3] E. CASTELLI, *Images et Symboles*, Hermann, Paris, 1971.

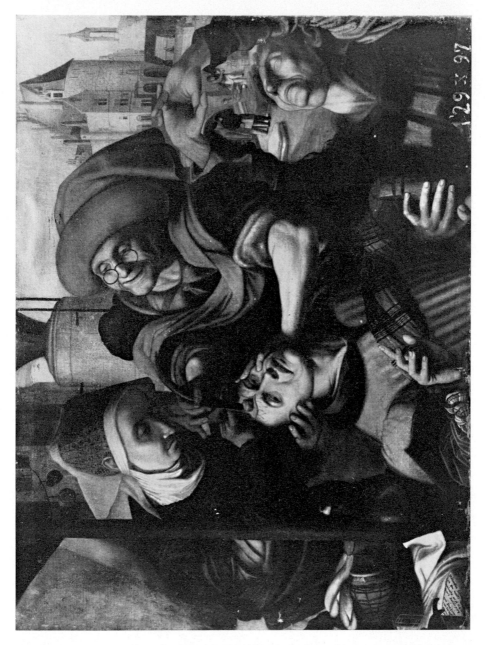

Jan van Hemessen, *La pierre de la folie*, Madrid, Musée du Prado.

Bruegel l'Ancien, *La pierre de la folie*. Gravure.

II

Le monde de l'humanisme représente à travers une iconographie significative la faillite de la tentative de vouloir que l'homme soit rationnel. Nombreuses sont les peintures représentant l'extraction de la pierre de la folie, mais dont la conclusion est toujours évidente : il n'y a de pire folie que celle de vouloir extirper la pierre de la folie.

Parmi ces peintures, remarquable est celle de Bosch (musée d'Amsterdam) où les êtres démoniaques qui encerclent le tableau semblent affirmer que se laisser tenter par la science trompeuse est démoniaque. Très intéressante pour notre sujet est aussi la table d'un anonyme espagnol du XVe siècle, où saint Luc est représenté dans l'acte d'extraire la pierre de la folie. L'iconographie est singulière, étant donné le personnage. L'artiste était bien loin de la dénonciation satirique de Bruegel et de Teniers. Mais, en était-il vraiment si loin ?... Ingénuité ou désacralisation ? Le tableau dégoûtant et satirique de Jan van Hemessen est un commentaire du passage érasmien de l'*Eloge de la Folie* et une confirmation de l'admonition du poète flamand Jan van Stijevoort, dans son recueil de poésies paru en 1524 : « Il convient que la pierre de la folie soit laissée mûrir en secret ; si elle était mise à nu on l'extirperait ; néfaste conclusion, cette pierre étant indispensable au bien-être. »

La représentation d'Aristote chevauché par la prostituée est très ancienne (le lai d'Henri d'Andéli est du XIIIe siècle), mais elle devient populaire seulement à la Renaissance, particulièrement en Allemagne au début du XVIe siècle dans les *Festnachtspiele* et en 1547 par l'œuvre de Hans Sachs. Parmi les nombreuses gravures populaires italiennes, françaises et allemandes, qui sont la démonstration d'un anti-aristotélisme très répandu, on doit signaler la xylographie de Urs Graf de 1519 et aussi son grand dessin de 1521. On y voit le vieux philosophe, avec mors et brides sur sa barbe flottante, sourire aux coups d'une Phyllis en costume suisse de XVIe siècle. Sourire, mais pas raisonner.

Cette scène est le clair symbole de la réalité humaine : le sadisme de l'irrationnel. La logique ne suffit pas à nous faire vivre selon la raison, et il n'y a pas de raisons suffisantes qui empêchent le savant d'affronter des situations étranges. Ce n'est pas Aristote fouetté par Phyllis qui est ridicule, le ridicule est de croire qu'il existe une raison suffisante qui empêche une attitude incompréhensible. La sagesse n'est pas suffisante : elle n'*assure* pas. L'humanisme a montré le « savoir du risque », ou mieux : la sagesse du risque.

Aristote fouetté c'est la raison fouettée. On le voit courbé sous les coups de la prostituée aussi dans un grand bas-relief en bois de la cathédrale de Lausanne (œuvre antérieure à la Réforme). C'est un emblème qui ne donne pas lieu à équivoques : la raison mérite le fouet, et qu'on ne dise pas qu'elle « déraisonne » car le symbole est clair : même pas « il maestro di color che sanno », comme l'appelle Dante, le maître des savants, n'est capable de vaincre la prostituée aux yeux libidineux (« da gli occhi putti »), le désir insensé.

L'impossibilité d'une morale naturelle coïncidant avec la réflexion sur la primauté de la raison sur les instincts, a été établie par les hommes de l'humanisme et de la Renaissance. Bien plus par les artistes que par les philosophes, c'est vrai ; mais les artistes sont les vrais révélateurs de l'esprit du temps. La philosophie de Bosch, de Bruegel, de Grünewald est importante autant que celle de Pic de la Mirandole, de Ficin, de Salutati.

Dans la *Mélancolie* de Dürer et en celle de Cranach nous avons une anticipation de la découverte du nocturne pour une intelligence du diurne ; dans la *Dulle Griet* de Bruegel, le rêve de la folie qui écrase l'humanité ; dans le *Déluge* de Bosch, la nef de la folie humaine (symbole vétéro-testamentaire annonçant la *Stultifera navis*) ; dans les dessins de Léonard, l'allégorie des forces impitoyables de la nature (une admonition contre les ambitieuses prétentions de la science).

La *Stultifera navis*, nouvelle odyssée pour un approfondissement de la connaissance de l'homme prisonnier dans la nef symbolique, marque la limite entre le sacré et le profane : le profane des *Proverbes* de Bruegel et le thème caché d'un *contemptus mundi* paraphrasé. Le *Liber vagatorum*, publié vers 1500 à Bâle, est un développement significatif de ce chapitre de la *Stultifera navis* dédié aux mendiants (plus qu'aux mendiants, aux gueux) qui se relie indirectement à *L'exorcisme des fous* de Thomas Murner et précède la *Laus Podagrae* de Pirkheimer, paradoxale célébration du négatif. Dans le *Volksbuch* de 1515, Eulenspiegel (en faisant abstraction de toute considération possible sur le *Spiegel*) est un surréaliste *ante litteram*. Ce personnage (contemporain de ceux de la *Stultifera navis*) mériterait un approfondissement : d'une part il est la folie triomphante, d'une autre l'allégorie du jeu comique (ainsi a-t-il été défini), mais on pourrait aussi le définir « allégorie du jeu de l'existence humaine ». Le grotesque d'Eulenspiegel est le même que celui de ces étranges êtres qui entourent le *Char à foin* de Bosch.

Significatif est le fait que Holbein le Jeune ait dessiné sur les marges d'un exemplaire de l'édition de Bâle de 1515 de l'*Encomium Moriae* un commentaire iconographique des thèses d'Erasme : si le monde est fou et si la folie constitue, par suite, la condition d'une existence normale, encore plus fou est celui qui, afin de montrer la vraie voie du salut, affronte la « folie de la Croix ». On entrevoit une nouvelle herméneutique du présupposé de la folie.

Dans l'*Adoration des Bergers* de Bosch (Wallraf-Richartz Museum de Cologne), on aperçoit un personnage ricanant qui regarde intensément vers la Vierge. Ce mystérieux personnage, qui a les caractéristiques du « fou » (même s'il ne paraît pas étreindre dans ses mains une marotte) ne peut pas être considéré comme berger, soit parce que son regard ne se pose pas sur l'Enfant-Jésus, soit parce qu'une ironie mal cachée affleure sur ses traits. C'est un tableau qui sans doute n'était pas destiné à un autel. Même ne voulant pas accepter l'hypothèse de Fraenger (qui veut Bosch disciple de la secte du Libre Esprit), il est clair que l'idée de la suprématie de la folie dans l'histoire domine dans l'œuvre du peintre. Dans la scène de la Nativité, la folie est cachée mais présente, même si elle est une folie *sui generis*.

Notons, en passant, à ce propos que la première figure des tarots c'est *Le Bagatel* (comme nous le trouvons écrit dans les jeux de cartes français du XVIe siècle) et la dernière (non numérotée) c'est *Le Fou* : l'aléa de la bagatelle du commencement se conclut dans la folie : un résumé *sui generis* d'une histoire qui ne rentre pas dans la vision machiavélique de l'histoire de l'humanité. Le *Jongleur* de Bosch, du musée de Saint-Germain-en-Laye, reproduit le personnage de la première carte des tarots : l'histoire comme jeu.

Le symbolisme poussé à l'extrême est un des aspects positifs de la « folie » où la polyvalence du masque (le symbole) démasque la direction unique d'un discours qui ne voudrait laisser aucune alternative, et indique ce *status deviationis* que les penseurs du XVIe siècle tâcheront de faire disparaître. La « folie » comme

Lucas Cranach l'Ancien, *Melancolie,* Stockholm, Musée National.

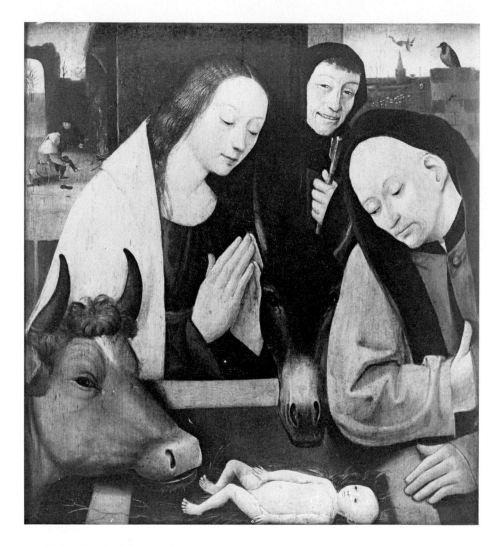

Jérôme Bosch, *Adoration des bergers,* Köln, Walraf-Richartz Museum.

antidote aux simulations de la raison. Si à l'humanisme revient le mérite des représentations symboliques de la *Stultifera navis* et de l'*Encomium Moriae* — proclamation d'une liberté conquise à travers la vision d'un monde à l'envers — la responsabilité d'une vision pessimiste de l'histoire (histoire du pouvoir) retombe sur le machiavélisme qui fait de la simulation le principe de raison suffisante de la Raison d'Etat.

III

Le langage symbolique sacré acquiert dans l'humanisme un caractère quasi magique, qui résume la « parole révélée ». *Per speculum in aenigmate* est interprété à travers le signe (le dessin) qui traduit le temps d'une discursivité (l'Evangile) dans la « présentialité » d'une allégorie déroutante.

L'homme se trouve entre deux inouïs : la découverte du monde à l'aide d'un savoir jaillissant de l'observation de la nature (mesure et limite) et la découverte du signe immédiatement révélateur de la « bonne nouvelle ».

L'herméneutique sacrée naît de l'*insecuritas* de la « parole » qui trouve dans la représentation visuelle symbolique la monstruosité de certains rapprochements, mais aussi la révélation de la synthèse abyssale contenue dans le Nouveau Testament.

On a écrit que dans le royaume du langage c'est la fonction symbolique qui « fait parler » les signes matériels en les vivifiant.

Le *De hominis dignitate* découvre, dans l'aire de l'humanisme, le double langage qui traduit dans le monde de la Réforme et de la Contre-Réforme la *Biblia pauperum* des fresques médiévales dans l'« hiéroglyphe » éclairant à travers une figure évocatrice.

L'interprétation est-elle reliée à la figure évocatrice ? ou bien celle-ci n'est-elle qu'un moyen pour rappeler le discours évangélique ?

Le symbolisme de l'image évocatrice dépasse l'évocation elle-même, et l'image devient à son tour un aspect (un *monstrum*), un élément nouveau précisément parce qu'elle est quelque chose d'*autre* (une proposition) qui jaillit de la technique graphique elle-même et qui nous laisse interdits : ce sentiment d'*insecuritas* que l'image symbolique renferme en soi parce qu'elle dévoile quelque chose de nouveau.

L'image est une réalité à interpréter, une conquête des *studia humanitatis*.

« Celui qui sait où est le nid a le savoir, celui qui le vole a le nid. » Ainsi dit un proverbe flamand que Bruegel l'Ancien a illustré dans le célèbre tableau *Le Dénicheur*, du musée de Vienne. Est-ce l'illustration de la « folie » du savoir ? Evidemment le paysan qui montre du doigt le dénicheur n'aperçoit pas le ruisseau à ses pieds, où il va tomber et qu'il ne sait pas éviter, il ne regarde pas le chemin. Le « savoir » est un aspect de la folie, une aberration du vide parce qu'il n'est pas suffisant ; figuration *sui generis* du *Niemand*, dirait Ulrich von Hutten. Le savoir est-il un néant ? Le faire qui conduit au vol du nid, selon le proverbe flamand, conduit-il aussi à la possession d'un néant ? Celui qui vole pour voler ne sait quoi faire de ce qu'il a volé, parce que ce qu'il a volé est autre chose... Serait-ce le vol du savoir ? Peut-être, mais le savoir volé ne donne pas des fruits, ne nidifie pas.

Ni l'agir ni le connaître ne suffisent à donner un sens à l'existence. *Personne* ne reste debout, et le *personnage* est, en un certain sens, « personne » ; le *Niemand* de la Renaissance qui a découvert la *stultifera navis*.

Ce n'est pas seulement la gravure de *Elck* qui se relie à la figuration du *Niemand*, mais s'y relie encore plus tragiquement le tableau du *Dénicheur* : néantisation du faire et du savoir.

Niemand, *Personne* et *Personnage* : trois masques d'une folie que l'existence humaine démasque dans le théâtre de la vie instauré par la Renaissance au siècle de Bruegel.

Oui, c'est un *Personnage* la grande figure au premier plan du tableau *Le Dénicheur,* avec le symbole des créatures inutiles : le saule tordu se penchant sur le ruisseau. Mais tout *personnage* n'est que ... *Personne*, parce que *Chacun*, comme nous avons relevé à propos de Bruegel et son *Elck*, et *Tous* ne sont pas *Quelqu'un*, et si *Chacun* n'est pas *Quelqu'un*, il est ... *Personne*.

Discussion

Le Professeur Castelli n'ayant pu présenter lui-même sa communication, c'est le Professeur Bonicatti qui se charge de répondre aux questions qui seront posées.

Marijnissen. — Du texte de M. Castelli, j'ai noté une phrase : que l'image est une réalité à interpréter. C'est là justement toucher à toute la difficulté de l'interprétation des œuvres d'art. Imaginons que l'image soit cet écran-là. L'artiste se projette dans son œuvre et y dépose son message, quel qu'il soit. Nous croyons souvent que ce message est reflété par cette œuvre et qu'il nous arrive à nous, spectateurs. Or c'est le spectateur qui, à son tour, se projette dans cette œuvre. Celui qui s'y reconnaît trouve l'œuvre intéressante. Ceux qui ne s'y reconnaissent pas, trouvent que le tableau est mauvais. Il en est de même quant à l'appréciation d'un livre, d'un film, d'une pièce de théâtre ou de toute œuvre d'art. Finalement, je crois qu'il y a lieu de se méfier de l'érudition. Je crois que des peintres tels que Bosch et Breugel se trouvaient beaucoup plus près du peuple que de l'érudition moderne. Souvent en interprétant les œuvres anciennes, nous faisons étalage de notre érudition et de nos connaissances, et parfois nous nous fourvoyons. Monsieur Castelli dit à un certain moment que la « Dulle Griet » représente le rêve de la folie qui écrase l'humanité. Là, nous retombons sur un thème discuté hier et je crois devoir affirmer qu'à mon avis la « Dulle Griet » n'a rien à voir avec la folie. Ce que nous oublions souvent, c'est que l'humour de nos ancêtres n'est pas le nôtre. Au seizième siècle, la littérature des Pays-Bas est truffée de lieux communs. Je cite un autre lieu commun, par exemple, les « clappaerts » : c'est-à-dire les mauvaises langues. Dans combien de chansons et de textes ne se plaint-on pas des mauvaises langues ? Or je crois que le thème de la « Dulle Griet » est, lui aussi, une espèce de lieu commun. Quant à « Elk », son vrai thème est, je crois, l'égoïsme. Il y a dans le coin supérieur gauche une scène révélatrice où deux personnages sont en train de tirer un morceau de drap. C'est l'illustration du dicton « elkeen trekt om 't langste ». Traduit mot à mot on pourrait dire : chacun tire pour avoir le plus grand morceau. En langage moderne on dit : chacun tire la couverture à soi. Il s'agit encore une fois d'un lieu commun. Evidemment nous pouvons nous épuiser en considérations philosophiques au sujet de l'opposition « elk-niemand » (chacun et personne), mais je crois que le message consigné par Breugel dans sa gravure est bien plus simple.

Bonicatti. — M. Marijnissen est-il en possession d'une diapositive de la *Dulle Griet* ? Je pense que tout le monde connaît la *Dulle Griet*, mais il est difficile de discuter sur le sujet dans le sens iconographique. Je suis tout à fait d'accord sur « elck », parce que l'opinion de Castelli n'est pas la même pour moi. Je suis d'accord sur la signification de « elck » mais vous avez donné une signification, et pourtant vous pensez qu'il y en a une. Selon moi, je pense que *Dulle Griet* correspond d'une certaine façon à l'origine du titre qui n'est pas moderne.

Marijnissen. — Le titre original se trouve chez Van Mander. Dans son « Schilderboek » il parle de « Griete die een roof voor de helle doet ». Le mot clef c'est « roof » qui veut dire : rapine, vol. En d'autres mots « Dulle Griet » est une femme tellement audacieuse — elle a un caractère tellement mauvais et téméraire — qu'elle irait jusqu'à voler ce qui appartient au diable, d'où cette illustration : les pots à étourneaux qui sont accrochés à l'entrée de l'enfer.

Bonicatti. — Nous disons la même chose mais en d'autres termes. Vous interprétez le thème de la folie dans le sens de M. Céard qui parlait de psychopathie. Mais peut-être s'agit-il d'une folie du mal ; alors c'est une folie dans le sens moraliste. Il est très fréquent dans la tradition des Flandres d'intervenir sur le thème de la folie comme un royaume du diable.

Marijnissen. — Personnellement, je crois que c'est plutôt le peintre et, par son intermédiaire, le peuple, qui se moque d'une attitude ou d'un comportement.

Bonicatti. — Il y a une démonologie fondamentale dans les tableaux lors de la projection des diapositives. Ce que vous dites, à propos de l'interprétation de l'érudition : je suis d'accord avec vous que le tableau était fait pour le peuple, mais « le peuple » dans un certain sens, non celui des paysans. Si vous pensez qu'une interprétation de ces tableaux est possible, en dehors de notre érudition, c'est une thèse à développer. Vous acceptez la thèse d'une iconologie fondamentale dans la peinture de Bosch et de Breugel. Je voudrais revenir sur le thème de la *Dulle Griet*.

Gerlo. — Lorsqu'on voit le « elck », il y a tout de même tous les ustensiles de ménage qu'on trouve sur toutes les gravures du « Nemo », du « Niemand ».

Marijnissen. — Nous y trouvons non seulement les symboles du négoce, mais aussi ceux des métiers et du jeu. Là, encore une fois, Breugel se réfère à des thèmes qui reviennent tout le temps dans les chansons et dans la littérature de l'époque.

Plard. — Je suis en désaccord complet avec l'interprétation que M. Castelli a donnée du tableau célèbre de Bosch au Musée Wallraff-Richartz de Cologne, la Nativité du Christ, et spécialement du personnage central dans lequel M. Castelli verrait volontiers un fou. Il dit que l'objet que tient cet homme est une marotte. C'est impossible. Je connais bien le tableau ; j'ai été plusieurs fois à Cologne ; je l'ai vu ; il s'agit d'une houlette. Ce qu'on voit en haut de la houlette, c'est naturellement son fer. S'il y avait les couleurs, cela serait parfaitement évident. Il dit qu'il a un capuchon. Mais Bosch s'imagine la scène dans son Brabant natal : au mois de décembre, un berger qui garde les troupeaux dans les champs pendant la nuit porte évidemment un capuchon. Et il dit que sa physionomie est ricanante. Mais l'interprétation du personnage me paraît au moins ambiguë. Enfin il nous dit que cela ne peut être en aucun cas un tableau d'autel. Quand on peint une Nativité, en général, on la peint pour une église, ou pour une fin pieuse, et si on peint alors une Nativité qui n'est pas un tableau d'autel, moi, je demande ce que c'est, dans ce cas-là.

Bonicatti. — Pour la précision (en réponse à M. Plard), M. Castelli dit : « même si ce n'est pas une marotte » ; d'ailleurs la thèse du fou (ou mieux, de la folie) à propos du personnage ricanant, suggère que peut-être le tableau était parmi ceux destinés aux appartenants à la secte du Libre Esprit. Une supposition qui n'est pas démontrable, mais c'est quand même une possibilité sur laquelle M. Castelli et M. Fraenger pourraient se trouver d'accord.

Je pense qu'on peut discuter sur ce sujet. Que pensez-vous qu'il représente dans le sens iconographique ? Ce n'est pas une Nativité du Christ ? Il y a une iconographie de la Nativité du Christ avec trois personnes. Peut-être la troisième personne en ce cas est-elle un ange ?

Plard. — Vous avez les thèmes iconographiques traditionnels, avec à gauche saint Joseph, à droite la sainte Vierge, l'âne au milieu, le bœuf à la droite et un seul berger — c'est la singularité du tableau, probablement à cause des dimensions de celui-ci. Je ne vois pas de mystère dans tout cela.

Bonicatti. — Dans ce cas, je suis d'accord avec M. Castelli mais je ne le suis pas avec la déduction sur la signification la plus profonde de cette image. Il ne s'agit pas d'une Nativité avec un berger.

Plard. — En effet, il n'y a qu'un seul berger. Normalement, il devrait y en avoir plusieurs. Mais il est possible qu'un berger représente l'ensemble des bergers. Ce n'est pas tellement mystérieux.

Bonicatti. — Dans mon expérience, je ne connais dans l'histoire de l'art de la Renaissance aucune iconographie avec un seul berger dans cette position.

Marijnissen. — Bosch est un personnage hors de pair. Nous savons très bien qu'il y a encore d'autres tableaux de Bosch qui, du point de vue iconographique, sont tout à fait exceptionnels. Songeons, par exemple, à sa « Nativité » au Prado. Comme vous le savez, il y a eu toute une discussion autour de cet énigmatique quatrième roi-mage. Quant au tableau de Cologne, on dit que le berger ricane ; là aussi, je crois qu'il faut faire très attention. Dans tout le XVe siècle, on voit sur les tableaux des personnes qui assistent impassiblement à des scènes de tortures horribles. En tout cas, ils n'ont pas la physionomie que nous attendons. C'est un aspect de l'art ancien qui ne semble pas avoir été expliqué d'une façon satisfaisante. A tout moment des pièges nous sont tendus.

Marc'hadour. — Nous avons ici également ce tableau sous les yeux [1] et nous le regardions à trois pendant l'interruption. Il est clair que le berger — que Castelli appelle donc un fou ricanant — ne regarde pas la sainte Vierge non plus. S'il regarde quelque chose, c'est plutôt nous. Il a un regard presque de face. Je crois

---

[1] Dans le livre de 1971, « L'Umanesimo e la Follia », de E. Castelli et al.

que, physiquement, il est impossible de penser que ses yeux puissent tomber sur le visage de la Vierge, lequel est un visage qui, à mon avis, aiderait à prier. Je trouve qu'il y a beaucoup de Nativités dans nos églises, dans les cartes qui nous servent à Noël (des Nativités de Raphaël et autres) où la Vierge est moins belle, moins sereine que dans cet admirable tableau de Cologne.

Bonicatti. — Il n'y a pas de prière.

Marc'hadour. — Je ne dis pas qu'il prie. Ce que j'ai dit, c'est qu'il ne regarde pas la Vierge. Et quant à l'ensemble de la scène, je n'hésiterais pas à le mettre dans un oratoire.

Bonicatti. — Je suis d'accord avec M. Castelli qu'il ne s'agit pas d'un berger. Je ne sais pas de quoi il s'agit, mais vous dites qu'il nous regarde ; il regarde la Vierge. Le seul cas pour conclure, pour accepter une interprétation non traditionnelle, c'est-à-dire, une interprétation selon laquelle il s'agit d'une Nativité, c'est l'hypothèse de M. Marijnissen selon laquelle Bosch a créé ici une autre iconographie de la Nativité ; parce qu'il s'agit de quelque chose entre une Nativité et une adoration du berger. Je ne connais aucun exemple d'une Nativité avec un berger dans la position la plus importante : entre la Vierge et saint Joseph, et il faut dire que Bosch a créé une nouvelle iconographie. Mais dans ce cas, il faut le démontrer, comme M. Castelli doit démontrer qu'il s'agit d'un fou.

Namer. — Ce personnage, qui est en somme le plus intéressant de tout le tableau, est beaucoup plus près de Machiavel que d'un berger ; il a un regard extraordinaire et un sourire inouï. Comment se fait-il qu'on ait choisi cet homme-là pour être un berger ? Cela m'étonne beaucoup d'un peintre comme Bosch.

Stegmann. — Nous sommes ici dans un problème fort difficile, qui semble plutôt querelle d'école. Il s'agit de savoir s'il faut se contenter du niveau folklorique, ou s'il faut y ajouter le niveau symbolique. Le symbole est énigmatique et polyvalent : la question est de savoir quand s'en servir. Et il y a danger à s'en servir imprudemment. Dans le cas présent, on pourrait encore invoquer un autre symbole, celui de l'âne, si riche à l'époque, et lié au thème de la folie, car depuis Isidore de Séville ou Albert le Grand, on interprète « asinos » comme « in-sania » (privé de sens). Alors tout le problème, à tous les niveaux, qu'il s'agisse d'une image ou d'un texte littéraire, c'est de savoir si un auteur qui peint un âne cache une intention. Dans ce tableau, qui n'est pas une simple *Nativité* — et ce n'est qu'une hypothèse toute subjective — au mystère du personnage (berger ou fou ?) s'ajoute qu'il est entre les oreilles de l'âne. Anomalie supplémentaire par rapport à la tradition des Nativités. Je pense, avec M. Bonicatti, qu'on ne peut pas ne pas tenir compte de ces anomalies.

Gerlo. — Je ne crois pas que c'est un fou qu'on représente là. Je suis d'accord plutôt avec M. Marijnissen que nous faisons trop en voulant interpréter des tableaux, ce qu'en allemand on appelle « hinein interpretieren ». C'est un berger, je crois, et rien de plus. Mais ce qui m'a frappé dans la communication de M. Castelli, c'est la phrase où il parle d'un Humanisme nordique. Je crois que là il y a quelque chose de nouveau, lorsqu'il dit qu'on trouve le *Nemo* exclusivement dans l'Humanisme du nord et non pas en Italie. Je crois qu'il s'agit là d'un alinéa très important dans l'exposé de M. Castelli. C'est une veine qu'on pourrait appeler démocratique. Il y a autre chose dans l'Humanisme du Nord. Il y a aussi, comme spécialité de ces régions-ci, le pacifisme. Je crois que, dans l'Humanisme nordique, la veine pacifiste est certainement plus développée que dans l'Humanisme méridional.

Bonicatti. — Pour conclure, je vous rappelle que l'iconographie est une branche de l'histoire de l'art. Et à partir de l'époque paléochrétienne, il y a une iconographie de la Nativité, une iconographie de l'adoration du berger. En tout cas, nous devons décider dans le cas du tableau de Cologne et de Bruxelles (celui-ci, à mon avis, est l'original, l'autre la copie) : à savoir s'il s'agit d'un berger ou non. Il faut que nous suivions nécessairement les attributs iconographiques de l'image, et alors dans ce cas, il n'existe aucun attribut iconographique, ni dans la composition, ni dans l'image même qui peut se rattacher à la tradition iconographique du berger dans l'adoration. Dans ce cas, il faut étudier le tableau et proposer une question sur des termes iconographiques de l'image même.

Marijnissen. — L'iconographie c'est justement le nœud de l'affaire. Parfois il est profitable de s'approcher du problème par un certain biais. Permettez-moi de citer un cas qui, à mon avis, est tout à fait décisif, notamment l'interprétation d'une gravure de Breugel : « De magere keuken » : la cuisine maigre. Devant l'âtre une femme est assise dans une espèce de van. Wilhelm Fraenger — pourtant folkloriste — affirme dans un article que la nourrice en train de nourrir son poupon devant le feu, est paralysée. Ainsi ce van servirait à traîner cette femme à travers la cuisine. Or nous savons que c'est une « bakermat », objet typiquement néerlandais qui semble tomber en désuétude vers le milieu du XVIIe siècle. Pour interpréter cette gravure, il faut d'abord savoir ce que veut dire « bakermat ». Même les Flamands ne connaissent plus cet objet ; ce qu'on connaît encore c'est la signification symbolique du mot. On dira p. ex. : La Grèce est la « bakermat » de la culture occidentale. On dit aussi : « te heet gebakerd zijn », quand il s'agit d'un homme coléreux. Nos ancêtres croyaient que la chaleur du feu pouvait avoir une influence sur le tempérament de l'enfant. Voilà comment on peut s'égarer en interprétant une scène sans avoir identifié certains objets représentés.

Bonicatti. — Votre observation n'a aucun rapport avec le problème iconographique du tableau de Cologne et de Bruxelles parce qu'avant tout, il s'agit, dans la cuisine maigre et dans la cuisine grasse, d'une iconographie non traditionnelle. La Nativité comme l'Adoration des Mages sont parmi les iconographies les plus traditionnelles de l'histoire de l'art. Si vous voulez affirmer qu'il s'agit d'un berger, il faudrait nous donner les éléments iconographiques pour parler d'un berger et il n'y a pas d'élément iconographique pour le reconnaître comme tel. Il s'agit d'une figure mystérieuse. Nous pouvons dire que nous ne sommes pas d'accord avec M. Castelli — il s'agit d'une image mystérieuse — mais sa position et sa construction iconographique même n'ont rien à faire avec le berger traditionnel de la Nativité.

Gerlo. — Il me semble qu'il pourrait même avoir les traits d'Erasme. Un peintre s'inspire quelque part.

Badius Ascensius' "Stultiferae Naves" (1501), a Latin addendum to Sebastian Brant's "Narrenschiff" (1494) (Ship of Fools)

Aloïs GERLO

*Directeur de l'Institut Interuniversitaire pour l'étude de la
Renaissance et de l'Humanisme
Recteur de la Vrije Universiteit Brussel*

In world literature, few works have been more successful than Sebastian Brant's " Narrenschiff " (Ship of Fools), which first came out at Bâle in 1494, — that " lay Bible, on which a whole era has fed ", as its editor F. Schultz put it [1].

From 1494 up till now, on an average one issue has been published every six years. It is with " Narrenschiff " that German literature makes its entry on the stage of European literature and contributes, immediately, to give it a new direction and a fresh impulse. For, abroad too, the German Brant is rightly considered to be the founder of a new literary epoch.

Brant represents a significant phase in European thinking. He is a typical transition-character. As an exponent of the higher middle classes, who adequately expresses the townish bourgeois spirit, he resolutely turns his back on the mediaeval ideal of chivalry. Nevertheless, he keeps being tied up with these middle ages, by quite a number of traits in his personality.

" The human faults and sins considered as so many species of folly, and all those found wanting in the moral sense kept together as a ship's crew " [2] — that is, in a nutshell, the contents and the form of Brant's allegorical poem. It consists of a prologue and 112 chapters, each illustrated with a woodcut.

All imaginable human follies and shortcomings are put on the stage and satirized by Brant. The " Narrenschiff " is a motley panorama of the moral deficiencies in German society, at the end of the 15th century. How far it may be trusted to reflect a true picture, can not easily be said. But its success was instantaneous and overwhelming, in Germany as well as abroad. Quite impressive is the series of translations, adaptations and imitations which were published within a couple of decennia [3].

---

[1] F. SCHULTZ, *Sebastian Brant, Das Narrenschiff. Faksimile der Erstausgabe von 1494 mit einem Anhang enthaltend die Holzschnitte der folgenden Originalausgaben und solche der Locherschen Uebersetzung und einem Nachwort.* Strassburg, 1915 *(Jahresgaben der Gesellschaft für elsässische Literatur,* I).

[2] Cfr G. KALFF, *Westeuropeesche Letterkunde,* Groningen-Den Haag, 1923, I, p. 232.

[3] E. ZEYDEL gives a good survey in *The Ship of Fools by Sebastian Brant, translated into rhyming couplets with introduction and commentary,* Columbia University Press, New York, 1944, pp. 24 sqq.

I want to confine myself here to the influence, originating with the " Narren-schiff ", on the neo-Latin literature of that time. We notice a rather excep-tional phenomenon : neo-Latin, humanistic literature translating the popular litera-ture, written in the vernacular. Usually, at the time of the Renaissance it was the other way round, translation activity moved in the opposite direction [4]. This is further evidence of the extent of the work's success.

As early as 1497 the first and also the most important translation of the " Narrenschiff " was published, with the collaboration of Brant himself, namely the Latin version or adaptation by Jacobus Locher, nicknamed Philomusus, Brant's pupil and protégé [5]. It is the most important translation, for the good reason that practically all other translations, dating from the 15th and 16th centuries, wholly or at least partly go back to it. An important innovation is also to be noticed : in his " Navis stultifera ", Locher stresses from the beginning and throughout the whole work, the fiction of the ship, which by Brant had been used rather sporadically.

The second link in the Brant-inspired neo-Latin literature is a little book, published in Paris, by the de Marnef brothers, in 1501. It is titled " Stultiferae naves " and was written at Lyons, in 1498, by the well-known humanist and printer Jodocus Badius Ascensius [6].

It is not a translation or an adaptation of the " Narrenschiff ", but a Latin supplement (additamentum) in prose and verse, made up of a " praefatio ", six " naves " or barges and a short " peroratio ". Of the rare preserved copies one is to be found in the Royal Library at Brussels. The work, however, was soon brought out again, e.g. at Bâle in 1502, with a foreword by Brant's friend Jacob Wimpheling. Even before the " Stultiferae Naves " came out, a French translation had been published, or rather a " paraphrasis ", by Jean Drouyn, under the title of "La Nef des Folles... " [7].

Encouraged perhaps by the success of his own " Stultiferae Naves " and of " La Nef des Folles ", Badius himself wrote a new Latin adaptation of Brant's Narrenschiff, now under the title of " Naves Stultiferae collectaneae... ". This

---

[4] The *influence* of popular literature on the " New-Latin " literature has been more important. In this respect the Latin " school-drama " is more connected with popular literature than with classical drama. Humanistic prose-literature also borrowed the short story, the *novella*, from literature in the vernacular (cfr P.O. KRISTELLER, *Renaissance Thought*, II, New York-London, 1961, p. 12).

[5] *Stultifera Navis. Narragonice profectionis nunquam satis laudata Navis : per Sebastianum Brant : vernaculo vulgarique sermone et rhythmo pro cunctorum mortalium fatuitatis semitas effugere cupientium directione, speculo, commodoque et salute : proque inertis ignaveque stul-ticie perpetua infamia, execratione et confutatione, nuper fabricata : Atque iampridem per Iacobum Locher, cognomento Philomusum : Suevum : in latinum traducta eloquium : et per Sebastianum Brant : denuo seduloque revisa : foelici exorditur principio. 1497. Nihil sine causa.*

[6] I do not think that his Flemish name was Van Assche but that he was a native of Asse, called Josse Bade, De Baets or something like that. Under an engraved portrait of Badius I recently found the inscription J. Badius, (comma) Ascensius, as we find usually Andreas Vesalius, Bruxellensis, Desiderius Erasmus, Roterodamus, Theodoricus Martinus, Alostensis. This seems to me to be proof enough for my thesis : Badius, native of Asse. Just as Martens always called himself Alostensis (from Alost), so Badius always called himself Ascensius (from Asse).

[7] The full title is : *La Nef des folles, selon les cinq sens de la nature, composés selon l'évan-gile de monseigneur saint Mathieu des cinq vierges qui ne prindrent point d'uylle avecque elles, pour mectre en leurs lampes ; écrite premièrement en Latin, par Josse Badius et translatée en Français...*, Paris, Le Petit Laurens for Geoffroy de Marnef.

work also, which was brought out in Paris in 1505, got reprinted five times between 1507 and 1515 [8].

Very few works written in the vernacular may boast such a success with the Latin-reading élite. It is noteworthy that among the very few popular books which gave rise to such a translation-movement in the opposite direction, two more are to be found which belong to the same vein as the " Narrenschiff " ; these are 1° " Till Ulenspiegel ", which was translated twice in the 16th century, by the Flemish humanists Nemius and Periander [9], and 2° the " Reinaert ", already translated in the 13th century, by Balduinus.

As a fourth and last link in the neo-Latin " Narrenschiff "-chain, we should mention the most famous book ever devoted to Folly — the " Laus Stultitiae " or " Praise of Folly " by Erasmus, published in 1509, i.e. 15 years after the " Narrenschiff " and 4 years after Badius' " Navis Stultifera ". Erasmus too must have known Brant's popular work, by way of Badius perhaps, who was his friend and publisher. The connection between the two works has not yet been studied thoroughly. Only a few papers have dealt with the question [10]. It is wholly incomprehensible how Pompen in his otherwise excellent book " The English Versions of the Ship of Fools " (London, 1925), could bring himself to allege that Erasmus did not know Brant's " Narrenschiff ". Erasmus made use of Brant as a source for his work, but did not mention him. Even if both works are very different in value as well the " Laus Stultitiae " is tied up with the " Narrenschiff " by quite a few threads. This is apparent, among other things, from the great number of themes which both authors have in common, too numerous to be called a coincidence.

The editio princeps of Badius' " Stultiferae Naves " is a plaquette of 40 pages, in-4°, illustrated with six woodcuts, each representing a fools' ship. The full title is a distich which reads as follows : " Stultiferae naves sensus animosque trahentes Mortis in exitium ". Another title which we find at the top of the pages is : " Stultarum virginum scaphae seu naviculae ". The Bâle-edition is titled : " Stultiferae naviculae, seu scaphae fatuarum mulierum ". It would be wrong, however, to think that only womanly folly is meant here [11]. The real and full meaning of the title we learn from the " praefatio ", strictly speaking a letter to the publisher Angle-bert de Marnef, written on 10 September 1498 [12]. The title of this " praefatio " reads : " Iodoci Badii Ascensii in stultiferae navis additamentum de quinque virginibus ad Angelbertum de Marnef ... praefatio ".

The " quinque virgines " are the five foolish maidens from Mathew chapter XXV, verse 2, " who took their lamps but forgot to take the oil ". They each symbolize one of the five senses which surrender themselves to earthly delights. As a kind of Siren, the five maidens, who act as shipscaptains, are calling the

---

[8] The title of the Basel-edition (1506, by Nic. Lamparter) sounds as follows : *Navis stultifera a domino sebastiano Brant primum edificata : et lepidissimis teutonice lingue rithmis decorata : Deinde ab Iacobo Lochero philomuso latinitate donata : et demum ab Iodoco Badio Ascensio vario carminum genere non sine eorundem familiari explanatione illustrata.*

[9] A first time by Jan GOVERTZ (= *Nemius*) under the title : *Triumphus humanae stultitiae vel Tylus Saxo nunc primum latinitate donatum* ; then in verses by Gillis PERIANDER (= *Omma*).

[10] See E. ZEYDEL, *op. cit.*, pp. 43-45.

[11] Among others RENAUDET in his *Préréforme et Humanisme à Paris*, p. 382.

[12] This we learn from the *peroratio*, in fact the continuation of the letter to A. de MARNEF. Cfr *infra*, pp. 10-11.

mortals, *men and women,* to mount their respective barges and to enjoy the worldly pleasures. These five barges, however, are preceded by a first one, under the command of Eve, the first woman-sinner through delight of the senses and therefore mother to all fools, men and women alike. In contrast to the five foolish maidens, repentant Eve urges her offspring to resist the temptations of the senses. As a counterpart to Eve's appeal, there follows, after the sixth barge, an " avocatio " or " dehortatio " by the author Badius himself.

The calls or " celeusmata " of the five foolish maidens, Eve's elegy and Badius' " dehortatio " are in verse, mostly elegiac distichs. But each poem is preceded by a longer text in prose, almost exclusively made up of quotations and in each case dealing with the folly of the senses. " The Foolish Maidens' Barges " are thus not wholly concerned with womanly folly but with the folly of the senses in general. As with Brant, the aim of the work is therefore satirically moralizing and the wording allegorical.

As an illustration, I want to read to you some fragments of the text. First a fragment out of Badius' introduction (I quote my French translation of the text) :

" Comme j'ai remarqué que la première chute des hommes a découlé plutôt de la folie féminine que de celle des hommes, que les hommes les plus sages, les plus grands et les plus forts, tels le premier homme, Samson, David, Salomon, se sont tous écroulés, captivés par la même folie, qu'aux Epicuriens rien ne parut pleinement voluptueux et délectable sans le sexe féminin, qu'enfin Dieu, Notre Seigneur, a dit : ' Il n'est pas bon que l'homme soit seul, créons lui une compagne semblable à lui ' — j'ai décidé d'ajouter à la Nef des Fous une petite Nef des Folles, de dimension réduite certes, mais d'une capacité immense (si je ne m'abuse!) puisqu'il faut y embarquer pour ainsi dire toute la folie humaine. En effet, toute indolence, mollesse, sottise, folie, fureur et démence proviennent en ordre principal du fait que les sens sont dominés, successivement par un jugement vicieux ... "

Et voici un extrait de l'élégie d'Eve :

Apprenez, mortels, les lamentations de votre mère malheureuse. Et, détournez vos voiles de notre barque, Noé, qui n'était exposé à aucune déchéance et ne devait voir aucun mal, ni subir aucune mort Moi, qui devais donner à l'homme sans crime une belle progéniture et être joyeuse pendant l'enfantement, Moi qui étais appelée à voir mes descendants immortels jouer sur les monticules du paradis et qui, dans la suite, sur ordre de Dieu, serais emportée,

glorifiée, à travers les astres élevés vers la demeure céleste Moi, dis-je, depuis que j'ai osé cueillir le fruit défendu du pommier, je suis entraînée vers un long exil.

La première en effet, je m'expose aux dangers funestes de la barque indécise, mère des fous et de la folie ; car comme, insensée, j'ai recherché une intelligence divine, je me suis destinée, moi et ma postérité, à la perte.

Accouchant, je suis forcée de subir d'immenses douleurs et il ne m'est pas donné d'enfanter avec la parure virginale.

Hélas, dans ma crédulité, j'ai cédé à la vipère perfide trompeuse et je n'ai pas mis un frein à mes sens. Toute nue, je me suis obligée de traverser des tempêtes inconnues, ne sachant quel port, quelle maison m'abritera.

Finally here is the beginning of the barge about the foolish sense of seeing :

" En premier lieu, j'ai décidé de parler de la vue et de sa folie parce que celle-ci étant très subtile et très peu matérielle, permet le plus de s'approcher de la fonction divine.

On admet que les Grecs ont voulu que celle-ci consiste à tout voir et à tout contempler, pour la raison que chez eux Dieu même est appelé ' théos ', c'est-à-dire, contemplateur et inspecteur de toutes choses. ' Theorreo ', en effet, veut dire contempler et ' théorama ' ou ' théoria ' contemplation. Or c'est de Dieu qu'il est écrit dans Genesis I : ' Dieu vit tout ce qu'il avait fait et cela était très bon. ' Cependant, alors que lui-même voit tout, il est, lui, invisible, du moins pour l'œil mortel, sauf pour autant que lui-même se rende visible ; et c'est précisément la vue de Dieu, ainsi que la jouissance parfaite de cette vision, qui est déclarée avec raison, être ce fameux bien suprême qui s'appelle béatitude. C'est de celle-ci que parle le divin apôtre [I. Corinthiens, chap. XIII] lorsqu'il déclare : ' Maintenant nous voyons dans un miroir d'une manière obscure, mais alors nous verrons face à face. ' "

All this could not be termed great art !

As an author, Badius lags quite a good deal behind his illustrious customers. The " Stultiferae Naves " are a rather dull compilation. Badius himself is aware of this and apologizes for it in his *peroratio*, where he tells us, among other things, that he compiled his work, in order to have it translated into French.

The value of the " Stultiferae Naves " is not an artistic, but a cultural and literary-historical one. As Brant's " Narrenschiff ", Badius' " additamentum " is a typical transition-product, on the borderline between the Middle ages and 16th century humanism. It is a mixture of biblical erudition and classical reading, a remarkable example of that endeavour to link christian religion with pagan antiquity. Latin and Greek authors are mainly mentioned or quoted, to confirm and to strengthen the wisdom expressed by Holy Scripture or by the Patriarchs.

Compared with Brant, Badius appears to be an epigone who falls far short of the original. He lacks the latter's limpid, lively style, his incisive satire and most of all his humour and touching simplicity. Badius' poems are little more than tedious enumerations : of the simplistic stringing together of instances they make a " procédé ".

But Badius obviously knows his classics better than Brant, especially the Greeks [13].

The cultural and historical importance of the " Stultiferae Naves " further lies with the fact that this little work, just like the " Narrenschiff " itself, is a not unimportant link in the " Narrenschiff "-literature, a remarkable expression of a very fruitful vein in our regions too. Like the " Narrenschiff ", Badius' addition is deeply rooted in the popular and by that time already rich tradition of " fools "-literature.

Long before Brant and Badius, fools, in the broad acceptance of the word, were popular in literature. The part of the " set " (fool) in mediaeval stage-literature, in the farces and " sotties ", even in the mysteries and moralities, needs hardly pointing out. But long before Brant it was also a widespread notion to represent those fools as the crew of a ship or a barge.

[13] Paul VAN TIEGHEM wrongly claims in his *La Littérature Latine de la Renaissance* (1944), p. 137 : « ... Le Strasbourgeois Seb. Brant (1457-1521), non humaniste celui-là, *qui ne cite pas les anciens et paraît ne rien leur devoir.* » Van Tieghem apparently did not examine the text of *Das Narrenschiff*. One single look at the indices by F. ZARNCKE, *Sebastian Brant, Das Narrenschiff*, Leipzig, Georg Wigands Verlag, 1854, p. 483 and Zeydel (p. 396 : *Latin Writers, Brant's Use of*) is sufficient to be convinced of the contrary.

About 1365, the Austrian poet Heinrich der Teichner wrote an allegorical poem, called " Das Schif der Flust " (the boat of perdition). More remarkable still is the poem written in 1413 by the Dutch rhetorician Jacob van Oestvoren. It is titled " Van die blauwe scuut " (The blue boat) and holds the regulations of a mocking guild, where anyone was welcome who preferred foolishness to wisdom [14]. Well, here in the Netherlands and also in Germany, before literature had anything to do with it, such " blue boats ", loaded with fools, rode about as ship-chariots in the carnival-pageants — I think we may venture to say as " carrus navalis " —, mounted on a wheeled undercarriage.

What's more, a fine depiction of this is to be found in that fantastic painting of Hieronymus Bosch's, called " The Blue Barge ", which can be seen at the Louvre museum. We see there a queer company of singing and drinking men and women, among whom a nun playing the guitar, and a monk, all crowded together in a small boat. Quite in the manner of the woodcuts in Brant's and Badius', as far as the theme is concerned.

We won't mention here other, even more direct forerunners of Brant's " Narrenschiff " [15]. We only want to point out that such " ships of fools " have been transferred from the reality of the carnival-pageants into the imagination of the literators [16]. It was a big find to make a literary theme out of such a popular doing. But this find was not made by Brant, though it was his rare contribution to have breathed new life into the two concepts — that of the " fools " and that of the " ship " — and to have brought them to an unprecendented literary bloom, to an up till then unequalled success in the literary field. Moreover, Brant has pressed this droll, thoroughly popular theme into the service of wisdom, of stern Christian dogma, of the most conformist faith. To the grotesque humour of the middle classes, so highly effervescent in the carnival-plays, he has, as it were, given a " censor morum ". He wants to christianize the carnival buffoons and that was also the aim of his immediate imitators and adapters, Badius, Locher, Geiler von Kaisersberg, Alexander Barclay, Henry Watson, the French Drouyn and Rivière, the anonymous author of the Dutch " Narrenschip ". In fact, it is an ultimate attempt of S. Brant's to keep to his stern, orthodox, conservative ideas the middle classes, for whom he writes and whose religious and philosophic conceptions are about to undergo the deepest changes.

As for Badius, setting aside his advantage as a humanist, his " Stultiferae Naves " are still nearer to the Middle ages than is Brant. The work's affinity with the morality is obvious. Where Brant already takes the way of literary realism, of modern satirical characterdrawing, with Badius we find ourselves still completely in the literature of personified abstractions. In this context, a Flemish morality from the last part of the 15th century should be mentioned, written perhaps by the " factor " of the Oudenaarde guild of rhetoric " 't Kersouken " and titled " Van

---

[14] ZARNCKE already treated Oestvoren's poem in his unsurpassed edition of *Das Narrenschiff*, pp. LXIII sqq. D. Th. Enklaar treats in a complete way the " Blauwe Schuit " and all that is connected with it in his *Varende Luyden, Studiën over de Middeleeuwsche groepen van onmaatschappelijken in de Nederlanden*, 1937, Assen, pp. 35-86.

[15] See F. ZARNCKE, *op. cit.*, pp. LXVII sqq. ; E. ZEYDEL, *op. cit.*, pp. 8 sqq.

[16] It is certainly no chance that we can read, at the end of the first edition of the *Narrenschiff* (ZARNCKE, p. 115): " Hie endet sich das Narrenschiff... Gedruckt zu Basel *uff die Vasenacht, die man der narren kirchwich nennet*, Im jor noch Christigeburt Tusent vierhundert vier und nüntzig. " Also a chapter of the book is entitled: *Von fasnacht narren* (nl. 110b, éd. Zarncke, pp. 111 sq.).

de V vroede ende van de V dwaeze Maegden " (the five wise and the five foolish maidens) [17].

To round off the picture and to emphasize again the exceptional productivity of the literary vein, to which Badius' work belongs, I would like to point out some other authors, who underwent Brant's influence and developped either the fools-concept or the ship-theme : Thomas Murner with his " Narrenbeschwörung ", his " Schelmenzunft " and his " Von dem grossen Lutherischen Narren " ; Johann Fischart with his " Das gluckhaf(t) Schiff von Zürich " ; Hans Sachs with several poems and " Fassnachtspiele " ; Pamphilus Gegenbach in his " Liber Vagatorum " ; Friedrich Dedekind with his " Grobianus " ; Robert de Balsac with his " Le droit chemin de l'hôpital ... " ; Symphorien de Champier with his " La Nef des dames vertueuses ", obviously an answer to Badius' " Nef des folles " ; the anonymous English author of " Cock Lorell's Bote " ; the English satirists Skelton and Copland and much later the German Abraham a Santa Clara.

This so fruitful literary vein found its pictural expression with Hieronymus Bosch — I have already mentioned his " Blue Barge " —, and with Peter Breughel the Elder. Its sculptural expression can be found in the innumerable demoniac, grotesque and lascivious figures in Gothic sculpture.

Discussion

Plard. — Il y a un point qui me paraît très intéressant dans l'ouvrage de Badius, *Stultiferae Naves*. C'est la reprise d'un thème que Brant avait laissé tomber au début du *Narrenschiff* — vous vous souvenez qu'il y a eu contradiction dans le prologue — où il déclare que les fous étant extrêmement nombreux de nos jours, il veut équiper une flotte entière et même des voitures, des traîneaux pour emporter les fous au loin dans un pays qu'il appelle Narragonien et il dit : j'équipe une flotte. Il nomme exactement neuf types de navires, qui sont d'ailleurs très intéressants pour l'histoire de la navigation de l'époque, et il dit : on les chargera sur cette flotte et ils s'en iront. Mais dès le premier chapitre, cette flotte est devenue un seul navire. Le premier vers du chapitre I, c'est le fou des livres et il dit : si je suis assis le premier dans le navire, c'est parce que je suis fou, parce que j'ai des livres et ne m'en sers pas. Donc Brant a laissé tomber tout de suite la fiction de la flotte et il a pris celle du navire. Vous savez qu'ensuite il l'abandonne et qu'il la reprend au chapitre 108 ou 109, et il n'en est plus question dans l'ouvrage. Or, il semble que Badius, ayant lu Brant, ait repris l'idée d'une flotte et qu'il l'ait combinée avec le symbolisme des cinq sens. Car c'est bien une flotte de 6 navires : il y a le navire où se trouve Eve, notre mère commune et l'auteur du péché originel, et alors cinq navires, dont chacun représente l'un des sens et la folie à laquelle les sens nous entraînent. Et ceci me paraît intéressant : il est le seul, à ma connaissance, qui ait repris le thème, abandonné en somme par Brant.

---

[17] *Het spel van de V vroede ende van de V dwaeze Maegden,* opnieuw uitgegeven, ingeleid en toegelicht door Marcel HOEBEKE. Zwolle, Tjeenk Willink, 1959, 155 p.

Gerlo. — Je vous remercie de ce renseignement précieux. Personnellement, je n'ai pas encore eu le temps d'étudier l'aspect iconographique — l'histoire de l'art — comme je voudrais le faire, mais je crois effectivement que c'est une flotte de six barques, et que cela pourrait être la flotte que Brant a conçue.

Vanden Branden. — On est de plus en plus convaincu que les illustrations de Hans Holbein pour l'*Eloge de la folie* de l'édition de 1515 ont été faites en copiant les gravures que l'on attribue aujourd'hui à Dürer pour le *Narrenschiff*. Peut-on aussi, pour les six illustrations de l'édition de Bade, affirmer aujourd'hui qu'elles sont inspirées par ces gravures ? Ou est-ce une œuvre originale ?

Gerlo. — Je ne suis pas un spécialiste en la matière mais pour ce qui est de Brant, je viens de lire dans le catalogue de l'exposition consacrée à Erasme par la ville de Rotterdam, que toutes les gravures du *Narrenschiff* sont de Dürer. Cela n'est pas vrai, on le sait depuis longtemps. Il y en a quelques-unes probablement de la main du jeune Dürer. On connaît celui qui est l'auteur de la plupart des gravures du *Narrenschiff*, mais il y a également du Dürer, c'est absolument certain. Les gravures de la *Nef des folles* de Badius, cela n'est pas original, parce qu'on trouve le *Narrenschiff* dans l'iconographie populaire depuis longtemps. Mais ce qui est nouveau, c'est d'y mettre des Vierges. C'est certainement Badius qui a apporté cet élément-là : les nefs avec les cinq vierges et l'histoire de l'huile, thème qu'il emprunte à la Bible. A part cela, il m'est impossible de donner plus de renseignements. Je n'ose pas encore m'aventurer, surtout que ce n'est pas mon domaine, mais je suis obligé de l'étudier. En ce qui concerne le petit livre de Badius : c'est aussi le libraire qui veut profiter de ce succès populaire du *Narrenschiff* pour gagner de l'argent. Alors il fait cet addendum et ensuite il fait son *Narrenschiff* en latin. En librairie, le *Narrenschiff* est l'affaire du siècle. J'estime qu'il faut faire connaître ce petit livre de notre imprimeur Josse Bade qui s'est installé à Paris et qui était le grand imprimeur pour beaucoup d'humanistes. Et il est dans ce grand courant causé par le *Narrenschiff* de Brant, qui est lui-même issu des mœurs populaires. Tout cela vit depuis longtemps dans les cortèges populaires et puis dans notre littérature : les *zinnekes*, les *varende gezellen* qui se trouvent dans une barque. Nous sommes en plein dans notre thème. Ce parallélisme entre l'art plastique et la littérature populaire et même néo-latine, est frappant. Pour le *Niemand* il y a des centaines de gravures. Puis il y a le *Nemo* de Von Hutten, dont il n'a pas été question ce matin. Pourquoi écrit-il cela ? Il se sent obligé de profiter du succès de ce thème-là — les gravures avec le *Niemand* — pour faire son poème satirique et même pour en faire deux versions. Et l'on trouve de nouvelles gravures dans les multiples rééditions du *Nemo I* et du *Nemo II*.

Bonicatti. — Je voudrais ajouter que Dürer a fait très peu de gravures avant son premier voyage en Italie.

Anglo. — Je m'intéresse beaucoup à ce que vous avez dit au sujet des connaissances plus approfondies des auteurs classiques de Bade par rapport à Brant. Pouvez-vous nous éclairer sur la nature de ces connaissances, telles qu'elles se révèlent dans ce livre ?

Gerlo. — Je voudrais vous dire ceci : j'ai constaté que quelqu'un a dit sur Brant — dans un livre qui est de ce siècle — qu'il ne connaissait pas les classiques. C'est un très bon livre, mais là il se trompe absolument : il aurait suffi qu'il regarde l'index d'une des éditions modernes pour constater les nombreux endroits où Brant cite les anciens. Il suffit de prendre la belle édition de Zarncke, de 1854, et celle de Zeydel — l'édition de la traduction en vers, en anglais — pour constater que Brant est déjà un humaniste, certainement pas comparable à Erasme et aux autres grands humanistes de l'époque, mais c'est déjà l'Humanisme avec beaucoup de liens vers le Moyen Age. De par sa clientèle Badius connaît beaucoup mieux les classiques que Brant. Il a aussi enseigné le grec et le latin à Lyon. Il y a certainement un développement de Brant à Badius. Ceci est incontestable. Quant au thème et la façon dont Badius le traite, cela reste très moyenâgeux. Mais il cite les Grecs et les Latins avec la Bible et les pères.

Folie et démonologie au XVIe siècle

Jean CÉARD
Maître de conférences à l'Université de Paris-XII

Que le démon afflige souvent les hommes de diverses maladies, c'est une thèse communément admise au XVIe siècle, ou que du moins personne, à notre connaissance, n'a globalement réfutée. Elle a pourtant constitué l'objet de nombreux débats, particulièrement entre médecins et théologiens. Ces discussions ont connu des temps forts ; diverses affaires célèbres de possession ou de sorcellerie en ont été l'occasion, et l'on ne s'étonnera pas de constater que les textes les plus substantiels ont vu le jour dans le dernier tiers du XVIe siècle et au début du XVIIe siècle, c'est-à-dire dans le temps où les affaires de possession et de sorcellerie se sont multipliées et ont défrayé la chronique.

Pour examiner notre sujet dans tous ses aspects, il nous faudrait donc nous arrêter à la sorcellerie. Le professeur Sidney Anglo devant traiter du débat qui, sur la mélancolie et la sorcellerie, a opposé Jean Wier, Jean Bodin et Scott, nous nous abstiendrons d'en parler, et d'autant plus facilement qu'on admet volontiers, au XVIe siècle, que les sorcières ne sont généralement pas démoniaques. Omettant donc tous les problèmes qui touchent à leur culpabilité ou à leur innocence, à l'importance de la mélancolie dans l'examen de leur cas, nous voudrions voir comment, sur le problème de la participation du démon aux maladies des hommes, et particulièrement aux maladies mentales (mais c'est une expression à utiliser prudemment), médecins et théologiens se sont opposés ou rencontrés.

Précisons notre projet par deux remarques préliminaires. La première est de méthode : ce serait une erreur de croire que ce qui auparavant relevait de la compétence des théologiens soit de plus en plus revendiqué, au XVIe siècle, par les médecins comme ressortissant à leur discipline. Pourquoi, en effet, sinon par une conception naïve du progrès des lumières, faudrait-il que le XVIe siècle — aube des temps modernes, comme chacun sait ! — ait vu soudain des médecins enlever aux théologiens l'empire des « maladies de l'esprit », comme si, par la vertu du contact immédiat avec les choses, ils avaient su en élaborer de mieux en mieux une interprétation naturelle ? Il est curieux de voir que ce dont on voudrait aujourd'hui leur faire un mérite leur a été autrefois compté comme une faiblesse et une insuffisance. Michel Psellos consacre un chapitre de son *De daemonum operatione* à réfuter les médecins qui nient que des affections comme la léthargie ou la frénésie soient dues aux démons, et dit que leur attitude n'a rien d'étonnant, les médecins étant des hommes qui « ne connaissent rien que ce qui se perçoit par les sens et qui ne prêtent attention qu'aux corps » [1] !

Ce texte du XIe siècle nous introduit à notre seconde remarque. Le débat sur la folie et le démon ne date pas du XVIe siècle. Il y a très longtemps que les méde-

---

[1] M. PSELLOS, *De daemonum operatione*, XIV (P.G. CXXII, col. 852-853).

cins attribuent à des causes physiques ce que d'autres réfèrent à l'action des démons, et les hommes du XVIe siècle le savent. Le chapitre de Psellos est mentionné par le médecin italien Codronchi [2]. D'autres rappellent qu'Hippocrate, dans son *De sacro morbo*, réfute les gens qui soutiennent que « l'épilepsie relève du démon et que ceux qui sont la proie de ce mal ont coutume de s'enfermer chez eux ou de se soustraire par quelque autre moyen à la vue de la multitude parce qu'ils sentent qu'ils sont envahis par le démon, de sorte que ces malades doivent être soignés non par des moyens médicaux, mais par des expiations » [3]. Ou encore Avicenne indique que la mélancolie est, aux yeux de certains médecins, une maladie démoniaque, sans rejeter absolument cette assertion [4].

Dans ces conditions, il nous importera de voir, non comment ce débat est né, mais comment il s'est poursuivi au XVIe siècle.

Ce n'est pas un débat tranché. Les médecins ne récusent pas tout uniment l'intervention du démon, non plus que les théologiens ne l'affirment sans tenir compte des arguments des médecins. Et cela de façon très générale. Peucer, qui fit paraître en 1553 son *De praecipuis divinationum generibus*, livre qui sera très lu et traduit en français en 1584, n'oublie pas, quand il traite de l'extase, de rappeler l'avis des médecins et déclare nettement : « Ces opinions médicales sont vrayes et bien digerees : car il se fait bien peu d'ecstases sans melancholie [5] » ; de même, pour la lycanthropie : « Les Medecins mettent la Lycanthropie comme l'Ecstase au reng des passions melancholiques. Je ne leur contredis pas [6]. » Inversement, Marescot, qui, à l'extrême fin du siècle, fit beaucoup de bruit en soutenant que Marthe Brossier n'était qu'une prétendue démoniaque, admet quand même que la possession est chose possible : « Nous croyons par la foy chrétienne les démons estre, entrer aux corps des hommes, et les tourmenter de plusieurs sortes [7]. »

Voici le nœud du débat : placé devant deux types d'explication, on se demande, non pas s'il faut choisir, mais comment on doit les coordonner, les articuler.

*
**

Pour orienter nos analyses, observons d'abord deux curieux aspects de ces débats au XVIe siècle. D'abord, si le diable peut théoriquement nous affliger de mille maladies, il reste quand même qu'il a une prédilection pour celles qui offensent le cerveau et les nerfs. Pour s'en assurer, qu'on regarde seulement les cas de maladies dont l'origine démoniaque n'est pas douteuse puisque l'Ecriture l'affirme. Del Rio, qui nous y invite [8], observe qu'à côté de Job atteint d'ulcères, on trouve un lunatique qui était épileptique [9], un maniaque qui était lycanthrope [10], un autre

---

[2] B. CODRONCHII, *De morbis veneficis et veneficiis*, Venise, apud Franciscum de Franciscis, 1595, p. 83a.

[3] Voir F. VALLESIUS, *De iis quae scripta sunt physice in libris sacris, sive de sacra philosophia*, Lyon, Fr. Le Fevre, 1587, p. 222. — Ce passage rassemble des remarques des chap. 12 et 1 du *De sacro morbo*.

[4] AVICENNE, *Canon*, Livre III, fen 1, traité 4, ch. 18.

[5] C. PEUCER, *Des devins*, trad. S. G[oulart], Anvers, 1584, p. 195.

[6] C. PEUCER, *ibid.*, p. 203.

[7] Cité par R. MANDROU, *Magistrats et Sorciers en Fr. au XVIIe s.*, Paris, Plon, 1968, p. 174.

[8] Martin DEL RIO, *Les Controverses et Recherches magiques*, trad. André du Chesne, Paris, 1611, pp. 400-401. L'original latin a paru en 1608.

[9] Matt., XVII, 14 sq. (le démoniaque lunatique).

[10] Luc, VIII, 27 sq. (le démoniaque gérasénien).

malade d'une « convulsion d'espine du dos » [11], etc. En outre, si les formes de la folie sont très variées dans les analyses des médecins, néanmoins l'une d'entre elles paraît concentrer sur elle l'essentiel de l'intérêt : la mélancolie. Ces deux aspects, la prédominance de la mélancolie et la préférence du démon pour les maladies des nerfs et du cerveau, nous engagent à voir si un certain nombre de représentations (peu conscientes et incomplètement formulées) ne dirigent pas profondément ce débat par-delà ses expressions théoriques.

Pour y accéder, il nous faut d'abord reconstituer le tableau des « maladies mentales » qu'ont tracé les médecins du XVIe siècle, afin que les notions de mélancolie, lycanthropie, extase, frénésie, etc., que nous avons déjà utilisées, soient clairement définies. Certes d'un médecin à l'autre ce tableau se modifie, mais on peut cependant dégager un certain nombre de thèses communes.

Il va de soi, d'abord, qu'il n'existe pas à proprement parler de maladies de l'âme : l'âme, échappant à la génération, échappe nécessairement à la corruption. « Hippocrate n'entend point, écrit le médecin Jourdain Guibelet, que l'ame soit sujete à aucune maladie, encore qu'il die que la maladie de l'ame soit cause que les phrenetiques ne sentent point de douleur, voulant signifier par là que les esprits, retenus par la nature, ne sont point representez à l'imaginative, pour imprimer l'espece de la chose qui blesse [12]. » En d'autres termes, quand l'âme paraît atteinte dans l'une ou l'autre de ses facultés, c'est qu'elle est empêchée de disposer entièrement et convenablement du corps, qui est l'*instrument* par lequel elle exerce ses facultés. Ainsi les « maladies mentales » s'enracinent dans un désordre physiologique, comme toutes les autres maladies. Il y a folie lorsque ce désordre fait sentir ses effets dans le cerveau. C'est l'interprétation couramment reçue, puisque nous en trouvons l'écho jusque dans le *Solitaire premier* de Pontus de Tyard : « Fureur ne me semble estre autre chose qu'une alienation d'entendement procedante d'un vice du cerveau [13]. » C'est par là que la fureur divine ou enthousiasme se distingue de toutes les autres formes de fureur ; Pontus de Tyard indique encore que la fureur « contient souz soy deux especes d'alienations. La premiere procedant des maladies corporelles », et qui, « de son vray nom », s'appelle « follie et vice de cerveau, la seconde estant engendrée d'une secrette puissance divine, par laquelle l'ame raisonnable est illustree », et qui ne comporte aucun « vice du cerveau » [14]. Par conséquent, si le diable a quelque pouvoir d'engendrer ou d'aider à engendrer la folie, celle-ci comporte forcément un « vice du cerveau ». Ainsi la médecine et la démonologie à la fois ont le droit de s'en occuper, chacune selon sa compétence. Les textes de Peucer cités plus haut le prouvent suffisamment.

Comment peut naître un « vice du cerveau » ? Rappelons-nous que la maladie peut avoir trois sortes de causes : une intempérature, une mauvaise composition ou une solution de continuité [15]. C'est très couramment à l'intempérature, ou dyscrasie, qu'on attribue le vice du cerveau. Même dans le cas de la frénésie, qui, selon Arma [16], est « une solution de continuité chaude dans le sinciput (...) ; sous

[11] Luc, XIII, 11 sq. (la femme courbée).
[12] Jourdain GUIBELET, *Trois discours philosophiques* (III : De l'humeur melancholique), Evreux, Ant. Le Marié, 1603, p. 246 a.
[13] Pontus de TYARD, *Solitaire Premier*, éd. S.F. Baridon, Genève et Lille, 1950, p. 8.
[14] P. de TYARD, *ibid.*, p. 10.
[15] A. PARÉ, *Introd. à la Chirurgie*, ch. 20.
[16] J.-Fr. ARMA, *De tribus capitis affectibus, sive de phrenetide, mania et melancholia*, Taurini, apud M. Cravottum et socios, 1573, p. 9 b.

le crâne, dans les membranes enveloppant le cerveau, c'est-à-dire dans la dure-mère et la pie-mère », est à l'œuvre une « cause conjointe » (c'est-à-dire, selon la définition de Paré [17], une cause « qui fait actuellement et immédiatement la maladie »), et cette cause ressortit au jeu des humeurs.

C'est donc à la théorie des humeurs que nous sommes finalement renvoyés. Tous les médecins s'accordent pour chercher dans le jeu des humeurs l'explication des diverses variétés de folie, ou, pour parler un langage plus technique et dû à Fernel, de cette « dépravation du fonctionnement de la faculté principale de l'âme qui réside dans la substance du cerveau comme en un domicile propre », et porte le nom latin de *desipientia* et les noms grecs de παραφροσύνη ou παράνοια, c'est-à-dire « mentis alienatio » [18]. Fernel, après avoir signalé l'existence de variétés nombreuses, ajoute : « Leur cause à toutes est une humeur ou une vapeur extrêmement chaude qui se répand dans la substance du cerveau et dans ses ventricules, et dont l'impulsion et l'agitation déterminent dans l'esprit des idées fausses et fantastiques [19]. » Même le médecin Jean Taxil, qui conteste l'explication humorale de l'épilepsie et l'attribue à un venin, ajoute que ce venin est causé par le phlegme ou la bile noire, c'est-à-dire par une humeur [20].

Ces observations expliquent pourquoi il n'existe pas, parmi les disciplines médicales au XVIᵉ siècle, une discipline des « aliénations d'esprit », et qu'il y ait fort peu d'ouvrages qui leur soient spécialement consacrés. Outre que la médecine du XVIᵉ siècle continue à rester totalement orientée vers le traitement des maladies, qu'elle est « ars medendi » ou « ars curandi », il lui semble qu'il suffit de rétablir le jeu convenable des humeurs pour enrayer l'aliénation d'esprit.

Ce jeu des humeurs, quel est-il pour un médecin du XVIᵉ siècle ? Pour le comprendre, il faut partir de la théorie de la digestion, ou plutôt de la coction ou cuisson des aliments dans le corps. Après que la première cuisson a, dans l'estomac, élaboré le chyle, sa partie pure, passant dans le foie, y est recuite : cette deuxième cuisson constitue le chyme. Elle est comparable à une fermentation, comme on le rappelle souvent, au XVIᵉ siècle, en s'inspirant de Galien ; et donc, dans la masse du chyme, elle distingue quatre parties, les quatre humeurs, de la même manière, dit Paré, que, dans le vin nouveau, « on peut trouver quatre corps differens : car il y a la fleur qui est au dessus, la lye qui est au fond, la verdeur ou aquosité, et la bonne liqueur, douce et aimable » [21]. Semblablement, dans la masse du chyme, la fleur, l'écume de surface, est la bile jaune ; la lie, l'atrabile ou mélancolie ; la verdeur ou aquosité, le phlegme ou pituite, formé des parties qui n'ont pas été cuites ; enfin la bonne liqueur, partie bien tempérée, est le sang [22].

---

[17] PARÉ, *op. cit.*, ch. 19.

[18] J. FERNEL, *Universa Medicina*, 3ᵉ éd., Francfort, Wechel, 1574, p. 515. Rappelons que la « faculté animale » est de trois sortes : motive, sensitive et *princeps* ou principale ; « la principale est celle qui fait la ratiocination, la memoire, la fantasie ou imagination » (PARÉ, *op. cit.*, ch. 8).

[19] J. FERNEL, *ibid.*, p. 516 : « Omnium causa est humor aut vapor ferventissimus in cerebri substantiam in ejusque ventriculos effusus, cujus impulsu et agitatione mens in falsa quaedam fictitiaque traducitur. »

[20] Jean TAXIL, *Traicté de l'epilepsie, maladie vulgairement appellee au pays de Provence, la gouttete aux petits enfans*, Lyon, 1602, ch. 2.

[21] PARÉ, *op. cit.*, ch. 6.

[22] On trouvera une description détaillée de la coction et de la production des humeurs dans Peucer, *op. cit.*, Livre XI, ch. 10 et 11.

Il peut arriver que la cuisson soit manquée, en particulier qu'elle soit excessive, ce qui détermine l'adustion des humeurs. Laissons la pituite qui, étant de sa nature froide et humide, ne parvient guère, étant brûlée, qu'à se corrompre ; en cas d'adustion, en effet, dit Peucer, « le phlegme acquiert une acreur et saleure avec relenteur, si la matiere se pourrit : ou s'il n'y a point de pourriture, il est visqueus et gluant » [23]. Quant aux trois autres humeurs, en brûlant, elles se transforment en des matières diverses qui, curieusement, reçoivent toutes le nom de mélancolie ou bile noire ! « L'une se fait des bruslees et plus espaisses parties du sang (...) ; le suc melancholique devenu aduste et bruslé engendre la seconde sorte (...) » ; la troisième naît de l'« adustion de la bile jaune » [24]. Ces humeurs sont fort laides, au demeurant ; ainsi celle qui naît de la bile aduste « ressemble à de la poix noire » [25] ; quant à celle qui vient de l'adustion du suc mélancolique, elle est « aigre, aspre, rongeante, polie et luisante comme de la poix, raclant le corps, et la terre, et, quand elle est versee hors du corps, eschauffant la terre, et faisant lever sur icelle plusieurs ampoulles » [26]. Retenons déjà ce double sens du mot de mélancolie, qui désigne ou bien une humeur naturelle, ou bien une humeur contre nature, dont il existe trois variétés. Jourdain Guibelet s'arrête longuement à lever « l'ambiguïté de la diction », ce qui fait voir que de son temps les médecins eux-mêmes devaient parfois oublier « que ce mot melancholie fust commun à plusieurs especes » [27]. Chose d'autant plus grave, nous allons le voir, qu'il peut recevoir encore un autre sens et désigner une des formes de l'aliénation d'entendement.

En effet, quand une humeur est brûlée, qu'elle agisse directement dans le cerveau ou qu'elle exhale des vapeurs qui se répandent en lui [28], elle engendre la *desipientia*. Si celle-ci s'accompagne de fièvre, il peut s'agir ou d'un délire simple, qui est d'ailleurs généralement symptôme de cette fièvre ou d'un mal plus grave, ou d'une frénésie, qui, elle, est cause de la fièvre, et qui vient toujours d'une « affection propre et primaire du cerveau, par exemple d'une inflammation, d'un erysipèle ». Telle est la description de Fernel ; d'autres, comme le médecin italien J.-Fr. Arma, distinguent la vraie frénésie, qui se produit quand « la tête est pleine d'une vapeur chaude » exhalée par la bile ou par les parties les plus déliées du sang, et la paraphrénésie qui est due à la bile mêlée à d'autres humeurs [29] ; mais, comme Fernel, il lie la vraie et la fausse frénésie à la fièvre. C'est en quoi elles se distinguent de la manie et de la mélancolie, toutes deux sans fièvre : si la « resverie » sans fièvre, dit Du Laurens, « est avec rage et furie, on la nomme manie » ; ou elle est « avec peur et tristesse, et s'appelle melancholie » [30]. Pour Arma, la manie naît d'une adustion de la bile ; la mélancolie, d'une adustion de l'atrabile. Pour Fernel, il semble plutôt que la manie soit une forme violente, exacerbée de la mélancolie [31]. Mais comme les humeurs brûlées reçoivent toutes

---

[23] PEUCER, *ibid.*, p. 441.

[24] PEUCER, *ibid.*, p. 452.

[25] PEUCER, *ibid.*, p. 450.

[26] PEUCER, *ibid.*, p. 452.

[27] GUIBELET, *op. cit.*, p. 217 a et b.

[28] FERNEL, *op. cit.*, p. 516.

[29] ARMA, *op. cit.*, pp. 9-10.

[30] A. DU LAURENS, *Discours de la conservation de la veue, des maladies melancholiques, des catarrhes et de la vieillesse*, Paris, J. Mettayer, 1597, p. 117 b.

[31] Voir de même Thomas a VIEGA, *Tomus Primus commentariorum in Cl. Galeni opera*, Anvers, Ch. Plantin, 1564, 2e vol. (*In libris sex de Locis affectis*, 1566), p. 158 : « Aretaeus definit melancholiam animi angorem in una cogitatione defixum atque inhaerentem sine febre, demum furoris vel maniae indicium : ut sit melancholia rationis in una aliqua re lapsus constante in reliquis judicio : mania aut furor integra desipientia. »

le nom de mélancolie, dans la mesure où elles en prennent l'aspect de lie, de dépôt, d'hypostase épaisse et âcre, avec cette seule différence qu'elles sont plus ou moins pernicieuses selon l'humeur qui leur a donné naissance, on comprend bien que la manie et la mélancolie se rapprochent volontiers, et au bénéfice de la dernière.

Il est très net, en effet, que cette forme de folie a concentré sur elle la plus grande part de l'attention des hommes du XVIᵉ siècle, et que la mélancolie tend à devenir l'espèce la plus représentative du genre de la folie. En raison de la présence constante de l'humeur mélancolique dans l'apparition des *desipientiae*, ou délires, ou « resveries », que cette humeur vienne d'une transformation de l'humeur mélancolique naturelle ou qu'elle se mêle à d'autres humeurs qui, une fois brûlées, lui ressemblent, le nom de mélancolie devient un terme générique. C'est à l'intérieur de la mélancolie (ou des mélancolies) qu'on distinguera des variétés ; parlant des pensées qui assaillent ces malades, Peucer écrit : « Quant aux pensees esquelles il [le cerveau] se fiche et enveloppe elles respondent à la qualité de l'humeur mélancholique. Car si la bile ou cholere noire qui penetre au cerveau est de sang non trop aduste, ou qu'elle soit trempée avec du sang plus pur, elle engendre des songes plaisans (…). Mais si elle est composee de sang aduste ou meslee avec iceluy, elle produit des visions horribles (…). Si la seule bile ou cholere noire monte au cerveau, elle represente des imaginations de fantosmes qui courent devant ou apres, et qui menacent de mort les personnes : item plusieurs autres estranges et effroyables visions, lesquelles se diversifient et entremeslent en beaucoup de sortes, selon la temperature et le meslange de ceste bile avec les autres humeurs [32]. »

On constate ainsi une étonnante polysémie du terme de mélancolie. Malgré toutes les divergences de détail qu'on observe entre les différentes descriptions médicales de la folie, c'est bien la mélancolie qui en est tenue pour la grande responsable. Ainsi c'est sur les aspects sombres, tristes, ténébreux de la folie qu'on voit insister toutes les descriptions. Ces « songes plaisans » que l'adustion modérée du sang peut créer ne sont signalés qu'en passant : ces malades, quelque malades qu'ils soient, sont gais ; « de ceste sorte, dit Pontus de Tyard, il s'en trouve des plus plaisans du monde, si de telles miseres l'on peut tirer plaisir » [33]. Tout compte fait, cette folie-là n'est pas inquiétante. Il en va bien autrement de celles qui sont sombres et tristes, et ce point mérite attention.

*
**

Ici, en effet, se profile l'ombre du diable. Qu'on regarde un mélancolique, c'est-à-dire non pas encore un fou mélancolique, mais un homme dans le tempérament de qui domine cette humeur. Paré le décrit longuement (deux à trois fois plus longuement que les autres tempéraments) : « La face est brune ou noirastre, avec un regard inconstant, farouche et hagard, triste, morne et renfrongné (…) ; leur corps est froid et dur au toucher, ils ont songes et idees en dormant fort espouventables : car quelquefois il leur est advis qu'ils voyent des diables, serpens, manoirs obscurs, sepulcres, et corps morts, et autres choses semblables [34]. » Cet homme

---

[32] PEUCER, *op. cit.*, pp. 194-195.
[33] Pontus de TYARD, *op. cit.*, p. 9.
La littérature du temps mentionne souvent ces fous heureux, depuis l'adage « Fortunata stultitia » d'Erasme : le fou qui se croyait toujours au théâtre, celui qui pensait être propriétaire de tous les navires abordant au Pirée. MONTAIGNE (*Essais*, II, 12, éd. Villey et Saulnier, P.U.F., 1965, pp. 495-496) cite naturellement ces anecdotes.
[34] PARÉ, *op. cit.*, ch. 6.

ressemble beaucoup au diable tel qu'on se le représente communément : « avec un cou grêle, un visage émacié, des yeux très noirs, le front rugueux et crispé, les narines pincées », disait déjà Raoul Glaber [35] ; et les religieuses de Louviers, au XVIIᵉ siècle, lui trouveront encore « le corps gris tout tacheté de noir » [36]. Quant à son contact, toutes celles qui ont joui de ses faveurs les savent aussi froides que noires. Il n'est pas étonnant que les fous mélancoliques (et tous, nous l'avons vu, le sont peu ou prou) aient exactement cet aspect : « Ceux qui sont en butte à la maladie de mélancolie, écrit Codronchi, sont selon Galien des hommes maigres, frêles, d'aspect noirâtre et hirsute [37]. »

Partout revient cette mention de la noirceur. Elle a beaucoup préoccupé Jourdain Guibelet. Elle lui semble contrevenir aux principes de la physique, et il fait tous ses efforts pour la maintenir et la justifier. En effet, si l'on dit que la mélancolie est noire parce qu'elle est terrestre, que dire des os, « peut estre plus terrestres que la melancholie » [38] ? Si la froideur en est cause, « la pituite devra estre noire par le mesme moyen » [39]. Et si cette couleur lui vient à la fois de « la qualité froide et seiche » et de la « substance terrestre », comment comprendre la couleur de la coquille d'œuf qui est froide, sèche et terrestre ? Guibelet entreprend donc de montrer que la couleur noire peut avoir plusieurs causes possibles : la froideur — voyez « les vieillards, les bourgeons des arbres exposez à la gelée, et les parties du corps en la vehemence de l'hiver » ; la « chaleur vehemente », puisque le soleil noircit la peau ; l'humidité — pensez au caramel. Et puis le noir *convient* à la terre, car « la couleur plus naturelle de la terre, combien qu'elle n'en doive point avoir naturellement, est la noire » ; du reste, les grammairiens savent bien que *ater* est *quasi a terra*. Concluons : la mélancolie ne peut être que noire ; elle est terrestre, donc froide, donc noire ; bien que sèche par nature, elle ne l'est pas « actuellement », sous peine de n'être plus une humeur. Mais, dira-t-on, qu'adviendra-t-il de la mélancolie brûlée ? Elle sera encore noire, puisque c'est l'effet de la chaleur véhémente. Et que les philosophes n'objectent pas qu'il est impossible que deux causes contraires aient le même effet : « Cela doit estre entendu, qu'il est impossible en la nature que deux contraires produisent un mesme effet, par un mesme moyen. » Ainsi « le froid en comprimant, repousse l'humidité superflue : le chaut en l'exhalant la consomme et la dissipe » ; de même, pour la mélancolie [40].

Tous les effets de la mélancolie s'expliquent fort aisément par sa couleur, si bien apparentée à celle du prince des ténèbres. Si, par exemple, des mélancoliques s'imaginent morts ou damnés, c'est que la noirceur de leur humeur les rend peureux ; or, « comme tous presque apprehendent la mort, dit Guibelet, quand le sujet de cette apprehension fantasque excede l'ordinaire, au lieu de craindre la mort avenir, ils s'impriment l'opinion de la mort presente ; et ceux qui ont quelque scrupule ou remord de conscience, ou qui se dédient du tout à une bonne vie, de peur d'encourir une punition éternelle, s'imaginent quelquefois la mort de l'ame, qui est sa damnation » [41]. D'autres se croient chiens, loups-garoux, oiseaux ou démons. Ne nous étonnons pas, avertit le même auteur : « Galien explique cela par une similitude. Tout ainsi, dit-il, que les tenebres épouvent les enfans, ainsi

---

[35] Cité par R. VILLENEUVE, *L'Univers diabolique*, Paris, A. Michel, 1972, p. 35.
[36] Cité par R. VILLENEUVE, *ibid.*, p. 37.
[37] CODRONCHIUS, *op. cit.*, p. 89 a, d'après GALIEN, *De locis affectis*, III, 7.
[38] GUIBELET, *op. cit.*, p. 224 b.
[39] GUIBELET, *op. cit.*, *ibid.*
[40] GUIBELET, *ibid.*, pp. 224 b - 228 a.
[41] GUIBELET, *ibid.*, p. 242 a.

la noirceur de l'humeur mélancholique semblable à une nuict, enveloppe la clarté de l'ame de ses tenebres, qui est cause de la peur, si nous n'y opposons la clarté de la raison [42]. » Quand les mélancoliques se laissent dominer par cette peur qui obscurcit leur âme, ils fuient la compagnie des hommes, recherchent les « lieux obscurs, deserts et solitaires » — précisément ceux qu'affectionne Satan, ce rôdeur de la nuit — ; car « l'ame qui est enveloppée dans l'obscurité de l'humeur en reçoit l'impression, et ne demande que les tenebres. Les uns cherchent les sepulchres (...). Les autres se promenent dans les ruines de vieux et anciens edifices. Plusieurs courent toute nuict dans les forests » [43].

Faut-il s'émerveiller qu'un peu de liqueur ait de si grands effets ? N'oublions pas que le suc mélancholique, comme les autres humeurs, est en correspondance avec l'univers. La mélancolie, c'est l'humeur qui répond à la terre, comme elle froide et sèche ; à l'automne, au déclin de l'âge, au soir du jour, selon qu'on la compare à une partie de l'année, de la vie ou de la journée [44] : ainsi, comme l'automne, comme le déclin de l'âge, comme l'après-midi finissante, la mélancolie est signe de décadence, de lente déchéance, avant le repos neutre, le silence de la fin. Après elle, il n'y a plus de place que pour la pituite, et l'on sait bien, comme le dit par exemple Levin Lemne, que les phlegmatiques, « comme estans de froide et humide complexion, ne sentent quasi point aucune perturbation d'esprit » [45] ; peu émotifs, nonchalants, paresseux, peu intelligents, ils s'adonnent à une vie presque

---

[42] GUIBELET, *ibid.*, pp. 245 b - 246 a.

[43] GUIBELET, *ibid.*, p. 253 b.

[44] Voir, p. ex., Sylvius (Jacques DUBOIS), *Opera medica*, Coloniae Allobrogum, sumpt. J. Choüet, 1630, fol., p. 45 : « Sanguis vere, et in adolescentia : bilis, aestate, et in juventute : bilis atra, autumno, et in aetate declinante : pituita, hyeme, et in senectute, copiosius et facilius vacuantur. » — Voir aussi L. LEMNIUS, *Les Secrets Miracles de nature*, trad. A. Du Pinet, Lyon, Jean Frellon, 1566, p. 248.

[45] LEMNE, *op. cit.*, pp. 182-183.
Cette sorte d'hommes a sa place dans la catégorie des maladies et infirmités de l'esprit que les médecins désignent du nom de *stultitia* (ou d'un synonyme) ; FERNEL (*op. cit.*, pp. 518-519) en décrit ainsi les diverses variétés : « Stultitia seu fatuitas, quae Graecis est μώρωσις, mentis est imminuta et infirmata functio ceu quaedam ignavia. Amentia quae ἄνοια, est vel imaginationis vel mentis occasus atque privatio, qua jam ab ipso ortu perculsi affectique vix mentis inopia loqui discunt. Hujus classis est fluxa et amissa memoria, quae et oblivio. Omnium autem causa frigida est cerebri intemperies, quae functiones omnes torpidas segnesque reddit : nonnumquam cerebri aut temporum ex ictu aut ex vulnere vehemens concussio, quae id imbecillius fecerit. At qui ab ipso jam ortu et naturae primordiis vitium contraxerunt, iis inconcinna cerebri figura malaque inest conformatio, aut certe pauca cerebri substantia, ut quibus caput pusillum existit. Verum enimvero frigida cerebri intemperies quae non simplex est, sed ex humoris frigidi pituitosique copia, iis quae jam diximus soporosos etiam affectus adjungit, somnum, soporem, cataphoram, lethargum. »
Le médecin Pierre PICHOT (*De animorum natura, morbis, vitiis, horumque curatione ...*, Bordeaux, Simon Millanges, 1574, p. 83) fournit ces précisions intéressantes : « Si tres [intellectus, ratio, judicium] simul abolentur, fit illa Graecis dicta ἄνοια amentia, quae etiam dicitur mentis caecitas et privatio, mentis inopia, carentiaque, fatuitas, stoliditas, qua qui laborat, dicitur ἄνους, amens, brutum, bellua, lapis, saxum, stipes, asinus, insipiens, nihili homo, pauci homo, quod in eo mens non magis moveatur, quam in bruto, in quo nulla mens. » Il ajoute, p. 84, qu'au nombre des causes de l'*amentia*, il faut compter « caput parvum, pusillum, quale est morionibus, quibus delectantur Magnates et Principes. In his enim est penuria cerebri, et spiritus animalis ». Rappelons que le Triboullet de Rabelais a, lui aussi, « petite teste » : « Vous sçavez que en petite teste ne peut estre grande cervelle contenue » (*Tiers Livre*, chap. XLV). A. PARÉ dit, de même : « Vitiantur vero animae illa instrumenta, vel a prima in utero conformatione, quemadmodum quibus in turbinem acutum est caput, ut Trojani belli temporibus Thersiti, nostri vero Tribuletio et Tonino » (cité par M.A. SCREECH, éd. *Tiers Livre*, Genève, Droz, 1964, p. 305, n., d'après H.K. WOLF, *Gynecologia*, II, 414).

végétative ; « les phlegmatiques, précise Du Laurens, sont ordinairement stupides
et lourds, ont le jugement tardif, et toutes les puissances nobles de l'ame comme
endormies, pource que la substance de leur cerveau est trop crasse, et les esprits qui
s'y engendrent trop grossiers : ceux là ne sont point propres aux grandes charges,
ny capables des belles sciences ; il ne leur faut qu'un lict et une marmite » [46]. Il n'en
va pas du tout de même des mélancoliques. Eux, ont une grande agilité d'esprit,
une vivacité incomparable. Mais aussi ils sont sans cesse menacés des ténèbres,
guettés par la peur et la tristesse, volontiers précipités dans l'abattement ou l'agitation. Cet état a ses raisons, qui sont physiques : il est sûr, par exemple, qu'entre
quinze heures et vingt et une heures, « le foye se purge, et gette hors son escume
et tout ord excrement : lequel nature envoye en la ratelle : qui cause que durant
les dictes heures l'entendement de l'homme est tout obtenebré, et par une noire
et espoisse fumée, l'esprit se trouve tout triste et tout fasché » [47]. Mais quel mystère
confondant de voir qu'un peu de bonne humeur aiguise l'esprit, rend l'intelligence
pénétrante, et qu'une légère modification de ce suc naturel livre l'âme au « trouble-
ment » ou l'abandonne à la folie ! Guibelet cherche « comme cela peut estre ; et
par quel moyen un peu d'humeur sujete à corruption, et qui pervertit ordinairement l'intégrité des fonctions de l'ame, puisse encore rendre ses actions plus par-
faites » [48] ; Lemne invite à la tempérance « ceux qui ont le maniement de quelques
charges publiques, ou qui sont demesurement addonnez aux lettres, attendu que
tels ont accoustumé d'estre la pluspart subjects à melancholie, laquelle humeur,
jaçoit qu'elle aiguise l'entendement, ainsi que le vin prins moderement, toutefois
si elle est par trop abondante et excessive, et embue de quelque vice, elle nuit
grandement à l'esprit » [49]. Telle est bien l'étrangeté terrifiante de la mélancolie :
elle est à la fois ce qui provoque l'intelligence et ce qui la mine, son allié le plus
efficace et son ennemi le plus terrible.

S'étonnera-t-on dès lors que Satan, cet être supérieurement intelligent et supérieurement pervers, ait comme une prédilection pour la mélancolie ? « Plus volontiers il assiege et se saisit des corps des melancholiques », assure Del Rio [50]. Et
Jean Taxil : « Les corps que le diable possede interieurement, sont melancholiques :
car cest humeur est le vray siege, auquel le Diable se plaist, et duquel il faict des
effects si estranges : Sainct Hierosme affirme ceste proposition, disant, au troisieme
livre qu'il à escrit, *de providentia ad Stagirium Monachum*, que *quoscumq. Daemon possidet, per humorem melancholicam possidet* [51]. » Rendons en passant à
saint Jean Chrysostome ce texte prêté à saint Jérôme, et profitons-en pour rappeler
qu'en effet une longue tradition chrétienne réprouve l'abattement, la tristesse, l'acé-
die comme propices aux assauts du diable. Si les médecins posent que ces « affections de l'âme » sont les effets de la mélancolie, il s'ensuit nécessairement qu'entre
la mélancolie et le diable existe une sorte d'affinité élective. On en doute rarement
au XVIe siècle. L'auteur du *De aureo dente*, qui a fait rire tant d'écoliers jusqu'à
nos jours, J. Horstius, indique à son lecteur « ceux sur qui le diable exerce sa
rage » : « Ce sont, dit-il, les pieux et les impies, mais ceux-ci presque toujours,
ceux-là très rarement, et, de plus, les seconds pour les punir, les premiers pour
témoigner, afin que Dieu éprouve leur foi et leur constance. Ensuite, si l'on consi-

[46] A. DU LAURENS, *op. cit.*, p. 114 a et b.
[47] LEMNE, *op. cit.*, p. 249.
[48] GUIBELET, *op. cit.*, p. 254 a.
[49] LEMNE, *op. cit.*, p. 189.
[50] DEL RIO, *op. cit.*, p. 565.
[51] Jean TAXIL, *op. cit.*, p. 157.

dère du point de vue de la science de la nature les divers tempéraments physiques, ce sont de préférence les mélancoliques et les peureux que les mauvais démons savent plus sensibles à leurs ruses et à leurs terreurs ; et ceux qui le sont le moins ce sont les sanguins, hommes au cœur robuste et à l'âme intrépide, ainsi que les colériques qui sont gens audacieux [52]. » Un tel texte suggère de rapprocher les impies et les mélancoliques, mais ne forçons pas Horstius à dire que la mélancolie prédispose à l'impiété !

On voit ici se parfaire des thèmes avec lesquels nous n'avons pas encore complètement rompu : que le génie et la folie ont une secrète parenté, que l'intelligence est une dangereuse aventure, que, lorsqu'elle s'efforce d'aller plus avant dans la connaissance, elle poursuit, au péril d'elle-même, l'entreprise de révolte et d'orgueil qui causa la chute de l'ange Satan. Le thème de Faust appartient à la Renaissance.

Pour revenir à des propos plus médicaux, cherchons comment le diable suscite la folie. Il s'emploie simplement à jeter le trouble dans des esprits qui, de leur naturel, sont déjà « proclives » à la folie. Du moment, comme le souligne Lemne, qu'il n'est personne qui, « s'il se sonde profondément soymesme, et si bien il espluche diligemment sa nature, qui à toute heure ne sente en soy de enormes assaus et merveilleux troublemens de l'esprit » [53], qu'en sera-t-il si sa température se détériore — et particulièrement s'il est d'un naturel mélancholique ? Cette menace incessante, les malins esprits s'occupent à la rendre instante, car ils « s'ingerent, dit encore Lemne, parmi les mauvaises humeurs, et principalement s'entremeslent avec la melancholie » [54]. Le célèbre médecin espagnol Fr. Vallès explique précisément comment le démon est la cause externe des maladies. « Il ne naît pas secrètement dans le corps même, dit-il, mais y pénètre de l'extérieur pour y apporter les maladies ; et donc celles qui dépendent de la matière, il ne les y apporte pas autrement que ne font les autres causes procatarctiques [55], par exemple en excitant en nous la maladie de mélancolie, en augmentant le suc mélancolique, en troublant celui qui y existait, en transportant au cerveau et aux sièges des sens internes des vapeurs noires. Il peut augmenter la mélancolie naturelle, en l'empêchant de s'évacuer, ou en excitant diverses causes d'adustion, en provoquant l'épilepsie, l'apoplexie, la paralysie ou le catochus [56], et en accumulant des sucs épais dans les ventricules du cerveau et aux racines mêmes des nerfs [57]. » A son tour Taxil affirme : « Il vient comme un vent malin, à attaquer le cerveau, comme principe des sentiments, et siege de la raison, et tempestant, et troublant par le dedans les humeurs, obstruant les organes, picquant les meninges, oppilant les nerfs, bouchant les arteres, il contraint le cerveau tout affligé à se retirer à soy, et ses nerfs, et ses esprits, et ainsi le corps tombe en convulsion generale, et palpitante, et demeurent les possedez tous esvanouys, et troublez [58]. » Voilà comment le diable profite d'une disposition de la nature pour provoquer la maladie. On remarque, au demeurant, qu'il frappe volontiers à la tête, ce point du corps humain où s'affirme le mieux l'excellence de

---

[52] J. HORSTIUS, *De aureo dente maxillari pueri Silesii,* Lipsiae, 1595, p. 36.
[53] LEMNE, *op. cit.,* p. 187.
[54] LEMNE, *ibid.,* p. 190.
[55] Une « cause de maladie » est dite externe, ou procatarctique, ou primitive, quand elle « est hors de nostre corps, comme les viandes, bastons, et ferremens qui blessent » (PARÉ, *op. cit.,* ch. 19).
[56] « Catoche, seu catalepsia, id est prehensio aut stupor vigilans » (FERNEL, *Physiologia,* V, 2, in *Universa Medicina,* éd. citée, p. 520).
[57] VALLESIUS, *op. cit.,* pp. 226-227. Ce passage est utilisé par DEL RIO, *op. cit.,* p. 405.
[58] TAXIL, *op. cit.,* pp. 158-159.

l'homme comme sa capacité divine, y associant éventuellement le reste du corps, par exemple par l'épilepsie. Car il est constant, depuis Hippocrate, que l'épilepsie et la mélancolie ont une parenté : « Les mélancoliques deviennent d'ordinaire épileptiques, et les épileptiques mélancoliques ; de ces deux états, ce qui détermine l'un de préférence, c'est la direction que prend la maladie : si elle se porte sur le corps, épilepsie ; si sur l'intelligence, mélancolie [59]. » Et, depuis l'Antiquité, il est admis que l'épilepsie est le mal des hommes de grand entendement ; Aristote en a dressé la liste : Hercule, Ajax, Bellérophon, Socrate, Platon, Empédocle, les Sibylles [60] ; Taxil la complète : Jules César, Caligula, Pétrarque, Charles Quint [61].

Ainsi Satan se joue à reproduire toutes les maladies qui peuvent naturellement survenir du fait de la mélancolie. Il use habilement des moyens naturels, comme le précise par exemple Césalpin, qui n'est pas seulement un excellent botaniste, mais aussi un démonologue averti [62]. Ce n'est pas sans raison, par exemple, que certains fous sont appelés lunatiques, « car nous voyons souvent, dit Guibelet, que le Diable suit le mouvement de cet astre, tant pour diffamer l'excellence de cette creature, que pour se servir de sa vertu, eu égard qu'elle a beaucoup d'authorité sur le cerveau, à raison de son humidité. Le Diable sçait choisir les saisons qui luy sont propres pour assaillir cete partie, qui est le siege du jugement et de la raison» [63]. Et, comme la maladie naturelle, Satan ne trouble parfois que l'imaginative, parfois la seule ratiocination, parfois la mémoire uniquement, à moins qu'il ne veuille perturber toutes ensemble les trois facultés de l'âme.

*
* *

Mais, dira-t-on, si le démon procède comme les maladies naturelles, comment distinguer les cas où il intervient de ceux où la nature agit seule ? Tel est bien le débat auquel le XVIe siècle nous fait assister. Remarquons d'abord que les uns concèdent que le démon peut intervenir, mais demandent qu'on fasse la part des troubles naturels, pendant que les autres concèdent que ces troubles peuvent être naturels, mais demandent qu'on fasse la part de l'intervention du démon ! Ainsi Peucer, à propos de la lycanthropie : « L'experience monstre que la bile ou cholere noire qui est depravee et malicieuse produit de telles imaginations (...) : mais j'adjouste que ces imaginations, soit que la disposition melancholique entreviene ou non, se font plus souvent par les impostures du diable que par la seule malice d'une trop abondante humeur bilieuse ou cholerique. Il n'y a doute aussi que le diable ne lance tousjours ses illusions a travers les fantasies melancholiques des insensez, et qu'il ne darde les flammes de sa rage, infectes d'infinies sortes de venin, parmi les mouvemens et affections de telles personnes [64]. » Plus nettement encore, F. Vallesius [65], suivi par Del Rio [66], propose cette observation : « Ce raison-

[59] HIPPOCRATE, *Epid.*, VI, 8, 31 (éd. Littré, O.C., t. V, 1846, pp. 355 et 357). — Voir aussi GALIEN, *De locis affectis*, III, 6, et le commentaire de Thomas a VIEGA, *op. cit.*, p. 152. — Le texte d'Hippocrate est excellemment commenté par Jean STAROBINSKI, *Hist. du traitement de la mélancolie des origines à 1900*, Acta psychomatica, n° 3, 1960, p. 14.

[60] ARISTOTE, *Problèmes*, XXX, 1.

[61] TAXIL, *op. cit.*, p. 137.

[62] A. CESALPIN, *Daemonum investigatio peripatetica*, Florentiae, apud Juntas, 1580, p. 21b.

[63] GUIBELET, *op. cit.*, p. 272 b.

[64] PEUCER, *op. cit.*, p. 203.

[65] VALLESIUS, *op. cit.*, p. 223.

[66] DEL RIO, *op. cit.*, p. 399 : « Cest argument ne me semble pas bon ny valable. Les maladies peuvent prendre origine des causes naturelles ; les demons doncque ne peuvent envoyer de maladies. »

nement ne vaut rien : il se peut que la mélancolie et l'épilepsie, comme toute autre maladie, se produisent sans le démon, en raison des sucs émus ou viciés d'une manière ou d'une autre ; donc elles ne peuvent pas se produire par le fait du démon. » A l'inverse, Guibelet note que « quelques uns principalement du vulgaire ont opinion que tout ce qui se fait en nous d'estrange et aucunement extraordinaire, comme les visions fausses, qui se presentent aux frenetiques et melancholiques, les alienations d'esprit, les grandes convulsions comme l'Epilepsie, sont de la part de Dieu, ou des Demons » [67]. Et il s'efforce de proposer une solution conciliante : « C'est une folie de vouloir tout attribuer aux Demons. C'est une ignorance de vouloir referer aux humeurs une infinité d'effects, qui sont impossibles à la nature. Nous tiendrons le milieu entre ces deux advis et deduirons qu'il y à des effects qui peuvent estre purement causez de l'humeur melancholique, aucuns des Démons, aucuns des deux ensemble [68]. »

Est-ce une solution praticable ? Fernel, qui publie en 1548 son *De abditis rerum causis*, estime que le diable simule le naturel. Paré, qui s'inspire de Fernel, pense de même. Ainsi les médecins sont souvent trompés et, croyant guérir une maladie naturelle, ils échouent dans leur traitement. Ce fut le cas de ce jeune gentilhomme signalé par Fernel [69] et souvent mentionné à sa suite [70], qui était pris de convulsions : « Tout Medecin bien advisé eust peu juger que c'estoit une vraye Epilepsie, si avec cela les sens et l'esprit eussent esté troublez. Tous les plus braves Medecins y estans appellez jugerent que c'estoit une convulsion de fort pres approchante à l'Epilepsie, qui estoit excitée d'une vapeur maligne enclose dedans l'espine du dos, d'où telle vapeur s'espanchoit seulement aux nerfs, qui ont leur origine d'icelle espine, sans en rien offenser le cerveau. Tel jugement ayant esté assis de la cause de ceste maladie, il ne fut rien oublié de tout ce que commande l'art, pour soulager ce pauvre malade. Mais en vain nous fismes tous nos efforts, estant plus de cent lieües eslongnez de la cause de telle maladie [71]. » De plus en plus on contestera que le démon se contente de simuler le naturel et l'on voudra que des signes exceptionnels révèlent la présence du Malin. Parlant de la Mélancolie, Guibelet écrit que Satan peut procéder comme cette humeur ; il ajoute cependant : « Mais comme tels esprits ne se peuvent contenter d'apporter des maux ordinaires, ils se manifestent incontinent par d'autres symptomes [72]. » Il en dresse la liste : « Il y a cinq ou six points principaux qui ne peuvent estre referez aux humeurs, n'y à aucune autre cause naturelle. La cognoissance des sciences sans estude. Entendre et parler plusieurs langues sans les avoir apprises paravant. Parler articulément la bouche close. Predire ce qui est à venir. Deviner les pensees. Voir les choses absentes comme presentes. Et demeurer quelque temps élevé en l'air sans aucun appuy [73]. » Ainsi le champ d'action du démon est limité. Il ne lui est plus loisible de s'embusquer derrière les opérations de la nature, il lui faut se découvrir par des œuvres propres. Le médecin Codronchi pose nettement ce principe : « On doit déclarer que plus les choses sont possibles à l'homme et d'exécution facile, et moins elles dépendent de causes surnaturelles, et croire que

---

[67] GUIBELET, *op. cit.*, p. 262 a.
[68] GUIBELET, *ibid.*, pp. 265 b - 266 a.
[69] FERNEL, *De abditis rerum causis*, II, 16.
[70] Par exemple, TAXIL, *op. cit.*, p. 153.
[71] PARÉ, *Des monstres et prodiges*, éd. J. CÉARD, Genève, Droz, 1971, p. 95. — Le texte de Fernel est reproduit dans cette éd., pp. 183-184.
[72] GUIBELET, *op. cit.*, p. 268 a et b.
[73] GUIBELET, *ibid.*, pp. 283 b - 284 a.

celles qui lui sont impossibles sont celles qui ont pour cause les esprits damnés [74]. »

Ce n'est pas à dire que les œuvres d'apparence naturelle ne puissent dépendre de l'action du démon, mais le médecin n'a pas à en tenir compte. Il lui suffit de remédier aux dispositions physiques qui favorisent l'intervention du Malin. A la différence de Boaistuau, par exemple, qui affirmait, en 1560, que la racine de Baara guérit les « forcénés, demoniacles et autres (...) possedés du démon » [75], Taxil ne croit plus que la rue puisse chasser le démon ; il faut dire « plustost comme tiennent tous les naturalistes », que « estant ceste herbe fort propre à l'humeur melancholique, consumant les humeurs crasses, et viscueux, ostant, ou diminuant plustost le sujet, et l'instrument duquel le diable se sert (...), il ne peut faire ce qu'il voudroit, et cesse pour quelque temps, jusques à ce que l'humeur soit de nouveau proportionné à son ouvrage » [76]. Vallesius va plus loin encore : il rappelle le cas du Saûl, célèbre mélancolique, que le chant de la cithare de David parvint à soulager, et il estime que cette musique jouait un double rôle : celui d'une médecine propre à réparer la mélancolie puisque la musique en est un traitement bien connu ; celui d'exorcismes aptes à chasser le démon [77]. Et c'est Vallesius qui cite Avicenne : « Certains médecins ont pensé que la mélancolie arrive par le fait du démon, mais, quand nous traitons de choses physiques, nous ne nous soucions pas de savoir si cela arrive par son fait ou non, une fois posé que, si cela arrive par son fait, alors cela arrive de telle sorte qu'il change la complexion et la rend mélancolique, que donc la cause prochaine du mal est la mélancolie, et la cause de celle-ci le démon ou non, peu importe [78]. » Supprimez la cause prochaine et vous supprimez nécessairement la maladie.

Ainsi il existe un ordre des causes naturelles, qui a sa spécificité. En dépit des apparences, ceux qui, à la fin du siècle, croient à la possession démoniaque sont, par bien des aspects, plus « modernes » que ceux qui, au milieu du XVIe siècle, la niaient. Un exemple le montrera : l'aptitude de certains mélancoliques à parler des langues inconnues d'eux. Pour Lemnius, c'est chose qui peut être tout à fait naturelle. Un de ses chapitres est intitulé : « Que les melancholiques, maniaques, phrenetiques, et qui par quelque autre cause sont espris de fureur, parlent quelquefois un langage estrange qu'ils n'ont jamais aprins, et toutefois ne sont poinct demoniacles [79]. » Taxil, au contraire, et la plupart de ses contemporains estiment que c'est un signe manifeste de l'action du démon. Est-ce une rechute dans les rets de l'irrationnel ? En fait, pour Lemnius, la maladie garde un caractère sacré ; quand l'homme est en proie à ces fureurs, il dégage son âme du fardeau du corps, il délivre une science enfouie qui était « oppressee par la masse du corps, et par les

---

[74] CODRONCHI, *op. cit.*, p. 89 b : « Quae homini sunt magis possibilia, et factu facilia, ea minus a causis supernaturalibus oriri [asserendum est]. Quae vero sunt ipsi impossibilia, illorum causam in perditis spiritibus sitam esse, est credendum. »

[75] Pierre BOAISTUAU, *Histoires Prodigieuses*, 1560, ch. 23, rééd. Y. Florenne, Paris, 1961, p. 167.

[76] TAXIL, *op. cit.*, p. 157.

[77] VALLESIUS, *op. cit.*, pp. 219-220.

[78] « E quibusdam medicorum visum est, quod melancholiam contingat à Daemonio, sed nos non curamus, cum physicam docemus, si illud contingat a Daemonio, aut non contingat, postquam dicimus, quod si contingat a Daemonio, tum contingit ita ut convertat complexionem et choleram nigram, et sit causa ejus propinqua cholera nigra, deinde sit causa illius Daemonium, aut non Daemonium. » Ce texte est cité par VALLESIUS, *ibid.*, pp. 220-221. On le lit aussi chez CÉSALPIN, *op. cit.*, p. 8 b. Voir encore le commentaire de Thomas a VIEGA, *op. cit.*, p. 160.

[79] LEMNE, *op. cit.*, II, 2, p. 259.

humeurs espaisses et grossieres » [80] : la maladie lui entrouvre les portes du paradis oublié. Taxil, lui, conteste ce platonisme, auquel il oppose la table rase d'Aristote [81]. L'homme ne peut rien savoir qu'il n'ait appris, et il n'est pas vrai que le jeu des humeurs puisse disposer l'âme à redécouvrir en elle un savoir caché : « Autrement, s'il ne failloit qu'un bon esprit pour estre docte, que nous serviroient les escholes ? Nous saurions seulement autant que nous avons d'esprit propre, et un paysan bien fourny de melancholie torrefiee, pourroit diviser des sciences, et servir de truchement à toute nation, plustost qu'un phlegmatique, qui auroit demeuré trente ans aux escholes, cela ne s'est veu, ny se verra [82]. » C'est qu'aux yeux de Taxil, la maladie commence à perdre son obscur caractère sacré, qu'elle n'est plus qu'une indisposition, et qu'il est bien digne de Satan de profiter, à l'occasion, de ces faiblesses de la nature pour perpétrer ses petits méfaits, mais que l'homme n'est jamais aussi lui-même qu'en bonne santé. A propos de la polyglottie encore, il écrit fort clairement : « Ceux qui soutiennent que c'est l'humeur, qui cause cete merveille, advouent, que cela n'arrive qu'aux hommes malades, mais ne seroit ce pas pour arguer, et reprendre la nature, de dire qu'elle nous auroit donné plus de perfection malade que sain ? de dire qu'un malade aye meilleur sens et meilleur entendement, estant phrenetique, que le plus sain homme du monde ? Mon entendement demeure court pour donner raison à cela [83]. » Il reste donc, puisque des cas de polyglottie sont attestés par des hommes dignes de foi, Fernel ou le P. Benedicti, à demander au démon d'en rendre compte, mais, au demeurant, à soutenir qu'en dehors de certains cas manifestes et indiscutables, les explications naturelles et les remèdes des médecins sont tout à fait suffisants. Pour une ou deux maladies démoniaques, combien en compte-t-on qui sont purement naturelles !

On va cesser désormais de s'interroger sur le sens d'une petite phrase obscure d'Hippocrate : « Quant à ce qu'il y a de divin dans les maladies, il faut que cela aussi, le médecin apprenne à le prévoir [84]. » Elle avait fait couler beaucoup d'encre; c'était sur elle que Fernel s'interrogeait dans son *De abditis rerum causis* ; Paré disait, « avec Hippocrates (pere et autheur de la Medecine), qu'aux maladies il y a quelque chose de divin, dont l'homme n'en sçauroit donner raison » [85] ; l'opuscule de Césalpin auquel nous avons fait allusion s'intitulait : « Daemonum investigatio peripatetica. In qua explicatur locus Hippocratis in Progn. Si quid divinum in morbis habetur ». Ces commentaires s'effacent pendant qu'on recommence à s'intéresser au *De sacro morbo* où le même Hippocrate niait que ce nom de l'épilepsie fût le moins du monde justifié. Il y a peut-être certaines maladies démoniaques, mais elles sont exceptionnelles et ont des caractères exceptionnels, et il est de la compétence du médecin d'en décider.

Ce fut l'attitude de Marescot dans l'affaire de Marthe Brossier : « Rien ne doit estre attribué au démon qui n'ait quelque chose d'extraordinaire par dessus les loix de la nature [86]. » Le futur cardinal de Bérulle, qui, sous le nom de Léon d'Alexis, publia en 1599 un *Traicté des Energumenes* (c'est-à-dire des démoniaques ou possédés du démon), avait senti ce danger et s'emportait contre ce médecin téméraire

---

[80] LEMNE, *ibid.*, p. 260.
[81] TAXIL, *op. cit.*, p. 150.
[82] TAXIL, *ibid.*, p. 151.
[83] TAXIL, *ibid.*, p. 152.
[84] HIPPOCRATE, *Praenotionum liber.*
[85] PARÉ, *Des monstres et prodiges*, éd. citée, p. 59. Voir aussi la note 103, p. 170, de cette édition.
[86] Cité par R. MANDROU, *op. cit.*, p. 175.

qui osait « entreprendre non seulement de juger, mais mesme de combattre en la face de tant de personnes celebres, le Jugement d'un corps Ecclesiastique, le premier de la France en lumiere, sur un subjet proprement Ecclesiastique »[87]. C'était mettre fin à une collaboration que le XVIe siècle, non sans heurts ni difficultés, n'avait cessé de chercher.

Discussion

Charpentier. — Vous avez offert ce matin une sorte de taxinomie des folies, du moins une tentative, et vous avez privilégié la mélancolie. Ce que j'apporte ce soir, c'est une question : le « cholérique » appartient-il à la catégorie des maladies mentales ? Car cette bile noire, on la retrouve un peu partout. La bile amère semble être la responsable d'un type de folie très particulier et dont le prototype me paraît Picrochole, qui finit comme un dément, un « pauvre cholérique ». Rabelais le décrit bien en termes médicaux.

Céard. — J'ai précisé ce matin que le terme de mélancolie utilisé pour désigner les humeurs non naturelles, caractérise celles qui viennent de l'adustion d'une des trois humeurs autres que la pituite. Autrement dit : l'humeur colérique — la bile jaune — elle aussi peut être l'occasion de maladies. J'ai d'ailleurs simplifié le tableau en ce sens que j'ai donné l'impression qu'à chacune des humeurs adustes correspondait une forme particulière de folie, alors qu'en réalité il y a toujours un dosage dans lequel domine plus ou moins l'une de ces humeurs. De sorte que pour beaucoup d'auteurs la manie — dite aussi « furor » ou « insania » — correspond à la bile jaune brûlée. Sa violence est plus ou moins grande selon qu'elle est plus ou moins mélangée de sang aduste ou même de partie de sang pur.

Charpentier. — Mais cette « cholère » m'avait paru une catégorie importante de la folie dans la mesure où elle est responsable d'un type de folie très particulier, qui est la folie tyrannique et qui trouve dans toute la littérature un développement extraordinaire. Ce n'est pas étrange que Picrochole en soit précisément le modèle.

Céard. — Je me suis limité à des textes plutôt de la fin du XVIe siècle et aussi un peu du début du XVIIe et là, très nettement, c'est la mélancolie qui a la place principale. La manie ou les formes de folie colérique apparaissent très souvent comme des exacerbations de cette première mélancolie. Il y a même une gradation qui est très nette, la plus douce étant la mélancolie hypocondriaque (il faudrait tenir compte aussi du point d'application), jusqu'à la manie, qui, elle aussi, a ses gradations, la première étant la manie solitaire, puis la lycanthropie, etc.

Charpentier. — Elle tomberait plutôt dans la catégorie des folies naturelles. C'est-à-dire que l'ombre du malin, du prince des ténèbres en est beaucoup plus absente que du côté des mélancolies.

---

[87] Léon d'ALEXIS, *Traicté des Energumenes*, Troyes, 1599, p. 5. — Rapprocher la délibération du Parlement, en date du 5 avril 1599, citée par R. MANDROU, *op. cit.*, p. 167, n. 30.

Céard. — Très nettement, à cause justement de cette sorte de hiérarchie spatiale, si l'on peut dire, des humeurs dont je parlais ce matin qui prédispose au fond le diable à avoir une préférence pour celle qui, au moment des dépôts successifs, se forme au bas du vase.

Pot. — Vous avez parlé ce matin des rapports qu'il y a entre mélancolie et génie en citant des sources avant tout médicales. Pourtant, selon certains auteurs, il semblerait au contraire que la tradition médicale s'inquiéterait peu de l'aspect positif du mélancolique mais toujours de son aspect négatif ; c'est-à-dire que l'on parlerait moins du mélancolique comme génie que comme malade. Ce serait le mérite de la tradition néo-platonicienne que de reprendre le Problème XXX, I d'Aristote et de le vulgariser.

Céard. — Alors il y a peut-être une question de date dont il faut tenir compte. Je parle là aussi de textes de la fin du XVIe siècle. Je n'ai pas eu le temps de vous en citer les détails, mais plusieurs médecins insistent sur cette espèce d'hésitation permanente entre le génie et la folie et sur leur parenté. Incontestablement ils le font tous, au moins Guibelet, Du Laurens et Taxil, et très nettement tous les trois. D'ailleurs je me demande à quel point c'est tout à fait nouveau. Car après tout, je rappelais le texte des problèmes d'Aristote (premier problème de la section 30) sur les grands génies épileptiques. Il y insiste et en donne une grande liste, dont je n'ai donné que quelques exemples.

Pot. — Mais ne peut-on pas dire que les philosophes ont particulièrement favorisé la diffusion de cette idée ?

Céard. — Je l'ai trouvée tout autant chez les médecins. Mais, vous savez, quand les médecins énoncent leurs titres, ils se nomment volontiers « medicus ac philosophus ». J'ai dit : médecins, théologiens, etc., pour faire vite. Il faudrait dire : argument d'origine médicale, argument d'origine philosophique, argument d'origine théologique, etc. Car ce sont souvent les mêmes qui les manient.

Pot. — Jusqu'à la Renaissance les deux traditions étaient en général séparées, sinon chez les Arabes. C'est du moins la thèse de Panofsky et de Klibansky.

Céard. — Cela ne m'a pas tellement frappé. Chez un homme comme Avicenne les traditions ne sont pas séparées. Il les énonce très clairement. Il y a de nombreux chapitres, de la première Fen en particulier, qui y sont consacrés. Avicenne est un platonicien.

Backvis. — Je me demande dans quelle mesure, au Moyen Age, on a appliqué l'appellation de philosophe à tout homme considéré comme exceptionnellement instruit. En tout cas, dans l'Est de l'Europe, je le vois nettement.

Marc'hadour. — Quand vous avez dit, Monsieur Céard, ce matin, que les phénomènes qui manifestement ne pouvaient pas relever de la nature — comme la lévitation et la polyglottie — étaient quasi automatiquement attribués au diable par les gens les plus intelligents, cela m'a surpris un peu, parce que j'arrive d'Amérique où j'ai été très mêlé à ce qu'on appelle le renouveau charismatique. J'allais tous les lundis à un groupe de prière, fonctionnant dans la paroisse où je résidais ; il n'y avait pas là de polyglottie, mais la glossolalie y était fréquente, et facilement enregistrable sur bande magnétique. Incontestablement, des gens parlaient des langues qu'ils n'avaient pas apprises. En outre, il y avait des rumeurs de bilocation : un certain David Du Plessis, patriarche de l'œcuménisme, a la réputation, quand on a besoin de lui, d'être dans deux endroits à la fois. Aujourd'hui, dans ces milieux-là, l'idée n'est pas exclue que le diable peut être en cause, mais elle vient tout aussi spontanément que c'est le saint Esprit qui peut être en cause.

Céard. — C'est un sujet intéressant que vous abordez là, un sujet très curieux. J'ai fréquemment rencontré dans les textes l'idée que ce pouvait être aussi bien le saint Esprit que le diable qui était en cause, le partage, d'ailleurs, étant facile à faire, car on explique que le saint Esprit travaille toujours pour de bonnes choses, et le diable non, et que si l'on considère la façon de vivre, les mœurs des gens qui sont en proie à l'un ou à l'autre, il est facile de faire le partage. Une fois le principe posé, on ne parle jamais plus que de l'influence du diable. Dans un texte que je vous citais ce matin — peut-être l'avez-vous remarqué au passage —, Guibelet disait qu'il tiendra le milieu entre les deux avis dont nous parlions tout à l'heure, et qu'on déduira « qu'il y a des effets qui peuvent estre purement causez de l'humeur mélancolique, aucuns des Démons, aucuns des deux ensemble » — mais, dans un paragraphe précédent, il avait dit que certaines grandes convulsions d'esprit « sont de la part de Dieu ou des Démons ». Dieu est toujours oublié en route. Il est très curieux, mais très net qu'on le signale théoriquement, et que jamais dans les exemples on ne le retrouve.

Backvis. — Quand Erasme donne sa traduction du Nouveau Testament et qu'il remarque que dans le grec des Apôtres, il y a parfois des traces de leur origine hébraïque, il se fait rabrouer par les orthodoxes puisque les Apôtres avaient évidemment le don de polyglottie et devaient connaître admirablement le grec. Ils ne pouvaient pas commettre des barbarismes. C'était indigne de le supposer.

Charpentier. — Il me semble que les mystiques eux-mêmes sont très méfiants, se méfient du diable et n'ont pas tendance à croire tout de suite au saint Esprit.

Céard. — Il est bien certain aussi — tout à fait dans votre sens, et autant que j'ai le droit de vous en parler, dans la lignée de la pensée chrétienne — qu'il y a une perpétuelle résistance à l'égard de ces questions, en particulier de la part de gens qui ont des responsabilités d'ordre monastique, etc. Il faut relire les *Collationes* de Cassien qui, sur ce point, sont un des textes les plus lucides que je connaisse.

Ossola. — Puisqu'on a cité les mystiques et que ce matin vous avez rappelé Fernelius Ambianus, je veux ajouter que dans le même passage où l'automne est présenté comme saison de la mélancolie, il y a quelque chose qui nous concerne en tant qu'hommes de lettres :

> Vitae conditio tristis, multis curis, negotiis, *contemplationibus aut literarum studiis implicita,* nulla interposita animi hilaritate aut corporis exercitatione : sub hac conditione nativus calor elanguescit, omnia torpore sopita crassescunt.

L'homme de lettres se situe ainsi au point de partage entre le mystique et le fou. C'est un signe dont il faut tenir compte dans notre travail.

Céard. — C'est au XVIe siècle une pensée tout à fait constante des médecins que celle-ci : les dangers des hautes charges et de la pratique des lettres.

Stegmann. — Les questions que je voudrais poser sont d'ordre pragmatique. La première, c'est que dans votre nomenclature des maladies et de leurs cures, on a assez peu parlé de ces dernières, alors qu'hier nous avons eu un exposé où il n'était question que de la pierre de folie. Vos médecins parlent-ils aussi de la pierre de folie, et quelle place lui donnent-ils dans les cures ? Seconde question : Quel type de folie représentent les fous joyeux ? Ma troisième question concerne les indications fournies par les cures sur la classification des diverses folies. Par exemple, la cure par le jus d'aconit est fondée sur l'idée qu'*aconit* c'est l'enfer ; autrement dit, la cure par jus d'aconit impliquerait-elle qu'il s'agit d'un type de folie de possession démoniaque ? De même, dans le traité de Grévin sur les poisons, à la cure purement médicale s'ajoutent des remèdes qui rattachent folie et démonologie.

Céard. — Je vais essayer de répondre très partiellement. D'abord sur le problème de la pierre de folie. Je ne connais aucun texte médical parmi ceux que j'ai lus, qui en parle le moins du monde ou qui y fasse la moindre allusion. Pour ce qui est du problème général des cures, il faut d'abord préciser que la médecine du XVIᵉ siècle est une pratique, une « ars medendi », ou « ars curandi » ; et ainsi la place des médicaments et de toutes les thérapeutiques possibles y est certainement beaucoup plus grande que la description théorique à laquelle je réservais la seule place. D'autre part, outre le problème de savoir quels sont les types de médicaments ou de plantes qui sont utilisés, rappelons-nous que, dans la médecine du XVIᵉ siècle, selon une tradition antique et médiévale, il y a trois grandes parties : la diététique, la chirurgie et la pharmacie. Ainsi, le traitement du fou débute par le choix d'une diète précise, d'un régime de vie possible, un « norma regiminis » comme disent les médecins. Dans le cas de la frénésie, on lui imposera naturellement ce qu'on appelle une diète subtile, c'est-à-dire un régime léger ; pas de vin, etc. Ensuite, on recourt à des procédés qui sont de caractère chirurgical ; on propose un effet de « *révulsion* », qui consistera, dans le cas du frénétique, à sectionner les veines pour faire écouler le sang — ce qui, au fond, crée un effet de faiblesse salutaire — ; puis une « *répercussion* », qui consiste à donner coup pour coup ; autrement dit, dans ce cas-là, ce sera de pratiquer des sortes d'irrigations, qu'on appelait embrocations : irrigations refroidissantes d'eau de rose, ou encore de vinaigre (ce qui est intéressant : vous avez remarqué précédemment qu'on interdisait le vin ; maintenant on utilise le vinaigre. Or la définition normale du vinaigre à l'époque, c'est « cadaver vini » ; le vinaigre, c'est un cadavre de vin). L'*éduction*, en troisième lieu, consiste à faire sortir les humeurs mauvaises, p. ex., s'il s'agit de sang brûlé, par saignée, et, s'il s'agit d'autres humeurs qu'on ne peut pas faire sortir directement, par des produits pharmaceutiques. Et, pour terminer, la *rectification des humeurs peccantes,* par des sirops et, d'autre part, par toute une série d'applications qui demanderaient beaucoup de précisions, p. ex. le corps d'une colombe fendue en deux, qui a un effet de rectification des humeurs colériques, dans le cas de la frénésie, ou un corps de chat roux ; par des somnifères surtout puisque la chaleur est cause d'éveil, etc. Voilà le type de traitement que l'on trouve, outre une médecine directement psychique, qui consiste, à titre de préparation, p. ex. à aller dans le sens des illusions du malade. L'extraction d'une pierre de folie, je n'en ai jamais trouvé mention chez aucun des médecins. D'une certaine manière, on peut se demander s'il existe réellement une médecine de l'extraction de la pierre de folie ou si ce n'est pas une expression très largement métaphorique. Pour votre deuxième question concernant les fous joyeux, il en est question, mais, je l'ai dit, ceux-là ne font pas peur et, du reste, que de fois reviennent les anecdotes sur ces fous qui sont heureux de leur folie, et qu'il ne faut pas trop tâcher de ramener à la raison, p. ex. l'histoire de celui qui attendait les bateaux au Pirée et qui, chaque fois qu'il en arrivait un, croyait que c'était pour lui, jusqu'au jour où on l'a guéri et où on l'a en même temps rendu très malheureux. Ces fous-là sont des gens heureux et, d'une certaine façon, il ne faut pas trop toucher à eux. Une question de langue maintenant, parce que vous avez parlé du « fatuus », qui est très importante. C'est que dans la littérature médicale le mot « fatuus » a un sens bien précis. « Fatuus » ou plutôt, quand on détermine les différentes maladies, *fatuitas* ou *stultitia*, ou en grec μώρωσις, désigne les cas d'imbécillité, c'est-à-dire la folie des gens chez qui domine un tempérament froid ou chez qui il y a un excès de pituite ; elle peut se caractériser de différentes manières, par l'« amentia » ou « ἄνοια », ou encore, si la maladie touche la faculté propre de la mémoire, par l'oubli. Mais « fatuus », employé dans ce sens, c'est un niais. On donne des exemples de microcéphalie, p. ex., comme cause primaire et congénitale de « fatuitas ». C'est dans ce sens que je l'ai trouvé employé, et non pour désigner des fous joyeux, qui, eux, entrent dans la catégorie des « desipientiae », des « dementiae », etc., mais non des « amentiae ». Il y a un décalage de vocabulaire entre la langue commune et la langue technique.

Stegmann. — A quel type appartiennent les psychopathes ? Surtout s'il s'agit d'une folie congénitale.

Céard. — Ce sont des gens chez qui l'usage du corps comme instrument n'est absolument pas à la disposition de l'âme, à cause d'une faiblesse, d'une résistance du corps qui vraiment refuse d'obéir. C'est cela leur folie congénitale. Chez eux, c'est l'humeur froide qui domine (quand j'ai parlé de la première et de la deuxième digestion ainsi que de la création des quatre humeurs, j'aurais dû fournir une précision supplémentaire : c'est que chacun dispose d'un tempérament propre et que le dosage naturel des quatre humeurs chez une personne ne sera pas le même que chez une autre. Si on va dans le sens du tempérament de l'individu, tout va bien ; autrement, non. Donc le médecin doit toujours commencer par essayer de déterminer le tempérament naturel de quelqu'un, avant de voir les perturbations des humeurs).

Stegmann. — Comment se pose alors le problème des liens entre la folie, qui est de volonté divine, liée parfois à la fonction prophétique ?

Céard. — Les médecins l'excluent tout de suite. Il y a une fureur divine qui peut déterminer certains types d'extase : celle-là, n'en parlons pas, l'extase consistant en ceci, que l'esprit est complètement abstrait du corps et n'a plus à faire l'effort d'utiliser cet instrument toujours un peu rétif. L'esprit n'est pas ici dans l'impossibilité d'utiliser le corps ; il *s'abstrait* de lui. Celle-là, c'est la fureur divine.

Le discours rabelaisien, ou la raison en folie

Marcel DE GREVE

Professeur ordinaire à l'Université de Gand

Dans un travail publié dans la revue *Romantisme* et consacré à l'*Aurélia* de Gérard de Nerval [1], Shoshana Felman suggère un circuit textuel, c'est-à-dire un trajet de lecture possible du discours historique évoquant la folie. Pour elle, chez Arthur Rimbaud il s'agit de l'histoire de *mes* folies, chez Gérard de Nerval il s'agit de l'histoire de *ma* folie, Antonin Artaud, lui, évoque l'histoire de *notre* folie, et enfin Michel Foucault, dans l'ouvrage qui a probablement donné son titre au présent colloque [2], écrit l'histoire de *la* folie [3].

Toutefois, même si l'on considère que, dans le discours moderne, le livre de Foucault marque le moment d'une prise de conscience où un projet philosophique prend la relève d'un projet poétique, il n'en demeure pas moins que pour les trois premiers auteurs évoqués par Mᴵᴵᵉ Felman, il s'agit également d'un méta-discours plutôt que d'un discours proprement dit, d'un méta-discours portant sur un discours primaire, — fût-il non exprimé — celui de la folie même. Tel qu'il est présenté, le projet de lecture de Mᴵᴵᵉ Felman se rapporte à une écriture ayant la folie comme objet, et non comme sujet.

Il est vrai que la notion même d'un discours de la folie pose de sérieux problèmes — d'ailleurs évoqués dans l'étude de Michel Foucault. Car il y a une contradiction fondamentale entre les deux termes « discours » et « folie ». Cette contradiction a été perçue et mise en évidence par Jacques Derrida : « La phrase est par essence normale. Elle porte la normalité en soi, c'est-à-dire le sens. [...]. Dans sa syntaxe la plus pauvre, le logos est déjà la raison, et une raison déjà historique [4]. » Aussi bien, comment la *traduction* de la folie par le truchement du *langage* pourrait-elle être autre chose qu'une *maîtrise* de la folie, c'est-à-dire une violence contre elle [5] ? Autrement dit, comment la folie, comment la *déraison* pourrait-elle être sujet d'un discours, lequel, dans son essence même, est *raison* ?

Avant d'entamer notre étude proprement dite, il ne sera pas inutile de « situer » notre texte, tant il est vrai qu'un travail sur le discours ne peut négliger les connotations qui imprègnent ce discours.

Et, de ce point de vue, une première mise en garde s'impose. Depuis le XIXᵉ siècle, depuis Hugo, Lamartine, Musset, Gautier, l'*originalité* d'une œuvre d'art, le caractère exclusivement personnel de toute œuvre littéraire, et plus particulière-

---

1 *"Aurélia" ou "le livre infaisable" : de Foucault à Nerval*, dans *Romantisme*, nᵒ 3, 1972, pp. 43-55.

2 *Folie et déraison. Histoire de la folie à l'âge classique,* Paris, Plon, 1971.

3 S. FELMAN, *art. cité*, p. 43.

4 *L'écriture et la différence*, Paris, Seuil, 1967, p. 57.

5 S. FELMAN, *ibid.*

ment poétique, sont communément considérés comme des éléments déterminants de cette forme d'expression humaine. « De allerindividueelste expressie van de allerindividueelste emotie », disait Willem Kloos. Actuellement encore, ce qu'on peut appeler « le grand public » considère toujours qu'une œuvre d'art ne peut qu'exprimer l'individualité d'une personnalité donnée et bien précise. C'est, entre autres, ce qui nous empêche bien souvent d'établir le contact avec, par exemple, le « pop-art », ou avec la musique dite « formelle » (comme s'il pouvait y en avoir une autre), ou avec tel « jeu » de Michel Butor comme la *Chanson pour don Juan*, ou une entreprise comme les *Cent mille milliards de poèmes* de Raymond Queneau. C'est bien pourquoi aussi il nous est si difficile d'établir le contact — esthétique, ou critique, ou simplement « littéraire » — avec les œuvres du XVIᵉ siècle. Car il suffit de relire la *Deffense et illustration de la langue françoyse* de Joachim du Bellay pour se rendre compte que même chez les poètes de la Pléiade — si conscients fussent-ils de leur valeur « personnelle » — il est bien moins question d'originalité, et surtout pas de l'originalité du sujet ou du thème, que de la correction et de l'élégance de la forme. Contrairement à la relation qui, à l'époque romantique, s'établit entre le poète et son poème, il n'y avait au XVIᵉ siècle, pas plus que de nos jours, d'adéquation entre l'auteur et son œuvre. Il n'était, par exemple, nullement question pour Ronsard de s'épancher dans ses sonnets, d'y exprimer ses sentiments profonds et éminemment personnels. Bien plus que le chantre d'Hélène, ou de Cassandre, ou de Marie, comme on nous l'a souvent présenté, Ronsard est, selon la remarquable définition de Fernand Desonay, un « poète de l'amour », c'est-à-dire un poète du sentiment amoureux en général et non de ses propres sentiments amoureux, — à telle enseigne que, malgré les sonnets qu'il lui a dédiés, le chef de la Pléiade n'a, très probablement, jamais eu le moindre rapport amoureux avec Hélène de Surgères, ou que tel sonnet écrit « pour Cassandre » devint un sonnet « pour Marie » parce que, au moment de l'édition du recueil, la jeune fille de Bourgueil était la dernière conquête du poète [6].

Nous avons donc vraiment toutes raisons de revenir au niveau qui est le nôtre, au niveau authentiquement signifiant, celui du discours.

Remarquons d'abord que le *paradoxe*, sous toutes ses formes, apparaît dans pratiquement tous les textes littéraires de la Renaissance. Il ne peut évidemment pas être question d'analyser ici tous les aspects, ni même de mettre en évidence toute l'importance de cette figure de rhétorique, de cet outil qu'est le paradoxe [7].

Toutefois, ce sur quoi il convient d'insister, c'est que le paradoxe est l'exemple typique de destruction non seulement du lien logique qui relie le discours à la réalité mais encore de ce discours même. Or on ne peut que constater qu'il s'agit d'une technique très appréciée au XVIᵉ siècle, en quoi les auteurs de l'époque ne faisaient qu'imiter les leçons de leurs maîtres, Platon, Socrate, Lucien, Cicéron, Ovide, Plutarque, ou encore, plus proches dans le temps et dans l'espace, Francesco Berni et Ortensio Lando, dont les *Paradossi* furent remarquablement traduits par Charles Estienne, en 1533.

---

[6] Voy. à ce sujet Fernand DESONAY, *Ronsard, poète de l'amour*, 3 vol., Bruxelles, Palais des Académies, 1952-1959 ; D. STONE, *Ronsard's Sonnet Cyclus. A Study in Tone and Vision*, Yale, University Press, 1966 ; A.L. GORDON, *Ronsard et la rhétorique*, Genève, Droz, 1970 ; B.J. MALLETT, *Some Uses of "Sententiae" in Ronsard's Love-Sonnets*, dans *French Studies*, t. XXVII, 1973, nᵒ 2, pp. 134-150.

[7] Voy. à ce sujet Barbara C. BOWEN, *The Age of Bluff*, Urbana, University of Illinois Press, 1972.

Il est vrai que le paradoxe, qui est en fait une logique à rebours, une antilogique, ne connut tout de même pas en France le succès qu'il eut en Italie et en Angleterre. Il n'en imprégna pas moins la littérature — et même les rapports sociaux — de l'époque. C'est en négligeant ce phénomène qu'on en arrive, par exemple, à prendre au sérieux, c'est-à-dire à la lettre, tout ce qui fut dit, écrit et publié en rapport avec la fameuse « querelle des femmes », — ce qui fut d'ailleurs le cas du grand rabelaisant du début de ce siècle, Abel Lefranc. *La Louenge des femmes* (1551), attribuée à Thomas Sébillet, et *L'amye de court* (1542), de Bertrand de la Borderie, pour ne prendre que ces deux exemples, sont des pamphlets cyniquement antiféministes. Déjà au début du siècle, le *De nobilitate et præcellentia fœminei sexus* (1529), de Cornelius Agrippa, est une glorification de la femme à ce point exagérée que même le plus ardent féministe ne pouvait la prendre au sérieux. C'est ainsi aussi que les *Sylvae nuptialis libri sex* (1540), de Jean Nevizan, comprennent deux livres contre le mariage et deux en faveur du mariage.

Cet intérêt pour le paradoxe est à l'origine d'œuvres contradictoires d'un même auteur, œuvres que l'on trouve parfois publiées ou reliées ensemble. A part l'ouvrage de Nevizan, que je viens de citer, un autre cas typique est *Le theatre du monde, ou il est faict un ample discours des miseres de l'homme*, de Boaystuau, publié en 1561 avec le *Bref discours de l'excellence et dignité de l'homme*, du même auteur, et où l'on assiste à une contradiction méthodique et rigoureuse de l'un par l'autre. C'est bien de *discours* qu'il s'agit, comme Boaystuau l'indique d'ailleurs lui-même dans le titre. Et il est clair qu'on ne comprendra jamais l'intérêt ou la motivation de cet exercice de rhétorique, — tout comme on ne pouvait pas comprendre la publication par un même poète, en l'occurrence Lautréamont, à la fois des *Chants de Maldoror* et des *Poésies*, la dernière œuvre étant comme un calque négatif de la première — en ignorant l'importance du paradoxe dans la technique littéraire, dans la production de littérarité. Faut-il rappeler aussi que *L'éloge de la folie* (1509) d'Érasme a longtemps, et depuis le XIXe siècle surtout, été considéré comme un authentique « éloge de la folie », ce qui ne manquait pas de gêner les plus pessimistes, les plus désenchantés, les plus nihilistes de ces prétendus lecteurs, et ce n'est qu'à partir du moment où l'on a vraiment « lu » cette œuvre, c'est-à-dire qu'on ne l'a plus considérée comme un simple exposé assez platement philosophique, que l'on a pu se rendre compte que d'un paradoxe banal et combien de fois ressassé Érasme a sorti un chef-d'œuvre littéraire.

Dans une étude assez récente, *Seven Types of Ambiguity* [8], William Empson montre bien que le paradoxe et l'ambiguïté font partie intégrante de la poésie, ce qui n'est pas le cas, du moins pas dans cette ampleur, pour la prose. Il existe pourtant des textes en prose où ces éléments sont non seulement présents, mais déterminants. L'œuvre de Rabelais est un de ces textes.

Certes, chez la plupart des auteurs du XVIe siècle, et surtout chez Rabelais, l'ambiguïté, pour nous lecteurs du XXe siècle, résulte souvent d'une incompréhension de formes sans le moindre rapport avec la « littérarité », mais qui découle tout simplement de notre méconnaissance de cette langue particulière qu'est le moyen français, comme aussi des habitudes de penser et de dire spécifiques de cette époque. Autrement dit, bien souvent s'introduit une ambiguïté qui n'appartient pas en propre au texte même, mais qui y est introduite par la distance qui sépare le texte de nous. En revanche, le lecteur du XVIe siècle éprouvait, lui, des

---

[8] New York, New Directions, s.d.

difficultés de lecture que nous ne rencontrons plus, non seulement parce qu'il en avait moins l'habitude que nous, — on sait que même seul il lisait souvent à haute voix — mais aussi parce que, par exemple, les textes, même imprimés, ne contenaient aucune ponctuation ou que la ponctuation, lorsqu'elle existait, était fantaisiste et destinée seulement à indiquer les pauses rhétoriques. Dans les éditions que nous utilisons tous, les énoncés rabelaisiens sont, comme dirait Pierre Kuentz [9], « soumis à une toilette typographique et orthographique destinée à les rapprocher du lecteur ».

Ainsi donc, paradoxe, ambiguïté ou énigme sont des outils, des techniques qui offrent la possibilité de mettre la réalité en question, voire de la nier, ce sont des moyens qui permettent d'introduire la déraison dans un discours par définition raisonnable.

Voyons maintenant, sous cet aspect, le texte de François Rabelais. Nous nous limiterons à trois exemples, pris à *Pantagruel*, — qui est, comme vous le savez, le livre qui fut publié en premier lieu, en 1532 — et pour commencer un paragraphe du chapitre II :

> Le Philosophe raconte, en mouvant la question pour quoy c'est que l'eaue de la mer est salée, que, au temps que Phebus bailla le gouvernement de son chariot lucificque à son filz Phaeton, ledict Phaeton, mal apris en l'art et ne sçavant ensuyvre la line ecliptique entre les deux tropiques de la sphere du soleil, varia de son chemin et tant approcha de terre qu'il mist à sec toutes les contrées subjacentes, bruslant une grande partie du ciel que les Philosophes apellent *Via lactea* et les lifrelofres nomment *le chemin Sainct Jacques*, combien que les plus huppez poetes disent estre la part où tomba le laict de Juno lors qu'elle allaicta Hercules : adonc la terre fut tant eschauffée que il luy vint une sueur enorme, dont elle sua toute la mer, qui par ce est salée, car toute sueur est salée ; ce que vous direz estre vray si vous voulez taster de la vostre propre, ou bien de celles des verollez quand on les faict suer ; ce me est tout un.

> (*Pantagruel*, chap. II).

Il n'est évidemment pas question que nous fassions une analyse exhaustive de ce petit texte. Mais il sera intéressant de noter qu'en un passage aussi peu étendu les éléments paradoxaux et ambigus puissent être si nombreux, et cela tout autant pour les lecteurs de l'époque de Rabelais que pour nous.

Remarquons d'abord que ce passage fait partie du chapitre intitulé : *De la nativité du très redoubté Pantagruel*, c'est-à-dire le chapitre qui nous raconte l'épisode de la naissance de Pantagruel. Or, vous l'aurez observé, rien, absolument rien de ce qui y est dit n'a le moindre rapport avec cette naissance, ni même ou fort peu avec le pays « plein de secheresse » dont il était question dans le paragraphe précédent. Cette longue phrase, véritable période d'ailleurs, est un exemple typique de ce style digressif, menant à la dispersion par l'importance qui est accordée aux aspects les plus excentriques d'un sujet avant de passer au suivant. De cette façon le texte de Rabelais détruit la logique orthodoxe, il brise l'harmonie structurale de la narration.

La première proposition est doublement abusive, et donc paradoxale. *Le philosophe raconte...* : Même pour un lecteur du XVIe siècle, cela sonne faux, cela annonce une érudition fictive, car jamais une référence sérieuse ne se fait à l'aide d'une expression stéréotypée propre aux contes populaires. Le caractère fantaisiste est encore renforcé par l'objet même du commentaire : *pourquoy c'est que l'eaue*

9 *L'envers du texte*, dans *Littérature*, n° 7, octobre 1972, pp. 3-26 ; p. 5.

de la mer est salée. Enfin, l'aspect « conte populaire » est encore renforcé par le stéréotype *au temps que*, qui correspond à notre « il était une fois... ». Nous sommes en pleine parodie. Or la parodie se retourne contre elle-même, car l'érudition étalée est tout à fait correcte, c'est-à-dire conforme aux connaissances de l'époque. Le philosophe cité n'est autre qu'Empédocle, qui raconte effectivement ce qui suit dans le *De placitis philosophorum* de Plutarque, ouvrage bien connu de tous les humanistes ; et même ceux qui n'avaient pas lu cette œuvre passablement aride de Plutarque connaissaient très certainement l'histoire de Phaeton telle qu'elle est racontée dans les *Métamorphoses* d'Ovide. Autrement dit, Rabelais conteste son époque en tournant en dérision la manie des citations, mais, dans le même temps, il tourne la dérision même en dérision en citant correctement et en veillant qu'on le sache.

Lucificque est un adjectif savant, probablement construit par Rabelais lui-même, comme c'est souvent le cas, mais qui vient ici très mal à propos, — selon la bonne logique ! — car il apparaît immédiatement après le verbe « bailler » qui, à cette époque, était très familier et populaire. La contradiction formelle entraîne ici un effet comique.

Sont également déplacés, anachroniques, les termes savants *ligne ecliptique*, qui désigne la ligne du soleil dans sa course, et *les deux tropiques* : cette terminologie authentiquement savante n'a que faire dans un contexte qui évoque une explication mythologique.

Mais la contradiction ne se manifeste pas seulement au niveau strictement formel ; elle apparaît aussi au niveau sémantique : la proposition commençant par *bruslant une grande partie du ciel* n'a pratiquement aucun rapport avec la proposition précédente, où il est question de la terre.

Un peu plus loin, les groupes formés par : d'une part *Philosophes* et *Via lactea*, d'autre part *lifrelofres* et *le chemin Sainct Jacques*, constituent un contraste d'un comique certain. Et cela d'autant plus que la construction parallèle de même que la similarité des sons entre *philosophes* et *lifrelofres* (qui désignent des goinfres et des ivrognes) suscitent l'impression d'une assimilation des deux, plutôt qu'une opposition. Au sujet de ce *lifrelofres*, il est assez significatif, me semble-t-il, que des étudiants avec lesquels j'organise un séminaire de « translation » de Rabelais, ont, cette année-ci, insisté pour que, dans notre traduction, nous maintenions le mot tel quel, « lifrelofres », et cela avant même que j'eusse fait quelque commentaire que ce soit : il est apparu dans la suite qu'ils « aimaient beaucoup », comme ils disaient, ce mot, mais aussi qu'ils avaient été, fût-ce inconsciemment, sensibles au rapprochement entre *philosophes* et *lifrelofres*. Preuve que les particularités du discours rabelaisien sont effectivement accessibles aux lecteurs contemporains.

Continuons notre lecture. La conjonction concessive *combien que* introduit un doute quant à la validité de ce qui est affirmé dans la proposition qui suit, doute d'ailleurs renforcé par l'épithète *huppéz* et par le fait que ce sont des poètes qui sont évoqués et non des philosophes. Voilà donc une contestation des explications mythologiques des phénomènes naturels. Et répétons encore que tout ceci n'a strictement rien à voir avec la naissance de Pantagruel.

Au moment où apparaît Hercule, la longue phrase donne l'impression de s'enliser. Certes, les sept propositions qui dépendent du verbe principal sont toutes construites de façon parfaitement logique, mais même sous la plume de Rabelais il y en a trop pour que la lecture soit confortable. Rabelais pourtant ne s'arrêtera pas pour autant. A peine accorde-t-il à son lecteur le temps de respirer, et le voilà qui repart avec un catégorique *adonc* qui ne fait rien de moins que résumer tout ce qui précède depuis *au temps que*. C'est là d'ailleurs un procédé typiquement rabelaisien que de continuer une phrase au moment où on la croyait terminée.

Les cinq propositions qui suivent cet *adonc* se présentent comme si elles constituaient une explication scientifique. Toutefois, et une fois de plus, cette explication est contredite par la structure de ces propositions, car elles coulent de source et se présentent au petit bonheur plutôt que d'être construites sur une base logique.

Le segment *ce que vous direz estre vray si vous voulez taster de la vostre propre* donne bien l'impression d'un plaidoyer en faveur des sciences expérimentales et de la vérification des hypothèses par l'expérience personnelle. Mais de nouveau ceci est immédiatement contesté par la proposition suivante qui correspond à une suggestion peu ragoûtante, voire révoltante, et qui, de surcroît, au niveau de l'écriture précisément, est présentée comme le deuxième terme d'une disjonction non exclusive. Le *ce m'est tout un* met encore davantage en évidence la valeur égale des deux procédés suggérés. Il convient encore de remarquer que la désinvolture exprimée par *ce m'est tout un* est en contradiction flagrante avec ce qui précède, et plus particulièrement avec l'enthousiasme et l'énergie de l'expression. En fait, nous constatons ici que l'écriture se conteste elle-même.

On pourrait évidemment multiplier encore les commentaires à propos de ce seul petit texte. Mais je crois — j'espère ! — que ce que je viens d'en dire suffira pour vous convaincre que si la « pensée » de Rabelais est audacieuse, — ce que je ne mets nullement en doute — le texte même, le discours l'est tout autant, sinon davantage : c'est vraiment à ce niveau-ci que la raison est en folie.

Je m'étendrai beaucoup moins sur les deux autres extraits que j'ai choisis pour étayer nos réflexions.

A propos du passage qui constitue le début du chapitre III, intitulé *Du deuil que mena Gargantua de la mort de sa femme Badebec*, je m'en voudrais tout de même de ne pas attirer votre attention sur la contradiction qui apparaît, une fois de plus, au niveau du texte même, la profonde et sincère douleur étant chaque fois contestée par des réflexions soit exagérément familières, soit triviales. Ce phénomène se manifeste surtout dans le deuxième paragraphe.

> Quand Pantagruel fut né, qui fut bien esbahy et perplex ? ce fut Gargantua son pere, car, voyant d'un cousté sa femme Badebec morte, et de l'aultre son filz Pantagruel né, tant beau et grand, il ne sçavoit que dire ny que faire. Et le doubte que troubloit son entendement estoit, assavoir s'il devoit plorer pour le dueil de sa femme, ou rire pour la joye de son filz. D'un costé et d'aultre, il avoit argumens sophisticques qui le suffoquoyent, car il les faisoit très bien *in modo et figura*, mais il ne les pouvoit souldre, et, par ce moyen, demeuroit empestré comme la souris empeignée, ou un Milan prins au lasset.
>
> « Pleureray je ? disoit il. Ouy, car, pourquoy ? Ma tant bonne femme est morte, qui estoit la plus cecy, la plus cela qui feust au monde. Jamais je ne la verray, jamays je n'en recouvreray une telle : ce m'est une perte inestimable ! O mon Dieu, que te avoys je faict pour ainsi me punir ? Que ne envoyas tu la mort à moy premier qu'à elle ? car vivre sans elle ne m'est que languir. Ha, Badebec, ma mignonne, mamye, mon petit con (toutesfois elle en avoit bien trois arpens et deux sexterées), ma tendrette, ma braguette, ma savate, ma pantofle, jamais je ne te verray. Ha, pauvre Pantagruel, tu as perdu ta bonne mere, ta doulce nourrice, ta dame très aymée. Ha, faulce mort, tant tu me es malivole, tant tu me es oultrageuse, de me tollir celle à laquelle immortalité appartenoit de droict. »

(*Pantagruel*, chap. III).

Le troisième extrait est pris au fameux chapitre VII, qui contient la liste, fictive évidemment, des livres de la célèbre Bibliothèque de Saint-Victor. Cette liste en elle-même constitue un summum de parodie, de « contestation au niveau du discours », — mais, il faut bien le dire, des sommets pareils, il y en a pas mal dans Rabelais. A ce sujet, il est intéressant d'y juxtaposer la liste similaire établie par Multatuli, dans son *Max Havelaar*, et qui devient tout à fait banale à côté de celle-ci.

Ce qui est tout à fait remarquable ici, c'est que, — comme Jean Ricardou a également essayé de le faire, — l'écriture est littéralement son propre générateur. Je ne vais pas vous priver de découvrir vous-mêmes les richesses de ce texte, mais il n'est pas exclu que quelques explications puissent augmenter votre plaisir.

> Et, après quelque espace de temps qu'il y eut demouré, et fort bien estudié en tous les sept ars liberaulx, il disoit que c'estoit une bonne ville pour vivre, mais non pour mourir, car les guenaulx de Sainct Innocent se chauffoyent le cul des ossemens des mors. Et trouva la librairie de sainct Victor fort magnifique, mesmement d'aulcuns livres qu'il y trouva, desquelz s'ensuit le repertoyre, et *primo* :
>
> *Bigua salutis.*
> *Bragueta juris.*
> *Pantofla decretorum.*
> *Malogranatum vitiorum.*
> Le Peloton de théologie.
> Le Vistempenard des prescheurs, composé par Turelupin.
> La Couillebarrine des preux.
> Les Hanebanes des evesques.
> *Marmotretus, de babouynis et cingis, cum commento Dorbellis.*
> *Decretum universitatis Parisiensis super gorgiasitate muliercularum ad placitum.*
> L'apparition de saincte Geltrude à une nonnain de Poissy estant en mal d'enfant.
> *Ars honeste petandi in societate,* per M. Ortuinum.
> Le Moustardier de penitence.
> Les Mouseaulx, *alias* les Bottes de patience.
> ...
> *Boudarini episcopi, de emulgentiarum profectibus enneades novem, cum prtvtregio papali ad triennium, et postea non.*
> Le Chiabrena des pucelles.
> Le Cul pelé des vefves.
> La Coqueluche des moines.
> Les Brimborions des padres Celestins.
> Le Barrage de manducité.
> Le Claquedent des marroufles.
> La Ratouere des théologiens.
> L'Ambouchouoir des maistres en ars.
> Les Marmitons de Olcam, à simple tonsure.
>
> (*Pantagruel*, chap. VII).

1. *Bigua salutis*

Biga, en latin, signifie le char à deux roues. Mais la graphie *bigua* indiquerait que Rabelais traduit par cette forme de latin macaronique le mot français *bigue*, qui signifiait une longue pièce de bois, un mât. Il va sans dire que le symbole phallique apparaît d'emblée. D'où →

2. *Bragueta juris.*

La braguette du droit (latin macaronique). Sur le « droit » qui habite les braguettes, les plaisanteries abondent dans la littérature facétieuse de l'époque. Voyez Lazare de Baïf, dans le *Passe-temps* :

> Vous n'aimez rien tant que le *droit*.
> Vous seriez tresbonne avocate

D'où →

3. *Pantofla decretorum.*

Car cette « pantoufle des décrets » acquiert un sens particulier lorsqu'on sait que, selon le *Moyen de parvenir* : « Les femmes de Blois appellent le *vit* un pied, et le *con* une pantoufle. » Cette facétie devait être usuelle dans la langue populaire, qui opposait à cette *pantoufle* le *chaussepied* du mari.
D'où →

4. *Malogranatum vitiorum.*

La grenade des vices, — qui peut évidemment faire penser à une grosse prune, mais où la prononciation vraiment à la française de *malogranatum* et la première syllabe de *vitiorum* suscitent également des ambiguïtés osées.

5. *Le Peloton de théologie.*

Ici, le changement de langue entraîne manifestement un changement de niveau ou, si l'on veut, de champ sémique.

6. *Le Vistempenard des prescheurs, composé par Turelupin.*

Le « vistempenard » serait, selon Cotgrave, « un plumeau monté sur un long bâton ». Mais il est clair qu'il y a une équivoque libre en insistant sur la première syllabe du mot...
D'où → , par analogie, ou plutôt par opposition,

7. *La Couillebarine des preux.*

Barrinus désignant, en latin, un éléphant, on se rend immédiatement compte que les preux sont autrement bien outillés que les prêcheurs. Mais on revient aux hommes d'église, avec →

8. *Les Hanebanes des evesques.*

« Hanebanes » est un autre nom de la jusquiame qui, à l'époque, était considérée comme donnant « une froide complexion ». Il s'agit donc de la frigidité des évêques.

9. *Marmotretus, de babouynis et cingis, cum commento Dorbellis.*

En repassant au latin, nouveau changement de niveau. Marmotretus, ou Marmotret, est un commentateur de la Bible, que Rabelais évoque encore dans *Gargantua*. Mais comme *marmot* désignait primitivement un singe à longue queue, il devient parfaitement clair comment le titre a été généré.

10. *Decretum universitatis Parisiensis super gorgiasitate muliercularum ad placitum.*

Soit : Décret de l'Université de Paris sur la coquetterie des femmelettes à plaisir. Mais qui ne voit, encore aujourd'hui, l'ambiguïté du terme « gorgiasitas » qui fait penser à ce qu'un prédicateur de l'époque appelait « les abus des nuditez de la gorge » ? Quant au mot latin qui désigne les « femmelettes », il n'est pas moins évocateur. Il s'ensuit →

11. *L'apparition de saincte Gertrude à une nonnain de Poissy estant en mal d'enfant.*

Car ce couvent de Dominicaines n'était pas bien loin de Paris.

12. Cette fois on passe à un autre registre, mais qui ne sera pas moins auto-générateur d'un discours ambigu : *Ars honeste petandi in societate, per M. Ortuinum.* D'où →

13. *Le Moustardier de penitence.*

Je ne crois pas que le rapport avec le titre précédent doive être précisé. Mais ce qu'il faut remarquer, c'est que l'allusion est loin d'être brutale, car ce titre-ci signifie, en somme : Celui qui *moult tarde* à faire pénitence.

......

......

Il est clair que chez Rabelais, tout comme chez Mallarmé, l'on n'a plus affaire à un langage strictement conceptuel. Ici déjà le langage est immanent. Ici déjà la vérité du discours n'est pas, n'est plus dans la signification exacte des mots, dans l'adéquation du signifié au signifiant, mais dans les structures rythmiques, visuelles, phoniques et surtout symboliques que l'écriture entretient avec le contexte.

Le discours rabelaisien est comparable au monde tel qu'il est défini par Engels, et où « le mouvement est le mode d'existence, la manière d'être de la matière ». Il s'ensuit que la différence, ou l'« écart », ne se limite pas seulement aux rapports entre l'œuvre et le réel, mais à l'intérieur même de la manifestation close qu'est cette œuvre, le signifiant y étant dynamique, c'est-à-dire continuellement écart, ou « erreur » vis-à-vis de sa propre structure, de sa propre essence.

Et n'est-ce pas précisément cela que l'on peut considérer comme la folie, comme la folie au niveau du discours ?

Discussion

Charpentier. — Je voudrais vous proposer deux réflexions. Vous avez montré dans le discours de Rabelais la folie comme sujet du discours, et vous avez fondé cet exposé essentiellement sur le paradoxe, sur un discours se détruisant lui-même. Ma première question est celle-ci : elle porte sur la dernière partie de votre exposé. Dans la liste de la librairie de Saint-Victor, ce que vous nous avez montré c'est une polysémie, en gros une bisémie, mais ce qui m'inquiète un peu, c'est que cette bisémie loin de créer la déraison du texte, reconstruit sous la déraison du signifiant, cette liste sans syntaxe, reconstruit une cohérence logique, en gros disons : une obscénité obstinée, dont le sens serait à relire à plusieurs niveaux probablement. La deuxième question est la suivante. C'est que la destruction du discours par lui-même est, avez-vous dit, au niveau du référent et au niveau du discours lui-même. Or, ce que j'observe surtout dans votre étude très serrée du premier texte, c'est que vous avez plus montré la destruction de la raison du référent du texte, p. ex. l'opposition entre la philosophie et les croyances populaires, la contradiction des niveaux de langues. Mais le texte reste un texte de raison. Or on pourrait très bien penser, même dans les textes que vous avez choisis, à une déraison du discours lui-même, un discours réellement détruit, pulvérisé. Il est certain que la liste pulvérise la syntaxe ou recrée une syntaxe folle, celle des colonnes de mots. Et inversement, il y a certains passages où le discours pulvérise absolument toute sémantique, tout sens, tout en maintenant une syntaxe impeccable par exemple dans l'épisode Baisecul-Humevesne. Il me semble que la folie du discours intervient au moment où il y a ce trou entre le signe et tous les rapports qu'il peut entretenir avec son référent, avec les concepts, etc. un éclatement du signe lui-même.

De Grève. — Il m'apparaît que vos deux questions sont très proches l'une de l'autre. Vous me dites d'abord qu'il y a une polysémie et que c'est cette polysémie qui mène vers une cohérence logique, principalement dans la librairie de Saint-Victor. Oui, bien sûr, mais de quelle logique parlez-vous ? Car c'est là que se pose le problème. Il se trouve qu'assez nombreux sont ceux qui se sont penchés sur le cas de Nerval. C'est qu'il est évident que le discours nervalien a sa logique qui est toutefois une autre logique que la logique acceptée ou imposée par la société, qui ne contient pas les opérateurs que nous utilisons normalement dans notre discours habituel qui sert de communication. Alors, bien sûr, cette polysémie a, à l'intérieur du discours, une cohérence logique, mais d'une logique qui ne correspond pas du tout à une logique fondée essentiellement sur la raison. En fait, je crois avoir répondu ainsi à votre deuxième question. Vous dites qu'il y a une destruction du discours. Dans l'approche de la lecture et de la ré-écriture du texte littéraire, il apparaît qu'en premier lieu il y a la destruction du référent. La quantification dont a parlé M. Ossola apparaît dans les textes littéraires comme une valorisation de la folie au niveau du discours ; valorisation qui a disparu au XIXe siècle avec l'introduction d'une « raison bourgeoise » qui, elle, ne pouvait plus tolérer un discours avec une folie d'origine littéraire. Dans la littérature, il est apparu que cela est acceptable jusqu'à un certain moment chronologique. Le discours qui se détruit lui-même pulvérise tout sens : il y a les deux éléments qui se rejoignent, pulvérisation du sens vis-à-vis du sens en tant que signifié ou signi-fication du référent et destruction d'une syntaxe acceptée comme normale même chez Rabelais. Il y a un nombre x de propositions, mais même pour une syntaxe acceptée comme normale chez Rabelais, il y en a trop. Puis, il recommence comme si de rien n'était. Il y a là une destruction d'une syntaxe raisonnable. Rabelais exprime une folie dynamique dans toute son œuvre.

Stegmann. — Je crois que M. De Grève a remis l'accent sur une question très à l'ordre du jour, et à juste titre : ce sont les rapports entre la pensée et le langage rabelaisiens. Outre la destruction et l'éclatement du discours et la recréation d'un nouveau langage, ne faut-il pas faire place aussi aux mots créés par Rabelais ? Le meilleur n'est-il pas ce langage propre, qui n'a pas de support intellectuel et qui est immédiatement compris : *matagraboliser*, le monde est *vistempenardé*, *bardocuculler*…, qui s'inscrivent à côté des créations savantes, souvent elles-mêmes à saveur comique ?

De Grève. — Je répondrai deux choses. D'une part, vous insistez sur la caractéristique propre du langage rabelaisien. Or, je voudrais insister sur le fait que le moyen français dans son ensemble, et surtout tel qu'il apparaît dans les textes littéraires, présentait souvent pas mal d'analogie avec le langage dit « rabelaisien ». De sorte que, dès qu'on voyait des éléments qui faisaient penser à Rabelais, parce qu'il était très connu, on voyait tout de suite une influence de Rabelais, non seulement en France, mais même en Angleterre. Dans une étude que j'ai publiée ailleurs, je me suis rendu compte qu'il n'en était strictement rien. Il s'agit là d'un langage qui appartient à une époque, à un niveau synchronique du langage. Vient alors quelqu'un qui écrit, et qui écrit dans une langue qui, à partir de ce niveau-là, en crée un second, en détruisant en partie le premier niveau, et crée le second niveau qui, lui, devient authentiquement et spécifiquement rabelaisien, ayant sa logique à lui, d'autant plus évidente qu'elle est apparente.

Marc'hadour. — Je voudrais dire d'abord que quand nous avons commencé à lire avec vous cette première phrase très digressive, moi et certainement mon voisin, le chanoine Prévost, avons pensé à cet homme que nous avons beaucoup lu et en grande partie traduit : Thomas More, dont les phrases sont aussi longues et aussi digressives, parce qu'il a la manie de rappeler un tas de choses qui n'ont pas de relevance immédiate avec son propos, surtout dans ses ouvrages de confutation, qui sont exactement contemporains de Rabelais. L'ouvrage où il est le plus digressif, et où il a les périodes les plus longues, date de 1532-1533 ; c'est la *Confutation* de Tindale. Ici, vous avez donné l'impression d'un auteur qui s'amuse. Or nous avons affaire là, avec le même genre de syntaxe et de prose, à un auteur qui est très loin de s'amuser. Certes, il s'amuse aussi, puisqu'il s'appelle Thomas More, mais son intention immédiate, son propos manifeste et réel est tout de même très sérieux. Je vous poserai aussi une question d'angliciste : est-ce qu'un rabelaisant s'est intéressé à James Joyce ? Je trouve qu'il y a entre Rabelais et Joyce une grande parenté dans l'emploi de la langue.

De Grève. — Je répondrai d'abord à votre deuxième question. Bien entendu, Jean Paris a basé une grande partie de son récent ouvrage sur les parallèles entre Rabelais et James Joyce. On trouve des parallèles similaires établis un peu partout dans les études qui se penchent sur le problème du discours littéraire. Quand on parle actuellement de Rabelais, on a souvent James Joyce en tête. En ce qui concerne votre première question : le parallélisme que vous établissez avec Thomas More, d'abord vous dites, Rabelais s'amuse. Vous pouvez le présenter de cette façon-là pour autant que l'homme soit évidemment un « homo ludens », mais alors même dans les choses sérieuses, et ce bricolage littéraire, auquel Lévi-Strauss fait allusion, est éminemment sérieux, les écrivains eux-mêmes le prennent au sérieux, même en s'amusant. Cela étant dit, Rabelais s'amuse avec un matériau bien défini, qui est le matériau de cette langue du XVIe siècle, un matériau qui n'est pas uniquement une langue grammaticale, syntaxique, mais une langue qui a des connotations philosophiques, culturelles, socio-économiques ; on la trouve en Italie, en France, en Angleterre et en Allemagne, moins en Espagne. Cela étant dit, ne pourrait-on pas considérer avec Madame Brown, qui vient de publier une étude sur *The Age of Bluff* se rapportant précisément à Rabelais, et qui dit ceci : à l'époque classique, les auteurs avaient pour but de satisfaire les besoins esthétiques, culturels, etc. d'un public bien défini. A l'époque des romantiques, on prétendait émouvoir. La plupart des auteurs du XVIe siècle, fussent-ils des « bricoleurs » proprement littéraires, ou même s'ils ont un autre message à transmettre à l'aide de l'outil littéraire, ont pour but de stimuler leurs lecteurs ; c'est-à-dire que les auteurs du XVIe siècle, bien plus que de répondre à des questions, posent des questions et stimulent. Peut-être cette langue typique de Thomas More, et qui se rapproche bien entendu de celle de Rabelais, s'explique-t-elle un peu sous cet aspect. Mais je vous présente cela sous toutes réserves.

Did Don Quixote Die of Melancholy ?

William MELCZER

Associate-professor à la Syracuse University

Times of social, political and religious stability are times of relatively even and harmonious artistic production ; times of instability and transition, on the other hand, are times of relatively paradoxical, crisis-ridden artistic output. But literature is not a direct and mechanical expression of contemporary historical events, rather their indirect and highly selective expression ; it is not the mirrored image of social trends, rather their intensified or blurred reflection. The transition between the High Renaissance and the Baroque occurred not without deep inner lacerations in the trends, ideas, feelings, and the historical consciousness of the time. In Spain, Italy, and most of Europe, the generation of Cervantes as well as the one preceding it lived in such an era of transition and crisis [1]. It was the crisis that in theology and religion passed from a liberal and evangelical to a stiffened and institutionalized Reformation in the North, and from an amorphous and passive, to a militant and self-conscious Catholicism in the South ; that in politics saw the first symptoms of the endemic weaknesses of an overseas empire too vast to be efficiently administered ; that in the economic and social life was experiencing increasing inner debilitation ; that in philosophy witnessed a stiffening Aristotelian entrenchment oriented against the early sixteenth century Platonic revival ; that in literature and the arts was caught between the still freshly remembered aestheticism of the High Renaissance and the demands imposed upon an art engaged in the service of doctrinary programs.

The crisis of the High Renaissance evolving rapidly towards the Baroque is the crisis of Don Quixote. It is a crisis that comes best to expression in a series of paradoxes : the paradox of purposeful and invigorating insanity, as against the dejection and despondency of everyday reason ; the paradox of a double and mutually exclusive reality, Platonic and transcendent the one, Aristotelian and immanent the other ; the paradox of a life-giving mania and a death-drawing melancholia [2]. In an effort to explain the double truth in the *Quijote*, what he calls

---

[1] The crisis of the High Renaissance - " Mannerism ", as many call it, though quite inappropriately, for the problem transcends the question of style — has lately received increasing attention. See in this respect, among others, A. HAUSER, *Der Manierismus. Die Krise der Renaissance und der Ursprung der modernen Kunst*, Munich, 1964 ; A. CHASTEL, *La crise de la Renaissance*, Genève, 1968 ; T. KLANICZAY's comprehensive article is very useful : " La crise de la Renaissance et le maniérisme ", *Acta Litteraria Academiae Scientiarum Hungaricae*, XIII, 1971, pp. 269-314.

[2] For the ideological background of the period, see Marcel BATAILLON, *Erasmo y España*, México-Buenos Aires, 1950. On Cervantes and the *Quijote* see, in particular, the works of A. CASTRO, *El pensamiento de Cervantes*, Madrid, 1925 ; *Cervantes*, Paris, 1931 ; *Hacia Cervantes*, Madrid, 1957. Further, see Luis ROSALES, *Cervantes y la libertad*, Madrid, 1960. For more specific works related to Don Quixote's melancholy and death, see, among others,

Cervantes' " sistema de la doble verdad ", Americo Castro [3] has called our attention to the influence upon Cervantes of the new Aristotelian poetic criticism. When the anti-Platonic reaction sets in in Italy around 1550, this really means two things, partly overlapping each other : that the times of the comfortable coexistence of Plato and Aristotle were over ; and that now Aristotle would be better known and studied, and would be reinterpreted in depth. In quick succession theorists such as Maggi [4], Varchi [5], Scaliger [6], and others try to harmonize poetical fantasy with truth by forcing the goals of art to reflect ultimate good. Poetic characters ought to become henceforth examples of virtue. As time wears off and the aims of the Counter-Reformation cristallize, however, Aristotelian criticism ventures into subtler interpretations, such as those of Castelvetro and Piccolomini. The latter maintains that what the poet sees with his spiritual eyes is the conversion of factual reality into what that reality ough to be [7]. Poetic verisimilitude commands a wider range than factual truth, for the latter is dependent on the momentary fluctuations of the particulars, while the former is free to soar to the universal truth of the desirable archetype. When in chapter three of the second part of the *Quijote* the knight engages with his squire in a lively discussion on poetics, Cervantes is translating some of the preoccupations of the Italian commentators of Aristotle into the substance of his novel : Don Quixote will defend the universal truth and verisimilitude, while Sancho, sensible and practical truth. The epic appears as the genre in which universal truth and verisimilitude are treated on the highest and most illustrious level, even if at times the hero must submit to some less than dignified action, such as the " infinite blows that on several occasions are meted to Don Quixote ". Cervantes, evidently, is wrestling here with the decorum of the traditionally high genre, and is trying to justify, as did Arioso earlier, the supposedly improper mingling of the high with the low. " Eneas was not, adds Cervantes, as pious as Vergil depicts him, nor Ulysses as prudent as Homer describes him. " But Cervantes surprises us here, as so often, for thinking on a deeper level and in a subtler manner than what we may at first expect. Unlike the Italian theorists with whom he became acquainted since the times of his stay in Italy, he is not merely concerned with the Aristotelian distinctions with regard to history and poetics. Instead, he touches here at an eminently Christian theological problem on the relation between the highest and the lowest, a problem that, for different reasons though, was at the center of Dante's mind too.

The highest and the lowest, dissociated from one another in the Aristotelian conception, and hence dissociated in the classical theory of literary genres, are unified in the Christian conception. The King of the universe becomes a humble shepherd in the figure of Christ. But the philosophical solution to this problem

N. KIRCHNER, " Don Quijote de la Mancha : a Study in Classical Paranoia ", *Annali Istituto Universitario Orientale*, Napoli, Sezione Romanza, IX, 275-82 ; L. CHAMBERS, " Irony in the Final Chapter of the *Quijote* ", *Romanic Review*, LXI, 15-22 ; R. DUVIVIER, " La mort de Don Quichotte et l'*Histoire de la jolie* ", in *Hommage des romanistes liégeois à la mémoire de Ramón Menéndez Pidal*, 1967, 69-83 ; H. ZIOMEK, " La actitud de Cervantes ante la muerte en el *Quijote* ", *Duquesne Hispanic Review*, VIII, i, 1969, 13-23.

[3] *El pensamiento de Cervantes*, op. cit., p. 27.

[4] *Poetica*, 1550.

[5] *Lezioni sulla poesia*, 1553.

[6] *Poetica*, 1561.

[7] PICCOLOMINI, *Annotationi nel libro della poetica d'Aristotele*, Venezia, 1575. With regards to the influence of the Italian theoreticians, cfr G. TOFFANIN, *La fine del umanesimo*, Turin, 1920, especially pp. 189-91.

lies not with Aristotle but with Plato, and it is to him that Cervantes turns in a sharp rebuttal of the newly codified Aristotelianism. Well acquainted with at least one of the major works of the recent Italian Neoplatonism, Cervantes had more than an intellectual knowledge of Leo Hebraeus' *Dialoghi d'amore*. He had thoroughly assimilated — as we know this from his own testimony [8] — several of the essential aspects of the Neoplatonic spirit of that work. The two facets in the teaching of Leo Hebraeus that interest us here with regards to Cervantes' thinking are his philosophical syncretism and his theory of the infinite. According to the first, a higher level of harmony may be achieved through the syncretism of apparently incompatible philosophical elements ; according to the second, the lack of perfection in the intelligible world is equal to that of the inferior world because infinity is at the same distance from the greatest and the smallest finite [9]. Both concepts assist Cervantes in bridging the gap between humor and high seriousness, between satire and moral-epic, between Alonso Quijano and Don Quixote.

In a paradoxical manner that only reflects the transitional age of which he partakes, Cervantes sets out to criticize the novels of chivalry and ends up in naturalizing his hero in the chivalric world. His great novel is thus less a work of criticism of chivalric literature than a work that evokes a state of higher duty and of higher reality of which that literature is but a distorted, novelistic reflection. In other words, while the figure of Don Quixote begins to only caricature and satirize knight errantry, he concludes, by empathic identification, to rescue knight errantry, or at least the ideals of higher morality of knight errantry, and to restore it to dignity. Satire implies a literary manner that blends a critical attitude with humor upon a background of normality. If, however, normality itself is questioned, satire loses its foothold becoming something else, a transcendental higher reality. That is what happens in the *Quijote*.

The present state of knowledge about physiognomic elements in the character of Don Quixote may be summed up as follows : in 1905 Rafael Salillas calls attention to the relation of Cervantes to the *Examen de ingenios* of Huarte de San Juan [10], a sixteenth century Spanish authority on physiognomy and differential humoral pathology. In 1938 P. Mauricio de Iriarte, elaborating further upon the subject, examines in particular the *ingenium* element taken over from Huarte de San Juan by Cervantes [11]. In spite of the extraordinary number of subsequent Cervantes studies, little attention is devoted to the problem until 1956-57 when, almost simultaneously, Harald Weinrich in Germany and Otis H. Green in the United States independently publish two studies departing from Mauricio de

---

[8] Cervantes quotes Leo Hebraeus in the very preface to the *Quijote* : " Si trataréis de amores, con dos onzas que sepáis de la lengua toscana toparéis con León Hebreo, que os hincha las medidas ", (Ed. Sopena, Buenos Aires, 1938) ; and he makes extensive use of the *Dialoghi* in *La Galatea*.

[9] On the philosophy of Leo Hebraeus, see H. PFLAUM, *Die Idee der Liebe, Leone Ebreo*, Tübingen, 1926 ; *Leone Ebreo*, ed. Carl GEBHARDT (Introduction), Heidelberg, 1924 ; J. de CARVALHO, *Leão Hebreu, Filósofo*, Coimbra, 1918 : W. MELCZER, " Platonisme et aristotélisme dans la pensée de Léon l'Hébreu ", Seizième Colloque International d'Etudes Humanistes, Tours, 1973.

[10] Juan HUARTE DE SAN JUAN's (1530 ?-1591 ?) *Examen de ingenios para las ciencias* is treated in Rafael SALILLAS, *Un gran inspirador de Cervantes : el doctor Huarte de San Juan y su examen de Ingenios*, Madrid, 1905.

[11] *El doctor Huarte de San Juan y su examen de Ingenios. Contribución a la historia de la psicología diferencial*, Madrid, 1948. First published in " Spanische Forschungen der Goerresgesellschaft ", 1938.

Iriarte's pioneering work. Weinrich's " Das Ingenium Don Quijotes, ein Beitrag zur literarischen Charakterkunde " [12] is a monograph in which *ingenium, melancholy, decorum, locura* are, among other things, discussed from a historistic-philological viewpoint. Green [13] goes a step further, reading the humoral abnormalities traced by Renaissance medical theorists into Alonso Quijano's pathological symptoms.

Mental disorders have since times immemorial been divided into mania and melancholia. In the former the dominant mood is exaltation, while in the latter, depression. Melancholy itself has been categorized into natural and unnatural. Levinus Lemnius, for instance, writes that unnatural melancholy born of passion produces a " strange and foreign heat " that burns the natural humors " into ashes ", and the product of this combustion is " far worse and more pernicious " than natural melancholy [14]. More often than not Don Quixote has been associated along all his career with such unnatural melancholy, the infinite sadness of which produces death. Leo Spitzer, for example, calls Don Quixote " a bizarre melancholic " [15]. Weinrich, taking sad countenance as the most common trait of a melancholic, categorically asserts that " Der *humor extraño* Don Quijotes (I, 42) ist die Melancholie " [16]. He glosses " El Caballero de la Triste Figura " as " El Caballero Melancólico ". According to such and similar interpretations, Don Quixote's fundamental and, as if it were, steady humoral character is melancholy.

But is such a diagnosis and its unconditional application to Don Quixote really justified ? Does Cervantes present us with a clear-cut and consistent melancholic character in the personality of Don Quixote ? Is our " caballero de la triste figura " melancholic to start with, or does he become such sometimes later in the course of his errants ? Anyhow, if we find him, in one way or another, melancholic, is melancholy the symptom for a malaise of a different order, and what is that order ? And, finally, does Don Quixote die in spite of melancholy or because of it ? These are the questions that we must answer now.

The concept of melancholy permeates Cervantes' epic novel from the beginning. However, it is not so much Don Quixote who is termed melancholic, but rather the un-quixotic world that tries to restore his health. Of the two planes of reality with which the reader is at once confronted — the Aristotelian world of everyday, concrete, measurable, tangible, accountable-for reality, and the Platonic world of transcendent, ideal, exalted, and absolute reality — the former is described to us as endemically ridden by melancholy, while the latter, Don Quixote's own world, is remarkably free of it.

But Cervantes is not particularly explicit at this point. He does not develop the notion of melancholy with the intellectual depth and manysidedness of an academic exposition, as he does, for instance, in his chapter on " arms and letters ", with regard to the notion of *fortitudo et sapientia*. The strength of such an exposition lies precisely in its being a little world standing with autonomous self-sufficiency. Instead, the concept of melancholy is presented by Cervantes in

---

[12] Aschendorffsche Verlagsbuchhandlung, Muenster, Westfalen, 1956.
[13] " El *Ingenioso* Hidalgo ", *Hispanic Review*, XXV, 1957, 175-93.
[14] The passage from Lemnius' *De habitu et constitutione corpore* is quoted in L. BABB, *The Elizabethan Malady. A Study of Melancholia in English Literature from 1570 to 1642*, East Lansing, Michigan, 1951, p. 21.
[15] " On the Significance of Don Quijote ", *Modern Language Notes*, LXXVII, p. 118.
[16] WEINRICH, *op. cit.*, p. 52.

sporadically and casually dispersed innuendos and lexical references that have no autonomy of their own. Their strength lies in the sum of the contextual passages in which they appear. The lexical elements in particular affect the reader with the cumulative force of the Aristotelian *inductio per enumerationem simplicem*. That is the reason why their interpretation requires an overall textual analysis. The fact that Cervantes in his masterpiece uses with great frequency the notion of melancholy, and twenty five times [17] the very word *melancolico* or its substantival derivative, shows that he had something to say with regard to that notion. But the relevance of the concept to the *Quijote* does not necessarily indicate a similar parallel relevance to Don Quixote. The work and its hero are certainly related to each other, though not as a figure and its mirrored image.

The first question which arises is — if Don Quixote was really meant to be melancholic — why did his author not call him so specifically ? Usually Cervantes does not beat around the bush in his characterizations. He says unambiguously in the opening chapter, for example, with a remarkable temporal *crescendo*, that " perdia el pobre caballero el juicio " ; later, that the Hidalgo " vino a perder el juicio " ; and finally, " rematado ya el juicio ". He could have said instead, or perhaps later, that Don Quixote was suffering from an excess of melancholic humor. There seems to be no reason to suppose why, once committed to a clear-cut humoral character, could he not have found the proper way to express that idea consistently and in a language at once poetic and forceful.

Our thesis here, as we have already advanced it, is that in Cervantes' mind, Don Quixote is not at all a melancholic type. As long as the knight freely roams the world of his imagination, a Platonic world of transcendent realities, whose existence is " locura " for the non-initiated, he is not at all melancholic. We shall turn now to a few examples in which we witness Don Quixote's freely handling of melancholy, certainly not as one who is affected by it [18]. In all these cases the perceptible movement is from gloom to brightness, from a primitive state of sadness and maladjustment to a subsequent hightened state of laughter, joviality, and adjustment. It is as if, through these instances, Cervantes would retrace *in nuce* the spiritual progress of his pilgrim from the desolate and purposeless times previous to his infatuation with the chivalric world, to the purposeful and invigorating times of knight errantry. In one case Sancho draws laughter from melancholy with the ease of one who draws a bucket of water from a well [19]. In another, Don Quixote and Sancho's wits turn melancholy itself into joviality [20]. Still elsewhere, Don Quixote readily gives the canon an advice and a remedy : " ... read these books, he says, and you will see that they discharge the melancholy that you may have [21]. " Don Quixote must well know what he is talking about : for the books

[17] C.F. GOMEZ, in his *Vocabulario de Cervantes,* Madrid, 1962, p. 1123, registers twelve times the adjective *melancólico,* and fifteen times the substantive *melancolía.* I could find a total of only twenty five references to the lexical concept of " melancholy " in the *Quijote.*

[18] CASTRO has noted to what extent Don Quixote's melancholic smile is a dynamically active element : " Cervantes sonrie melancólico : el humanismo no basta ; pero lo ' otro ', la solución tradicional, tampoco. Lo admirable es que esa melancolía ha sido, a su vez, inserta y fundida dentro del *Quijote* como elemento dinámicamente activo ". (*El pensamiento de Cervantes, op. cit.,* p. 177).

[19] Bk. I, Ch. 20 ; a further instance : Bk. II, Ch. 16.

[20] Bk. II, Ch. 65.

[21] Bk. I, Ch. 50. The translations follow Cohen's (Penguin edition), with some changes of my own.

in question are romances of chivalry. We learn here once again what we already suspected : the reading of chivalric romances, far from being the cause, is the cure of melancholy. The corrective agent is antidotic and allopathic.

Our last example in this regard takes us to the pastoral world : here melancholy is flatly and unobstrusively proscribed from Arcadia. One of the shepherdesses turns to Don Quixote saying : " If you please, sir, to be our guest you will be liberally and courteously entertained, for no care or melancholy shall be of our party [22]. " This instance is particularly instructive. When Cervantes had, sometime earlier, introduced the arcadian characters, he had insinuated that, after all, they might not be shepherdesses alltogether : " ... two most beautiful shepherdesses, at least dressed as shepherdesses. " Thus, by the time we come to the invitation passage, Cervantes had already created a characteristic double-play, ridden with paradox and ambiguity. If she is a real shepherdess, she must be perfectly serious about her statement as to the banishment of melancholy from Arcadia. In such case Don Quixote's heroic world and the shepherdess' pastoral world meet at the level of a transcendent Platonic reality. But if she is disguised, if she is part of the machinery which relentlessly plays upon the Hidalgo's good faith, then she must surely be initiated into Don Quixote's humoral secret. In such case she merely pretends that melancholy is out, only to more abruptly confront Don Quixote with the everyday, Aristotelian realities and thus, by a kind of shock-treatment, restore him to pretended health. As we read, we hope for the first alternative, but we suspect the second one. We hope for the first because, since our sympathies lie with Don Quixote, we would like to see him having a true and perhaps idyllic adventure. But we suspect and dread the second, because we know the significance of " good health " and its relation to melancholy. Also, we have already learned that on the dusty plains of the Mancha girls with golden hair are too beautiful to be real.

In all the above instances then, though melancholy appears associated to Don Quixote, it only points to the present *unmelancholic* character of the knight ; it invariably shows us a road leading from gloom to brightness and relief. Either Don Quixote himself overcomes melancholy, or he helps others to overcome it. Whenever melancholy is to be driven out, there is Don Quixote to show the way. We shall turn now to a few examples of Cervantes' use of the concept of melancholy as applied to what we have defined as the surrounding Aristotelian world.

For the greatest part of the *Quijote* and up to the forty four chapter of the second book, it is precisely this sordid, hostile, unimaginative world of cheese and whores, of inns and sheep that is tainted with melancholy. Everybody seems to be affected by the sad humor, except our knight : the galley-slave and Amadis, Camila and Sancho, the captain and Mendoza, all are referred to as melancholic or as having melancholy. The contagion is even more widespread : not only humans are infected, but the quasi-human Rocinante too ; and not only animate creatures, but also inanimate objects such as a flute, geographical notions such as rivers, and political institutions such as government. Throughout the whole of the first book and far into the last part of the second one, the melancholy of the surrounding aristotelian world is decidedly endemic.

We remember the comment on his companion of one of the galley-slaves, reminiscent of a Dantean *contrapasso* : " Whoever sings once, cries for the rest

[22] Bk. II, Ch. 58.

of his life. " The galley-slave was indeed, we are told, sad and melancholic [23]. In the Sierra Morena episode, one of the multi-layer passages of the *Quijote*, Amadis is described as melancholic, and soon after, as one who has *not* lost his reason [24]. Such an association of melancholy with the possession of reason is fundamental to our understanding of the *Quijote* : the same association is at the basis of the underlying thesis of this brief paper, namely, that Don Quixote's melancholy ought to be precisely associated with his state of supposed good health. In the story that the priest reads for the enjoyment of the company, " Camila... yields her life into the cruel hands of sorrow and melancholy " [25]. The " foolish beginnings " of which Cervantes subsequently talks are ill-managed love. He does not say that Camila died, but that she " consumed her life " within a few short days. Melancholy does not kill at once. It consumes as fire, slowly but inexorably [26]. It spills over the heart as salt spills on the table : so it will consume Don Quixote himself at the end of the book. When Sancho sees that his hopes are going up in smoke and that the lovely princess Micomicona has turned into Dorotea, his spirits are at a low ebb. His displeasure at the new turn of events is contrasted to everybody else's happiness : Dorotea is euphoric, and so are Cardenio, Luscinda, and Don Fernando. The squire's utterly black mood is supported by four closely connected adjectives : *afligido, desventurado, triste,* and *melancolico* [27]. Time and again melancholy is presented as an endemic malaise, affecting both society at large and its infrastructure. The judge, listening to the priest's account, feels that he is unable to proceed on his journey but " con toda melancolia y tristeza " [28] ; Rocinante cannot resist responding to the alluring advances of his nightly visitor. He is " melancholic and sad... since, after all, he was of flesh, though he looked as if he were of wood... " [29] ; in the cave of Montesinos, the river, showing sadness and melancholy wherever it flows, breeds coarse fish [30] ; in the colloque of the Squire of the Wood and Sancho, things are aired in a squirely fashion, as between people initiated in the same profession. The Squire of the Wood patronizes Sancho warning him that " insular governments are not all of the right kind. Some are crooked, some poor, and some melancholic... " [31] ; in the episode of Countess Trifaldi's squire there is a passage in which time is out of joint, " a deshora ", and the drum is hoarse and untuned [32]. Against this sinister background a doleful fife raises its voice. Everybody gets extraordinarily excited at the sound, at once " cofused, martial, and sad ", " tristisimo y melancólico ". Sancho's excitement soon changes into fear. Not so Don Quixote's. Our knight " no cabia en su asiento ", literally, could not sit still. Little wonder that he could not : the sound of the fife re-echoed his own nature, confused by the incongruities of a reality which did not fit his own Weltanschauung, martial in the heroic pursuit of his epic enterprise, and melancholic at the misty bottom of his pre-chivalric condition. Towards the middle of the second book we have a first indication that Don Quixote himself might be cought in the epidemic spread of the malaise. After the adventure of the

23 Bk. I, Ch. 22.
24 Bk. I, Ch. 26.
25 Bk. I, Ch. 35.
26 Bk. II, Ch. 58.
27 Bk. I, Ch. 37.
28 Bk. I, Ch. 42.
29 Bk. I, Ch. 43.
30 Bk. II, Ch. 23.
31 Bk. II, Ch. 13.
32 Bk. II, Ch. 36.

enchanted boat, master and squire are considerably ill-disposed. Cervantes opens chapter 30 saying : " Knight and squire were sufficiently melancholic and out of humor. " Both are melancholic, but for different reasons. They do not utter a word, Don Quixote " buried in the thought of his love ", Sancho, " in that of his own advancement ". The knight, however, next to Sancho, plays here quite a secondary role ; his presence is nearly incidental.

It is not before the forty fourth chapter of the second book, that is, after three fourths of the work in term of chapters and four fifths in term of pages are behind us, that we first unmistakably learn of Don Quixote's melancholy. The contextual elements are sadness and loneliness. Once Sancho is taken to his governorship, Cervantes turns to Don Quixote : " The story goes, then, that no sooner had Sancho departed than Don Quixote felt his loneliness... The Duchess observed his melancholy and asked him why he was sad... " When our Hidalgo answers, he first confirms the duchess' diagnosis, " It is true, my lady... that I grieve for Sancho's absence ", but then, quite suddenly, he takes another course, " but that is not the principal cause of my seeming sad... " What the main reason is we are not told, we can only surmise. *Causa principal* and *triste* are linked by *me hace parecer*. The ambiguity is conspicuous : do I only *look* sad, without really being so, or do I *look* what I actually *am* ? The question boils down to the well-known formula of appearance versus reality. It is the formula of the whole book [33].

Henceforth the events rapidly precipitate. In the episode of the robbers Roque Guinart is surprised to see " Don Quixote in armour and deep in thought with the gloomiest and most melancholic expression that sadness itself could assume " [34]. Again, after the adventure of the cats and the bells, Don Quixote is " mohino y melancólico " [35]. The persistent reference to *vendado, rostro, gatescas, heridas, herido, vendado, rostro, uñas de un gato,* clearly suggest that here melancholy is a direct consequence of the bodily injuries received. We come thus to the last chapter of the *Quijote.* Jorge Luis Borges said once that " the whole book has been written for this scene, for the death of Don Quixote " [36]. I am not sure whether such an encompassing assertion is really justified. But we may certainly say that the last chapter is fundamental for the correct tracing of the humoral development of Don Quixote. The story is conveniently rounded up and it is given a good realistic ending, " a la española ". Unlike Ulenspiegel who goes away with Nele " und sang dazu sein sechstes Lied, aber keiner weiss, wo er sein letztes sang " [37], Don Quixote ends his days most unheroically dying in his bed. We have to ascertain now how far is melancholy directly involved in his death.

Once back in his village Don Quixote says quite unexpectedly : " Take me to my bed, for I do not feel well [38]. " There is a stoic plainness in his words. This occurs just before the opening of the last chapter, in which Cervantes says : " His dissolution and end came when he least expected it. Whether it was brought on by melancholy occasioned by the contemplation of his defeat or whether it was by divine ordination, a fever seized him and kept him to his bed for six days... ". We read *acabamiento,* which also suggests the process of melancholic consumption.

[33] Cfr " The Enchanted Dulcinea ", in *Mimesis* by E. AUERBACH, New York, 1957.
[34] Bk. II, Ch. 60.
[35] Bk. II, Ch. 48.
[36] *Revista de la Universidad de Buenos Aires,* 1956, p. 36. Translation of this author.
[37] DE COSTER, *Ulenspiegel,* Eisler, 1955, end.
[38] Bk. II, Ch. 73.

When the physician is called in, he only confirms what we have just learned from the omniscient author. The medical expertise is conveyed in an unequivocal statement : " It was the doctor's opinion that melancholy and despondency were bringing him to his end ". After all this Don Quixote is left alone, we are told, and sleeps for more than six hours. When he awakes, he thanks the Lord for His mercy. His judgement is now clear. Fittingly, it is Sancho's practical wisdom which gives us the final confirmation of the deadly effect of melancholy upon Don Quixote. With naïve sublimity Sancho says : " Oh, don't die, dear master... Take my advice and live for many years. For the maddest thing a man can do in this life is to let himself die just like that, without anybody killing him, but just finished off by his own melancholy. " With *muera, morir,* and *mate* associated to melancholy, things have come to full circle. The omniscient author, the physician, and Sancho, as if representing the line of Aristotelian concretion, all point to the same. The incorrigible Sancho still adds a remedy, too easy to be true : " Look, don't be lazy, get up from the bed, and let us go to the field dressed as shepheards. " For a moment we indulge in the hope that everything would once again return to the familiar beaten track. But Don Quixote is no more in the mood of pursuing either game or life.

Sancho's final, desperate exhortation is the " to be or not to be " of the *Quijote,* the answer to which is necessarily " not to be ". Both Hamlet and Don Quixote partake of melancholy, but in a contrary manner. Introvert by nature, Hamlet is a melancholic through most of the play, till he finally resolves to take the action in his hands. Action itself is the element restoring him to sanity, and at the same time sealing his tragic fate. Don Quixote, on the other hand, extrovert by nature, is intensely active throughout most of the novel, till he is forced to give up his own heroic role. It is then, and only then, that he becomes melancholic and with that, he too, seales his fate.

Cervantes the artist is not doctor Huarte de San Juan, the humoral physiognomist, although the former takes over and uses many of the elements of the latter. Cervantes does not state things with the clear, expository language of a scientist. He refuses to deflate an essentially rich psychological representation for the sake of a schematic categorization. Thus, the psychological image of the Hidalgo he provides us with is multi-faceted and complex. But so is life.

We are now in a position to answer the question posited in the title of this brief paper, that is to say, whether Don Quixote died of melancholy. He did indeed; though not because he was an endemically melancholic type. Instead, because he was an essentially anti-melancholic figure, an imaginative maniac, exhuberant, life-giving, and endowed with a protean drive for visionary activity. Melancholy appears in him, paradoxically, as the pathological symptom of the deepest disillusion and dejection, precisely because he is restored to the good health of Aristotelian reality and common sense.

The line of development of the *Quijote* thus is not one of unhampered, ever-progressing melancholy that paralizes action but, quite to the contrary, of vigorous epic undertaking that tirelessly derives strength — as the British capitain in captivity in *The Bridge over the River Kway* — from its own defeat. How else could we account for Don Quixote's unending resourcefulness in converting lost battles of today into hopeful stands of tomorrow ? The physical stamina of our knight is only the bodily reflection of the mental vigour and of the moral faith of his exalted *ingenium.* But once the self-created ideal world of Platonic realities, which Don Quixote has been sustaining through thousand vicissitudes, crumbles, Don Quixote too crumbles with it to become, once again, Alonso Quijano. Nobody, however, who has once been Don Quixote can continue to live among the concrete realities as Alonso Quijano. Don Quixote's physical death of melancholy in the last chapter is thus merely an epitaph to his spiritual death, an epitaph to his inability and unwillingness to substitute an Aristotelian world for a Platonic one.

Discussion

Namer. — M. Melczer a souvent parlé de folie et de mélancolie, mais il semblait dire que la folie n'était pas la mélancolie. Je voudrais lui demander ce que cela signifie. Il a aussi souvent fait allusion à Aristote.

Melczer. — According to the interpretation that I have suggested, the " folly " of Don Quixote — that is, whatever the Aristotelian world calls folly — consists actually in a state of mental lucidity. It is in such state of mental lucidity that Don Quixote finds himself at ease, and it is out of such state of mental lucidity that he creates a Platonic world of his own. It is a *sui generis* world of absolute values, distinct from the world of Aristotelian realities of everyday. When Cervantes calls Don Quixote " loco ", and his world, a world of " locuras ", he speaks from the point of view of the Aristotelian world of so many Sancho Panzas.

The thesis that I have tried to sustain is that Don Quixote had a propensity to melancholy *prior* to his reading the chivalric books. Cervantes clearly tells us that before getting to the books Don Quixote, like those who suffer from melancholic depression, used to spend his days in idleness. Through the traumatic effect of his readings Don Quixote overcomes his melancholy (a stage which we hardly know for the book opens with Don Quixote's conversion into a state of higher awareness and extraordinary activity) and builds up a philosophically Platonic and morally responsible superior world. Through almost the entire book we follow our Knight's adventures and vicissitudes in such Platonic world. It is only at the end of the *Quijote* that our Knight relapses once again into melancholy, and this happens precisely because he is being forced to partake of the realities of the Aristotelian world, which he now feels incapable to accept. Don Quixote dies indeed of melancholy because after having lived in a Platonic world he senses the crushing inadequacies of an Aristotelian one.

Métaphore et inventaire de la folie
dans la littérature italienne du XVIe siècle

Carlo OSSOLA

Assistant à l'Université de Turin

1) La naissance de Folie.

C'est une étrange destinée celle qui met à l'écart de la littérature italienne de la Renaissance la « nef des fols » et toute personnification de *Niemand, Nobody* [1], et qui, toutefois, permet de dédier à la folie de Roland, dans l'*Orlando furioso*, le plus serein poème de la raison du XVIe siècle ; et qui fait en outre surgir, à la fin de sa parabole, de l'invention de Tomaso Garzoni, le premier *Hôpital des fols incurables* de l'âge moderne [2], bien qu'il soit bâti avec des métaphores rhétoriques.

D'où vient donc cette folie cachée, et néanmoins si bien enracinée, qui triomphe sans besoin de commencer aucun voyage à travers la vanité du monde ou la *indignitas hominis* [3], et qui demeure même *dedans* les lieux de la raison ?

La folie qui creuse notre Renaissance n'est pas le « fol essor » (« dei remi facemmo ali al folle volo ») du voyage d'Ulysse, la peine de « contrappasso » infligée à celui qui a voulu suivre, au-delà du *quia*, le chemin de « virtute e canoscenza » ; la folie n'est pas en somme la punition de la raison qui trop s'interroge, mais plutôt la régression d'une pensée déjà assouvie qui veut s'oublier.

Son « lieu » en effet n'est pas le petit bout de mer qui sépare de « la nova terra » (*Inferno*, XXVI, 136), de la connaissance du définitif, mais l'île oubliée du paradis perdu, le songe-mensonge des « Îles fortunées », le regret et le désir d'un rachat de l'état édénique ; état de béatitude donc, partagé toutefois non pas au-delà de la défaillance humaine dans le paradis qui récompensera la constance de la vertu, mais en deçà du péché d'origine dans le jardin qui gardait l'homme

---

[1] Il n'y a pas de témoignages littéraires en Italie sur ce thème : Enrico Castelli a aussi remarqué la disparition d'une *Vita e qualità di Nemo*, texte attribuable probablement à Teofilo Folengo (cfr E. CASTELLI, *Simboli e immagini*, Roma, 1966, p. 59). La citation de Folengo vient ici à propos, parce qu'il pouvait fournir à notre Renaissance (comme Rabelais en France) un registre a-normal d'écriture : et en effet c'est de lui que G. Bruno puisera souvent son langage grumeleux (cfr G. BÀRBERI SQUAROTTI, « Bruno e Folengo » in *Giornale Storico della Letteratura Italiana*, CXXXV, 1958). Mais son expérience fut bientôt reléguée (avant tout biographiquement) à la périphérie de la citadelle de la Renommée ; c'est pourquoi, à défaut d'une folie qui se forge un système *autre* d'écriture, j'analyserai dans notre Renaissance cette folie seule qui vit sur l'oubli — plutôt que sur l'absence — de raison.

[2] Notre discours critique présuppose l'esquisse historique tracée par M. FOUCAULT, *Folie et déraison. Histoire de la folie à l'âge classique*, Paris, 1961, surtout pp. 3-53 ; et par J. LEFEBVRE, *Les Fols et la Folie*, Paris, 1968.

[3] Cfr encore E. CASTELLI, « L'Umanesimo e " la Follia " », in AA.VV., *L'Umanesimo e « la Follia »* (écrits de Castelli, Bonicatti, Mesnard, Giorgi, Zupnick, Grassi, Chastel, Secret, Klein), Roma, 1971, pp. 11-16.

sans fautes ni responsabilités, sans temps ni mémoire [4].

La folie, en conclusion, n'occupe pas les lieux éthiques des limites de la raison, mais ceux édéniques de l'oubli de la raison, non la nef de l'Ulysse dantesque, la nef des fols qui ne croient pas à la *vanitas* totale de ce monde, mais plutôt le royaume heureux de la sorcière Alcine, les îles fortunées d'Armide, le *speculum* renversé de la cour, l'irresponsabilité sublimée en innocence, qui de l'Ariosto au Tasso fascine notre littérature.

Ce n'était donc pas dans l'« allégorie des théologiens » de Dante que notre Renaissance pouvait trouver la *figura* de la folie, mais plutôt dans les bagages classiques d'Érasme. Relisons à cet effet les premières pages de l'*Éloge de la folie*, et nous verrons que des mythes irrévocables de l'« âge d'or » la Folie nourrit sa naissance :

> Quod si locum quoque natalem requiritis [...] ego nec in erratica Delo, nec in undoso mari, nec ἐν σπέσσι γλαφυροῖσι (a) sum edita, sed in ipsis insulis fortunatis, ubi ἄσπαρτα καὶ ἀγήροτα (b) omnia proveniunt. In quibus neque labor, neque senium, neque morbus est ullus, nec usquam in agris Asphodelus, Malva, Squilla, Lupinumve, aut faba, aut aliud hoc genus nugarum conspicitur. Sed passim oculis simul atque naribus adblandiuntur Moly, Panace, Nepenthes, Amaracus, Ambrosia, Lotus, Rosa, Viola, Hiacynthus, Adonidis hortuli [5].
>
> a) [*in specubus cavis*]   b) [*inseminata et inarata*]

[4] Il faudrait ici mieux préciser les liens topiques entre Folie et Oubli. C'est déjà Érasme qui autorise ce rapprochement : en soulignant l'heureuse abolition du temps opérée par l'Oubli, il situe ses sources justement dans les îles fortunées : « Ad Lethes nostrae fontem, nam insulis fortunatis oritur (siquidem apud inferos tenuis modo rivulus labitur) eos produco, ut simul atque illic longa potarint oblivia paulatim dilutis animi curis repubescant. » (Cfr *Ioannes Frobenius lectori. Habes iterum Morias Encomium, pro castigatissimo castigatius, una cum Listrii commentariis*, Basileae, in aedibus Io. Frobenii, MDXV, pp. 83-84).
Or dans les mêmes îles on trouve, dans nos poèmes épiques de la Renaissance, les palais d'Alcina et d'Armida, les lieux de plaisir et de folie, plongés, eux aussi, dans une atmosphère atemporelle et oublieuse :
« Goda il corpo sicuro, e in lieti oggetti / l'alma tranquilla appaghi i sensi frali ; / *oblii le noie andate*, e non affretti / le sue miserie in aspettando i mali. » (*Gerusalemme liberata*, XIV, 64) ;
« Qual uom da cupo e grave sonno oppresso / *dopo vaneggiar lungo in sé riviene*, / tal ei tornò nel rimirar se stesso. » (*Gerusalemme liberata*, XVI, 31) ;
« Come fanciullo che maturo frutto / ripone, *e poi si scorda ove è riposto*, / e dopo molti giorni è ricondutto / là dove truova a caso il suo deposto, / si maraviglia di vederlo tutto / putrido e guasto, e non come fu posto ; / e dove amarlo e caro aver solia, / l'odia, sprezza, n'ha schivo, e getta via : // così Ruggier... » (*Orlando furioso*, VII, 71).
En effet, comme la société enferme et considère fou celui qui a perdu la mémoire (voilà justement dans l'*Ospidale de' pazzi incurabili* de T. GARZONI, dont nous parlerons, la place réservée aux « pazzi smemorati o dementi » : « Fra' medici moderni Giovanni Fernellio Ambiano, nel diffinir che cosa sia dementia, dice queste parole precise, che *Amentia est, vel imaginationis, vel mentis occasus atque privatio, qua iam ab ipso ortu percussi affectique vix inopia mentis loqui discunt*, e soggiunge : *Huius classis est fluxa et amissa memoria*. La perdita della qual memoria constituisce quella sorte di pazzi, che smemorati, overo dementi, communemente nominar sogliamo. »), de même les héros de nos poèmes doivent être soignés avec l'anneau magique de raison pour se ressouvenir, après l'oubli de la folie amoureuse, de ce qu'ils étaient (« dopo vaneggiar lungo in sé riviene »), de leur fière origine. Mais alors, si raison est mémoire, souvenir du fini, mesure du temps ; la folie, sœur de l'oubli, elle seule est sans « histoire », elle seule peut nous rappeler l'avant-le-temps, l'état édénique, et nous prophétiser l'après-le-temps, figure eschatologique et théophanique.
Il faut toutefois souligner que, si chez Érasme il y a une progression de l'Oubli des « îles fortunées » à la contemplation mystique de la folie de la Croix (cfr P. MESNARD, « Érasme et la conception dialectique de la folie », in AA.VV., *L'Umanesimo e « la Follia »*, déjà cité, surtout pp. 59-61), chez l'Ariosto et le Tasso il n'y a que l'oubli du présent, le rêve édénique, le désir (et c'est ici la folie) d'une plénitude humaine sur la terre.
[5] Cfr *Morias Encomium*, éd. cit., pp. 77-78. Les traductions latines appartiennent au com-

Avec les mêmes fleurs nobles, « soavi allori » et « amenissime mortelle », « pur-
puree rose » et « bianchi gigli », sont garnis les prés et les rivages (« l'erboso
smalto » et « la chiara onda e fresca ») de l'île d'Alcina, où descend avec l'hippogriffe Roger, le héros qui sera appelé à fonder la dynastie de la Maison d'Este,
auprès de laquelle trouvera protection le poète Ariosto :

> né se tutto cercato avesse il mondo,
> vedria di questo il più gentil paese,
> ove, dopo un girarsi di gran tondo,
> con Ruggier seco il grande augel discese ;
> culte pianure e delicati colli,
> chiare acque, ombrose ripe e prati molli.
>
> Vaghi boschetti di soavi allori,
> di palme e d'amenissime mortelle,
> cedri et aranci ch'avean frutti e fiori
> contesti in varie forme e tutte belle,
> facean riparo ai fervidi calori
> ....
> Qui, dove con serena e lieta fronte
> par ch'ognor rida il grazïoso aprile,
> ....
> Per le cime dei pini e degli allori,
> degli alti faggi e degl'irsuti abeti,
> volan scherzando i pargoletti Amori [6].

Il ne s'agit pas ici seulement du *topos* de la séduction, du jardin enchanté, dont
en tout cycle épique le noble chevalier reste victime, pour mieux se racheter et se
purifier après avoir expérimenté la vanité de la beauté et de l'amour auprès de la
vertu. Mais, plus exactement, on peut y reconnaître le lieu érasmien *de ortu
moriae*, soit pour les mêmes attributs d'abondance, d'absence de vieillesse, soit
pour l'identique comparaison avec les jardins d'Adonis [7] :

mentaire originaire. Sur les rapports entre Érasme et Ariosto, on n'a tenté que peu de sondages :
cfr R. MONTANO, *Follia e saggeza nel « Furioso » e nell'« Elogio » di Erasmo*, Napoli, 1942.

[6] L. ARIOSTO, *Orlando furioso*, VI, 20, 21, 74, 75.
Je donnerai tous les passages de l'Ariosto, cités ici, dans la première version française, celle
de Jean Martin : « De tout l'air, où il estendit ses aesles, il ne veit ne le plus beau, ne le plus
plaisant, et ne verroit s'il cherchoit tout le monde, un plus gentil pays que cestuy, où le grand
Oyseau avec Rogier descendit après avoir tournoyé un grand rond. Plaineures cultivées, delicatz
costaultz, claires eaux, umbreux rivages et prez molz : plaisant bosquetz d'odorantz arbres de
Palmes, Cedres, Orengiers, qui avoyent fruict et fleur en variables et belles formes, faisoient
rempar aux ferventes chaleurs [...]. Là (où semble que le gratieux Apvril rye à toute heure) [...]
par les cymes des Pins, des Lauriers, des Faulx, les petits Amours volent en se iouant. » (Cfr
*Roland furieux, composé premierement en ryme thuscane, par messere Loys Arioste, noble
Ferrarois, et maintenant traduict en prose Françoise, partie suyvant la phrase de l'Auteur, partie
aussi, le stile de ceste notre langue*. On le vend à Paris, au premier pillier de la grand'salle du
Palaix, par Galiot du Pré, 1545, p. 35*v* et 39*v*). La première édition de ce texte apparut, in
folio, à Lyon en 1544.

[7] Il s'agit toutefois d'une abondance et d'une splendeur stériles : même ÉRASME, dans ses
Proverbes, en donnant toutes les acceptions de l'adage *Adonis horti*, conclut sur le mode de la
vanité : *Infructuosior Adonidis hortis* (cfr *Erasmi Roterodami Germaniae decoris Adagiorum
vel proverbiorum Chiliades tres ac centuriae fere totidem*, Basileae, in aedibus Ioannis Frobenii,
MDXIII, p. 8*v*).
Et ce sera encore le Tasso qui en donnera la traduction poétique, en représentant le château
d'Armida au milieu d'un paysage stérile (la mer Morte) et quasi fossile : « Fu già terra feconda,
almo paese, / or acque son bituminose e calde / *e steril lago* ; e quanto ei torpe e gira, / com-
pressa è l'aria e grave il puzzo spira. // [...] Siede in esso un castello, e stretto e breve / ponte
concede a' peregrini il passo. / Ivi n'accolse, e non so con qual arte / vaga è là dentro e ride
ogni sua parte. » (*Gerusalemme liberata*, X, 61-62).
Hors d'allégorie, il s'agit peut-être de cette abondance et, en même temps, de cette stérilité

ÉRASME : « In quibus neque labor, neque senium, neque morbus est ullus. »

ARIOSTO : « Non entra quivi disagio né inopia, / ma si sta ognor col corno pien la Copia [8]. »

ÉRASME : « Sed passim oculis simul atque naribus adblandiuntur Moly, Panace, Nepenthes, [...] Adonidis hortuli. »

ARIOSTO : « Queste, con molte offerte e con buon viso, / Ruggier fecero entrar nel paradiso : // che si può ben così nomar quel loco, / ove mi credo che nascesse Amore [9]. »

Mais il y a surtout en commun le même cortège symbolique qui suit chez Érasme la folie et qui défend chez l'Ariosto le royaume d'Alcina : ce sont les figures, les vices et les tentations trompantes par lesquelles la Folie et la sorcière soumettent tout ce qui existe dans l'univers, tous ceux qui gouvernent le monde :

Quas hic quoque in caeterarum comitum, ac pedisequarum mearum consortio, videtis. Quarum me hercle nomina, si voletis cognoscere, ex me quidem non nisi graece audietis. Haec nimirum quam sublatis superciliis conspicamini, φιλαυτία est. Huic, quam velut arridentibus oculis, ac plaudentem manibus videtis, κολακία nomen. Haec semisomnis ac dormitanti si-milis, λήθη vocatur. Haec cubito utroque innitens, consertisque manibus, μισοπονία dicitur. Haec roseo revincta serto et undique delibuta unguentis ἡδονή. Haec lubricis et huc atque illuc errantibus luminibus, ἄνοια dicitur. Haec nitida cute, probeque saginato corpore, τρυφὴ nomen habet. Videtis et deos duos, puellis admixtos, quorum alterum κῶμον vocant, alterum νήγρετον ὕπνον. Huius inquam famulitii fidelibus auxiliis, genus omne rerum meae subiicio ditioni, ipsis etiam imperans imperatoribus [10].

On peut tout de suite remarquer que l'oubli, la paresse, la flatterie, la volupté et les délices sont aussi tous présents dans la liste de l'Ariosto, à l'entrée du royaume d'Alcina, chacun désigné par une métamorphose monstrueuse :

Non fu veduta mai più strana torma,
più monstruosi volti e peggio fatti :
alcun' dal collo in giù d'uomini han forma,
col viso altri di simie, altri di gatti ;
stampano alcun' con piè caprigni l'orma ;
alcuni son centauri agili e atti ;

qui signifient le plaisir replié sur lui-même, la folie d'une recherche de plénitude tautologique qui appelle et confond au même miroir Adonis et Narcisse, achèvement et stérilité amoureuse. Le Tasso encore (n'ayant plus de sortie vers la consolation de Logistilla) nous donne l'image de ce cercle d'obsession qui s'enferme sur ses miroitements ; en effet la conquête d'amour, opérée par Armida, les rites de séduction (le domaine symbolique d'Adonis), la possession de l'autre, se manifestent comme complaisance égotistique d'Armida, repliée sur sa beauté, comme triomphe de Narcisse : « Ma quando in lui fissò lo sguardo e vide / come placido in vista egli respira, / ... / pria s'arresta sospesa, e gli s'asside / poscia vicina, e placar sente ogn'ira / mentre il risguarda ; *e 'n su la vaga fronte / pende omai sì che par Narciso al fonte.* » (*Gerusalemme liberata*, XIV, 66).

Ce qui nous est confirmé, en pleine idylle amoureuse, de l'attitude des deux amants : « L'uno di servitù, l'altra d'impero / si gloria, *ella in se stessa ed egli in lei.* » (*Gerusalemme liberata*, XVI, 21).

Le jeu des répétitions, au niveau du lexique, souligne notre hypothèse : l'amour de Rinaldo et d'Armida n'est que l'assomption d'Adonis en Narcisse, l'accomplissement stérile de l'obsession tautologique.

[8] L. ARIOSTO, *Orlando furioso*, VI, 73.
« Là iamais n'entrent mesaise et la nécessité, mais y demeure tousiours l'abondance avec le cor plein. » (*Roland furieux*, éd. cit., p. 39v).

[9] L. ARIOSTO, *Orlando furioso*, VI, 72-73.
« Cestes cy avec plusieurs offres, et avec bon visage, feirent entrer Roger en Paradis : car ainsi se peult bien nommer ce lieu, où ie croy qu'Amour nasquit. » (*Roland furieux*, éd. cit., p. 39v).

[10] Cfr *Morias Encomium*, éd. cit., p. 79.

> son gioveni impudenti e vecchi stolti,
> chi nudi e chi di strane pelli involti.
>
> Chi senza freno in s'un destrier galoppa,
> chi lento va con l'asino o col bue,
> altri salisce ad un centauro in groppa,
> struzzoli molti han sotto, aquile e grue ;
> ponsi altri a bocca il corno, altri la coppa ; [11].

Nous retrouvons donc la *flatterie* dans ce « visaige de cinges » et sa demi-sœur la *médisance* dans la figure d'« Un ch'avea umana forma i piedi e 'l ventre, / e collo avea di cane, orecchia e testa » [12] ; *Paresse* et *Oubli* enfin, unifiés dans une obésité ivre, précèdent la troupe effrontée qui s'oppose à la démarche du héros :

> Di questi il capitano si vedea
> aver gonfiato il ventre, e 'l viso grasso ;
> il qual su una testuggine sedea,
> che con gran tardità mutava il passo.
> Avea di qua e di là chi lo reggea,
> perché egli era ebro, e tenea il ciglio basso ;
> altri la fronte gli asciugava e il mento,
> altri i panni scuotea per fargli vento [13].

Roger sera délivré de ces monstres vicieux par l'intervention de Beauté et Grâce : les deux dames, filles de *Délice*, poussent le paladin vers la *Volupté*, c'est-à-dire Alcina, qui lui fait oublier l'amour honnête : « La bella donna che cotanto amava, / novellamente gli è dal cor partita ; / che per incanto Alcina gli lo lava / d'ogni antica amorosa sua ferita ; / e di sé sola e del suo amor lo grava [14]. »

Nous voyons donc que tous les emblèmes qui composent le cortège de la Folie érasmienne reviennent dans la figuration de l'Ariosto, sauf la *Démence* : mais qui, repoussée du nombre des serviteurs de la Folie, se campe tout comme le sens caché de l'entier royaume de béatitude fictive et d'alchimie fantastique d'Alcina. Elle n'a pas en effet besoin d'être nommée parce qu'elle vit de l'absence provisoire du *logos*, étant donné qu'elle occupe abusivement — dès les premiers vers — les châteaux (« più di cento castella l'hanno tolte » « per cacciarla de l'isola ») et la terre réservée à sa sœur Logistilla (« goutte ou essence de la raison », on pourrait dire en étymologie métaphorique). Celle-ci ne conserve maintenant, à cause de la guerre continuelle d'Alcina qu'un pouce de terre sur une montagne

---

[11] L. ARIOSTO, *Orlando furioso*, VI, 61-62.
« Iamais ne fut veu plus estrange tourbe, plus monstrueux visaiges et plus mal faictz. Aulcuns des le col en bas, ont forme d'homme avec le visaige de cinges, les aultres de chatz. Aulcuns ont piedz de Chievre, aulcuns sont Centaures agiles. Brief, ce sont ieunes impudentz et vieulx folz, qui nudz, et qui de peaulx estranges enveloppez ; qui sans frein galoppe sus ung destrier, qui va lentement sus un Asne ou un bœuf. L'aultre saulte en croppe à un Centaure. Plusieurs ont soubz eulx Aigles et Grues ; l'un se mect le cor en bouche, l'aultre la couppe. » (*Roland furieux*, éd. cit., p. 38v).

[12] L. ARIOSTO, *Orlando furioso*, VI, 64.
« Un qui avoit forme humaine aux piedz, et le corps, et la teste de chien, abboya à Rogier. » (*Roland furieux*, éd. cit., p. 39).

[13] L. ARIOSTO, *Orlando furioso*, VI, 63.
« Le Capitaine d'eulx avoit le ventre enflé et le visaige gras ; lequel seoit sus une Tortue, qui avec grand' tardité mouvoit le pas. Il avoit deçà et delà qui le soustenoit, car il estoit yvre, et tenoit le sourcil bas. Les uns luy essuyoient le front et le menton ; les aultres esbransloient aulcuns draps pour luy faire vent. » (*Roland furieux*, éd. cit., pp. 38v-39).

[14] L. ARIOSTO, *Orlando furioso*, VII, 18.
« La belle Dame, que tant il aymoit, luy est nouvellement partie du cueur : car Alcine par enchantement le luy lave de toutes ses anciennes playes amoureuses. » (*Roland furieux*, éd. cit., p. 42).

inhabitée de l'île enchantée : « né ci terrebbe ormai spanna di terra / colei, che Logistilla è nominata, / se non che quinci un golfo il passo serra, / e quindi una montagna inabitata [15]. » C'était à elle que menait le chemin de Roger, mais la brigade monstrueuse guidée par la Paresse-Oubli le dérouta vers Alcina, la déraison :

> Fin che venimmo a questa isola bella,
> di cui gran parte Alcina ne possiede,
> e l'ha usurpata ad una sua sorella
> che 'l padre già lasciò tutto erede,
> perché sola legitima avea quella ;
> e (come alcun notizia me ne diede,
> che pienamente instrutto era di questo)
> sono quest'altre due nate d'incesto [16].

Auprès de l'origine illustre de la raison, la folie se place comme la copie illégitime de la sagesse, la sœur « née d'inceste » — comme la considère Ariosto — qui s'oppose à la chaste Logistilla. Mais c'est seulement dans le palais décevant d'Alcine (lieu de folie, parce qu'il redouble l'aliénation, enfermant Roger « changé de son estre » — « non era in lui di sano altro che 'l nome » — non dans l'amour du Même, mais dans le cercle de l'Autre, puisque la sorcière aussi est étrangère à soi-même : « ... quanto / di beltà Alcina avea, *tutto era estrano* : / *estrano* avea, *e non suo,* dal piè alla treccia ») [17] que le héros connaît l'oubli et le bonheur, la volupté et le repos, loin de la guerre, de ses devoirs, de la *necessitas*.

Ainsi à la fureur mélancolique de Roland, fou parce qu'il est trop fidèle au *Même* objet perdu (et ce sera encore cette fidélité inutile qui damnera Don Quichotte), à l'identité brisée (folie comme dissociation) se juxtapose l'aliénation *dans* et *de* l'autre, la métamorphose (folie comme absence d'identification). Et si au masque de Roland dissocié, à la négation et perte d'unité on regarde avec pitié ; à la métamorphose, à la multiplication de l'altérité qui peut faire d'un chacun (c'est ainsi en effet qu'Ariosto commence le Chant VIII, le « retour » à la raison de Roger : « Oh quante sono incantatrici, oh quanti / incantator tra noi, che non si sanno ! / che con lor arti uomini e donne amanti / di sé, cangiando i visi lor, fatto hanno ») [18], au risque d'un glissement universel dans le *Tout Autre* (parce que tout est autre) il faut opposer le miroir qui renvoie et scelle raison en vérité :

> Chi l'annello d'Angelica, o più tosto
> chi avesse quel de la ragion, potria
> veder a tutti il viso, che nascosto
> da finzïone e d'arte non saria.

---

[15] L. ARIOSTO, *Orlando furioso*, VI, 45.

« Et desormais celle, qui est appelée Logistille, ne tiendroit un harpant de terre, sinon que deça un gouffre clot le passaige, et delà une montaigne inhabitée. » (*Roland furieux,* éd. cit., p. 37*v*).

[16] L. ARIOSTO, *Orlando furioso*, VI, 43.

« Iusques à tant que nous vinsmes en ceste belle Isle, dont Alcine possède grand' partie : et l'a usurpée à une sienne sœur, que le père avoit autresfoys laissée heritière du tout. Pource qu'il la tenoit seule legitime, et comme quelcun, qui de tout estoit plainement instruict, m'en a donné notice, ces aultres deux sont nées de inceste. » (*Roland furieux,* éd. cit., p. 37).

[17] L. ARIOSTO, *Orlando furioso*, VII, 70.

« Tout ce, qu'Alcine avoit de beaulté, estoit estrangier, et non sien » (*Roland furieux,* éd. cit., p. 46).

[18] L. ARIOSTO, *Orlando furioso*, VIII, 1.

« Combien sont d'enchanteresses ! o combien d'enchanteurs entre nous qui ne se sçavent, qui changeans visages par leurs faulx artz, ont attiré et attirent iournellement hommes et femmes à leur amour ! » (*Roland furieux,* éd. cit., p. 47*v*).

....
Fu gran ventura quella di Ruggiero,
ch'ebbe l'annel che gli scoperse il vero [19].

En effet, dès que la fée Melissa aura donné à Roger l'anneau qui fait dissoudre les apparences, l'anneau magique de la raison, Alcina sera démasquée de ses artifices et redeviendra vieille et laide ; ainsi le paladin pourra sans regret reprendre le chemin, la montée vers le château de Logistilla. Mais quelle ascension ! :

Tra duri sassi e folte spine gìa
Ruggiero intanto invèr la fata saggia,
di balzo in balzo, e d'una in altra via
aspra, solinga, inospita e selvaggia ;
tanto ch'a gran fatica riuscia
su la fervida nona in una spiaggia
tra 'l mare e 'l monte, al mezzodì scoperta,
arsiccia, nuda, sterile e deserta.

Percuote il sole ardente il vicin colle ;
e del calor che si riflette a dietro,
in modo l'aria e l'arena ne bolle,
che saria troppo a far liquido il vetro.
Stassi cheto ogni augello all'ombra molle :
sol la cicala col noioso metro
fra i densi rami del fronzuto stelo
le valli e i monti assorda, e il mare e il cielo.

Quivi il caldo, la sete, e la fatica
ch'era di gir per quella via arenosa,
facean, lungo la spiaggia erma et aprica,
a Ruggier compagnia grave e noiosa [20].

Désert, solitude, ennui, chaud, soif, fatigue, sont les attributs de la cohérence et du devoir : chemin érémitique de pénitence qui conduit à la raison sur l'autre sommet de la montagne ; là le héros apprendra les secrets pour bien terminer son voyage extraordinaire sur l'hippogriffe, le cheval volant ; mais il suffira, après peu d'étapes aériennes, de voir Angélique exposée nue sur l'écueil pour oublier la prudence de Logistilla :

Non più tenne la via, *come propose
prima,* di circundar tutta la Spagna ;
ma nel propinquo lito il destrier pose,
dove entra in mar più la minor Bretagna.
....
Qual raggion fia che 'l buon Ruggier raffrene,
sì che non voglia ora pigliar diletto
d'Angelica gentil che nuda tiene
nel solitario e commodo boschetto ?

[19] L. ARIOSTO, *Orlando furioso*, VIII, 2.
« Qui pourroit avoir l'aneau d'Angelique, ou plutost qui auroit celluy de la raison, il pourroit veoir à tous le visage, qui ne seroit point caché de fiction, ne d'art. [...] Grand' adventure fut à Rogier d'avoir l'aneau, qui descouvroit la verité. » (*Roland furieux*, éd. cit., p. 47v).
[20] L. ARIOSTO, *Orlando furioso*, VIII, 19-21.
« Entant Rogier alloit vers la sage Fée entre pierres dures, et espaisses espines, de mont en mont, de voye en aultre aspre, solitaire, inhospitale et saulvage, tant que sus la none fervente il parvint en une plage entre la mer et la montaigne descouverte au midy, deserte, nue, et sterile. Le soleil ardent bat le cotaulz prochain, et de la chaleur, qui se reverbère en arrière, l'air et la sable en bouillent de sorte, que trop elle distilleroit le voirre. Tout oyseau demeure coy à l'umbre : seulement la Cygalle avec son ennuyeux chant, entre les espais rameaulx des boys fueilleux, essourde les vallées, les montz, la mer, et le ciel. Là le chault, la soif, et le travail d'aller par ceste voye sablonneuse faisoient à Rogier griefve et ennuyeuse compagnie le long de la plaige deserte. » (*Roland furieux*, éd. cit., pp. 48v-49).

> Di Bradamante più non gli soviene,
> che tanto aver solea fissa nel petto :
> e se gli ne sovien pur come prima,
> *pazzo* è se questa ancor non prezza e stima [21].

Ayant été posées pour commencer et pour finir l'octave, raison et folie se contre-carrent et se contrecalquent en même temps : tout calcul d'une règle définitive fait naufrage sur cet écueil, ainsi que toute présomption de stabilité de la raison. D'ailleurs si chez l'Arioste la folie n'est que le dédoublement incestueux, un accouplement illégitime de la raison, ne constituant aucune altérité systématique à la chaîne du *devoir* être, elle reste néanmoins toujours à récupérer, elle demeure un point de fuite [22] d'où le poème peut continuer son « discours », son existence. Par cette « distance » des îles d'Alcina et Logistilla, par cet « écart » de l'Insaisissable complètement de soi, qui devance toujours et détourne les signaux de l'*agnitio*, la répétition du même, par cette imminence « inconcluante » (= députée à ne pas renfermer le récit) de la folie, par là seulement un espace s'ouvre et une « raison » à l'écriture poétique.

La folie consiste donc essentiellement, chez l'Arioste, dans ce déplacement continuel de l'*agnitio*, de sorte que s'il n'y a aucun lieu d'identité, il n'y a non plus un lieu d'altérité absolue : à la *causalité* de la raison, naufragée sur l'écueil de l'imprévu, d'Angélique nue, succède la *casualité* du Hasard souverain qui gouverne le monde : des deux faces du Fou, c'est le *divers* et non *l'autre* qui triomphe, le déguisement et non le dédoublement de la norme.

Mais l'accomplissement de cette origine érasmienne de la folie, de ce *topos* des Îles fortunées, du jardin édénique d'Alcina, aura lieu dans la *Gerusalemme liberata* du Tasso, où Armida retiendra, elle aussi dans son île enchantée, le personnage politiquement principal du poème, occupant, avec la description de son royaume et de ses amours avec Renaud, les parties centrales du conte épique.

Je ne peux pas ici produire toutes les citations disponibles sur cette ligne idéale, topique, qui lie, au sujet de la « naissance de folie », Érasme, Arioste et Tasso [23] ;

---

[21] L. ARIOSTO, *Orlando furioso*, X, 113 et XI, 2.
« Il ne tint point la voye, comme il avoit proposé auparavant, d'environner toute l'Espagne : mais meit le cheval au prochain rivage, où la petite Bretaigne s'estend le plus en mer. [...] Quelle raison est ce, que puisse le bon Rogier refrener en sorte, qu'il ne vueille prendre ores plaisir de la gentile Angelique, laquelle il tient nue au bosquet solitaire et commode ? Il ne luy souvient plus de Bradamant, qu'il souloit avoir si imprimée en la pensée. Et combien qu'il luy en souvienne, comme auparavant, il seroit fol, s'il ne prisoit encores ceste et n'en faisoit estime. » (*Roland furieux*, éd. cit., p. 71 et pp. 71v-72).

[22] Du reste, depuis Platon on sait que folie et poésie sont attisées et entraînées par la même fureur : c'est cette « fuite » de la norme qui approche l'« écart » du sublime et du subliminal, et qui, sur le penchant de l'écriture, rachète le *signifiant* de son rôle d'outillage au signifié : « Alors que dans la représentation normale, tout comme dans la perspective scientifique inventée par l'Occident, avec point de fuite unique, le signifié vers l'horizon vers lequel nous conduit la fuite *réglée* du signifiant, dans l'univers délirant, la multiplicité des points de fuite permet à cette dernière d'échapper à l'orientation univoque du sens. » (Cfr C. DELACAM-PAGNE, « L'écriture en folie », in *Poétique*, 18, 1974, p. 175). C'est enfin cette multiplicité équivoque (« Pour le fou, le signifié n'est qu'*un* point de vue sur le signifiant » — DELACAM-PAGNE, *ibidem* —) que l'écriture psychotique dénonce, et que notre poème allégorise : dans cet effort de recomposition du signe il y a toutefois l'inépuisable différence entre le discours « utopique » de la poésie et l'énoncé « atypique » de la folie.

[23] Il ne faut pas oublier, toutefois, la matrice épique directe qui remonte à l'*Orlando inna-morato* de BOIARDO, où le jardin de Falerina, dont Giorgio Petrocchi a signalé le relief poétique, déjà prépare les décors semblables d'Alcina et d'Armida : « Nel Tasso vivrà, proprio in questo esempio, una felice *contaminatio* degli ingredienti coloristici e ottici dello scenario di

il suffira de remarquer, avant tout, que le palais d'Armida, selon la typologie de
l'*Éloge de la folie,* est situé dans les Îles fortunées :

> ma ingelosita di sì caro pegno,
> e vergognosa del suo amor, s'asconde
> ne l'oceano immenso, [...]
> ....
>   e quivi eletta
> per solinga sua stanza è un'isoletta.
> Un'isoletta la qual nome prende
> con le vicine sue da la Fortuna [24].

La suggestion du passage érasmien est certaine, parce que dans une autre octave
le poète donne aux îles fortunées, de même que dans l'*Éloge,* la qualité de lieux
inseminata et inarata :

> ed eran queste l'isole Felici,
> così le nominò la prisca etate,
> a cui tanto stimava i cieli amici
> *che credea volontarie e non arate*
> *quivi produr le terre,* e 'n più graditi
> frutti non culte germogliar le viti [25].

C'est donc l'abondance qui règne ici : « Era qui ciò ch'ogni stagion dispensa, / ciò
che dona la terra o manda il mare, / ciò che l'arte condisce » [26] ; mais la nouveauté
de ce jardin édénique, déjà contemplé chez Érasme et l'Ariosto, consiste dans cette
accumulation d'attributs, qui produit une beauté saturée et quasi étouffante :

> V'è l'aura molle e 'l ciel sereno e lieti
> gli alberi e i prati e pure e dolci l'onde,
> ove fra gli amenissimi mirteti
> sorge una fonte e un fiumicel diffonde :
> piovono in grembo a l'erbe i sonni queti
> con un soave mormorio di fronde,
> cantan gli augelli : i marmi io taccio e l'oro
> meravigliosi d'arte e di lavoro.
>
> Aure fresche mai sempre ed odorate
> vi spiran con tenor stabile e certo,
> né i fiati lor, sì come altrove sòle,
> sopisce o desta, ivi girando, il sole ;
> ....
> e nudre a i prati l'erba, a l'erba i fiori,
> a i fior l'odor, l'ombra a le piante eterna.

Alcina con quello, meno sontuoso ma pur delicatissimo e armonioso, di Falerina. » (Cfr. G.
PETROCCHI, « Boiardo e Tasso », in *I fantasmi di Tancredi,* Caltanissetta-Roma, 1972, p.
108).

   [24] T. TASSO, *Gerusalemme liberata,* XIV, 69-70.

   Faute de la première traduction française du poème, apprêtée par J. Du Vignau (Paris,
1595), je donnerai ici et dans les notes suivantes, des versions métriques, que je dois aux soins
et suggestions de mon collègue et ami A. Dimino, de l'Institut de littérature française de l'Université de Turin, auquel je désire ici exprimer mes sentiments de gratitude. A côté du passage
cité (« jalouse d'une si belle proie / et honteuse de sa faiblesse, elle se cache / dans l'océan
immense ... / [...] et là retraite / solitaire demeure d'une petite île elle a faite. / Un îlot qui
prend nom / avec les autres voisins de la Fortune »), il y a une autre attestation sur le royaume
d'Armida : « L'isole di Fortuna ora vedete, / di cui gran fama a voi ma incerta giunge. / Ben
son elle feconde e vaghe e liete, / ma pur molto di falso al ver s'aggiunge. » (*Gerusalemme liberata,* XV, 37).

   [25] T. TASSO, *Gerusalemme liberata,* XV, 35.

   [26] T. TASSO, *Gerusalemme liberata,* X, 64.

   « Là il y avait tout ce que chaque saison fournit / ce que la terre donne ou ce que de la
mer l'on choisit, / ce que l'art garnit. »

> Siede su 'l lago e signoreggia intorno
> i monti e i mari il bel palagio adorno [27].

Cette soif de rassembler tous les symboles du bonheur, tout le dicible et l'imaginable, vise à remonter, avec la parole poétique, au-delà du temps, à restituer les Champs Élysées ou mieux l'âge d'or :

> Qui non fallaci mai fiorir gli olivi
> e 'l mèl dicea stillar da l'elci cave,
> ....
> e qui gli elisi campi e le famose
> stanze de le beate anime pose.
> Questo è il porto del mondo ; e qui è il ristoro
> de le sue noie, e quel piacer si sente
> che già sentì ne' secoli de l'oro
> l'antica e senza fren libera gente [28].

Il s'agit là vraiment de « qualcosa di oblioso e di ipnotico » [29], d'un processus de régression et d'aliénation qui peut s'accomplir seulement si l'on se confie, comme dans la Folie érasmienne, à l'Oubli et au Rêve :

> Or mentre ciascuno a mensa assiso
> beve con lungo incendio un lungo oblio
> [...]
> Quale allor mi foss'io, come di stolto
> vano e torbido sogno, or me 'n rammento [30].

Cet extrême royaume édénique est donc repoussé à la subtile frontière entre artifice et songe, entre illusion et folie. Représentation ou fantôme, décor ou coulisses de la cour, la fascination d'Armida, sa « magica ipnosi » [31], semble surgir, déjà à sa première apparition, d'un « théâtre nocturne » :

> Splende il castel come in teatro adorno
> suol fra notturne pompe altera scena,
> ed in eccelsa parte Armida siede,
> onde senz'esser vista e ode e vede [32].

Comme si elle était née d'un « opprimente incubo » ou d'une « smemorata angoscia » [33], la figure d'Armida symbolise l'ambiguïté du déguisement, son dédoublement entre ostentation et soupçon, l'inconciliabilité entre « innocence » édénique et Histoire, entre Pouvoir et désir, l'inanité de la *fabula* que nous récitons (et c'est encore Érasme qui peut avoir suggéré l'image au Tasso) sur la scène du monde :

> Porro mortalium vita omnis quid aliud est, quam fabula quaepiam, in qua alii aliis obtecti personis procedunt, aguntque suas quisque partes, donec choragus educat e proscenio ? [34]

---

[27] T. TASSO, *Gerusalemme liberata*, X, 63 et XV, 53-54.

[28] T. TASSO, *Gerusalemme liberata*, XV, 36 et 63.

[29] Cfr G. GETTO, « Il fascino di Armida », in *Nel mondo della « Gerusalemme »*, Firenze, 1968, p. 198.

[30] T. TASSO, *Gerusalemme liberata*, X, 65 et 67.
« Or pendant que chacun, encore à table assis / boit avec voluptueuse ardeur un long oubli » ;
« L'état où j'étais alors, comme dans un fou / rare et flou rêve, maintenant il me souvient. »

[31] Cfr G. GETTO, *Il fascino di Armida*, déjà cité, p. 190.

[32] T. TASSO, *Gerusalemme liberata*, VII, 36.
« Le château resplendit comme dans un théâtre paré / flamboie parmi de nocturnes fastes une fière scène, / et sied Armide en une très élevée partie / d'où sans être vue elle voit et elle ouït. »

[33] Cfr G. GETTO, « Struttura e poesia nella " Gerusalemme liberata " », in *Interpretazione del Tasso*, Napoli, 1966, II éd., p. 340.

[34] Cfr *Morias Encomium*, éd. cit., p. 110.

Ainsi, en choisissant un « parler vide » contre la puissance sinistre du Silence, la Folie ira, selon les dessins d'Holbein, réciter de la tribune son auto-apologie ; et, comme celle-ci s'adresse à ses auditeurs en louant l'amour propre, de la même manière la sirène d'Armida, « dal palco di notturna scena / sorgendo », commencera son discours de persuasion en rappelant à chacun la sagesse de la φιλαυτία, (« Solo chi segue ciò che piace è saggio »), la vanité des idoles de la vie humaine, d'une gloire qui est « un'ecco, un sogno, anzi del sogno un'ombra, / ch'ad ogni vento si dilegua e sgombra » [35], et en renversant enfin la folie sur les aveugles fidèles de la raison :

> Folli, perché gettate il caro dono,
> che breve è sì, di vostra età novella ?
> Nome, e senza soggetto idoli sono
> ciò che pregio e valore il mondo appella [36].

A cet appareil scénique, à ce théâtre de comparses, le poète ajoute — sinistre signal d'illusion et de déraison, d'éblouissement et de « mélancholie » — le Rire-délire qui tue dans son ivresse, et qui est donc posé à défense du palais d'Armida : « un picciol sorso di sue lucide onde / inebria l'alma tosto e la fa lieta, / indi a rider uom move, e tanto il riso / s'avanza alfin ch'ei ne rimane ucciso » [37].

Dans cet assombrissement du symbole, le jardin enchanté se fait labyrinthe : « Siede in mezzo un giardin del labirinto » [38] ; la magie amoureuse est parcourue par un frisson mortel, trop humaine pour rester seulement allégorie intellectuelle, folle parce qu'elle cherche à perpétuer ce qui va finir : « Così trapassa al trapassar d'un giorno / de la vita mortale il fiore e 'l verde : / né perché faccia indietro april ritorno, / si rinfiora ella mai, né si rinverde [39]. »

Ainsi le rituel retour à la raison n'est plus simplement, comme chez l'Ariosto, l'envers de la même médaille, la face en ombre du même masque, le balancement d'une égalité que le hasard détend sur la vie, et l'invention poétique sur la matière littéraire ou sociale ou morale ; mais plus dramatiquement le passage se consume de l'illusion à la folie désabusée, de l'oubli à la maladie.

En effet, dans la Gerusalemme liberata, et c'est ici la rupture du topos, du « locus amoenus », ayant été désenchanté et dissous le château d'Armida, il n'y a plus la consolation de remonter à Logistilla ; folie et raison ne sont plus concepts purs que la mens divinior du poète manie à son aise. La folie selon le Tasso est déjà en nous et non pas hors de nous ; fini le royaume d'Armida, non seulement on ne peut pas passer à l'autre rivage, mais la folie, non plus, ne se dissout pas avec le château : elle est sans retour (« … gli altri più grandi adesca : / menagli in parte ond'alcun mai non torni »), elle reste là dans Armida, qui portera la marque éternelle d'une passion sans objet, d'une folle obsession que nulle magie ne peut plus effacer.

[35] T. TASSO, Gerusalemme liberata, XIV, 63.
« Un écho, un rêve, et mieux que le rêve une ombre / qui à tout vent se dissout et tombe. »
[36] Ibidem.
« Fols, pourquoi gâchez-vous le doux présent / de votre jeune âge, qui est si court ? / Des noms sont et des idoles déchus / ce que le monde appelle mérite et vertu. »
[37] T. TASSO, Gerusalemme liberata, XIV, 74.
« Une petite gorgée de ses ondes polies / enivre l'âme et tout de suite la rend ravie / et puis à rire pousse et tant ébranle le rire / qu'on y reste tué de ce délire. »
[38] T. TASSO, Gerusalemme liberata, XIV, 76. Et voir encore XVI, 35 : « ed affrettò il partire, e de la torta / confusione uscì del labirinto ».
[39] T. TASSO, Gerusalemme liberata, XVI, 15.
« Ainsi s'en va-t-elle comme en un jour / de notre vie mortelle la fleur et son éclat ; / ni revient-elle si Avril est de retour, / ni reverdit-elle : jamais elle ne refleurira. »

C'est pourquoi Renaud, qui s'en va, apparaît à la reine comme « congelé par la raison » : « Non entra Amor a rinovar nel seno, / che ragion congelò, la fiamma antica » [40] ; à l'obéissance intérieure à l'amour le poète oppose ici la cohérence extérieure au devoir, au *logos* : mais elle, l'obsédée, et lui, l'aliéné (tel est le héros, puisqu'il suit des « raisons » qui sont hors de lui), ils ne se posent pas sur le même plan poétique : au discours fiévreux d'Armida le paladin ne sait répondre qu'avec la citation glaciale de l'autorité : « Rimanti in pace, i' vado ; a te non lice / meco venir, *chi mi conduce il vieta* [41]. » En ce sens-là, la perspective se renverse, car on ne peut plus nommer « sagesse » celle qui ne donne pas, mais ôte, la liberté et l'amour :

> — Né te Sofia produsse e non sei nato
> de l'azio sangue tu ; te *l'onda insana*
> del mar produsse e 'l Caucaso gelato,
> e le mamme allattàr di tigre ircana.
> Che dissimulo io più ? l'uomo spietato
> *pur un segno non diè di mente umana* [42].

C'est donc Renaud qui semble à la fin déraisonnable, puisqu'il a préféré à la tautologie, mais rassasiée, de l'amour, la nécessité inassouvissable du devoir ; tout comme Enée, le héros du scrupule abandonnera la reine et la femme, d'abord retenu par politesse et pitié, mais enfin emmené par la « dure nécessité » : « Cortesia lo ritien, pietà l'affrena, / dura necessità seco ne 'l porta [43]. »

Chez le Tasso la folie survit donc à ses appareils allégoriques, à son discours, à sa fiction ; elle se fait en Armida — et le paradoxe n'est pas *in verbis,* mais vraiment *in re* — « raison de vie » : « *Nova furia,* co' serpi e con la face / tanto t'agiterò quanto t'amai » [44] ; et d'autre part chez Renaud la sagesse, glacée en « dure nécessité » politique et religieuse, en *logos* devenu dogme, se fait « raison d'état ». Toute transgression peut ainsi seulement s'accomplir ou dans le pardon forcé de l'Église, dans la médecine et l'exorcisme du baptême, auquel à la fin Armida se soumettra : « -Ecco l'ancilla tua ; d'essa a tuo senno / dispon, -gli disse- e le fia legge il cenno- » [45] ; ou bien dans l'ordre de l'État de la Contre-Réforme, qui ne tolère hors de sa raison que la prison, dans laquelle seront enfermés les excès mélancoliques, la folle cohérence du Tasso à ses héros.

2) La métaphore de Folie.

La folie est donc née dans les « îles fortunées » et elle accompagne tous les rêves édéniques de l'homme, elle demeure en Narcisse et en tout effort d'auto-explication et de plénitude cherchée sans catharsis. Mais où habite-t-elle ? A-t-elle un lieu et une marque dans l'écriture ? Si dans l'espace son attribut est la *distance* et le *divers* du masque, dans le texte ce divers, cette métamorphose, se déguise en métaphore. Le lieu de folie est en tout cas le déplacement : elle habite l'autre monde, la lune (comme auparavant les îles fortunées), et l'autre nom, la métaphore.

Il y a naturellement une longue tradition qui reconnaît à la lune le point de vue privilégié sur la folie humaine, peut-être parce qu'elle même était considérée

[40] T. TASSO, *Gerusalemme liberata*, XVI, 52.
[41] T. TASSO, *Gerusalemme liberata*, XVI, 56.
[42] T. TASSO, *Gerusalemme liberata*, XVI, 57.
[43] T. TASSO, *Gerusalemme liberata*, XVI, 62.
[44] T. TASSO, *Gerusalemme liberata*, XVI, 59.
[45] T. TASSO, *Gerusalemme liberata*, XX, 136.
« Voici ta servante ; d'elle à ton loisir / dispose — lui dit-elle — et ma loi sera ton plaisir. »

comme le siège de l'inconstance, irradiant ses influences sur les caractères « lunatiques ». En effet, déjà chez Lucien, dans son *Icaromenippus, sive Hypernephelus*
le discours sur la folie terrestre est tenu après le voyage de Ménippe sur la lune :

> Ter mille igitur erant stadia a terra usque ad Lunam, ubi prima nobis fuit mansio.
> [...]
> Super omnia vero, quae Lunae accidebant, mihi videbantur absurda, ac plane mira
> putabamque ; causam aliquam arcanam et inexplicabilem esse, cur illa subinde
> speciem formamque variaret. [...]
> At tu quidem recte coniectas amice. Quamobrem quatenus licet, conscensa luna
> inter narrandum peregrinanti comes esto, simulque ; mecum contemplare totam
> terrae speciem, habitumque. Atque initio quidem admodum pusillam quandam terram
> mihi videre videbar, multo, inquam, luna minorem : ita ut ego repente intentis oculis
> diu dubitarem ubinam essent tanti illi montes ac tantum mare [46].

Cette version latine est due à Érasme, qui se souvint certainement au moins d'un
passage célèbre du dialogue dans une belle comparaison de son *Éloge de la folie*,
elle aussi placée sur la lune :

Lucien :   Mox ubi fixius intenderem oculos, iam mihi omnis mortalium vita coepit
esse conspicua, non solum singulae nationes atque urbes : sed plane vide-
bam *navigantes, bellantes, agricolantes, litigantes*, mulieres, feras, et, ut
summatim dicam, quicquid tellus educat alma. [...]

Sed urbes sane cum ipsis viris, formicarum nidis maxime videbantur
assimiles [47].

Érasme :   In summa si mortalium innumerabiles tumultus, e Luna, quemadmodum
Menippus olim, despicias, putes te muscarum aut culicum videre *turbam
inter se rixantium, bellantium, insidiantium, rapientium, ludentium, lasci-
vientium, nascentium, cadentium, morientium*. Neque satis credi potest
quos motus, quas tragoedias cieat tantulum animalculum, tamque mox
periturum [48].

Au-delà de la série similaire de participes, les deux textes, à travers la *deminutio*
comparative (formicarum nidis, culicum turba, animalculum), s'approchent de la
métaphore, dont l'usage direct fut amplement étalé dans un autre voyage « ad eas
provincias [...] ad quas pervolant somniantes », celui que L.B. Alberti a décrit
dans son *Somnium* [49], et qui a fourni — comme Cesare Segre a finement démontré
— le répertoire métaphorique du chant XXXIV de l'*Orlando furioso* [50].

En effet le vol d'Astolfo (qui passera en revue sur la lune les pots où se
recueille la sagesse qu'on perd sur la terre) se situe à la flèche finale de cette tra-
jectoire, y comprenant aussi l'héritage allégorique de l'*iter* dantesque. L'utilisation
des lieux érasmiens est moins massive, mais plus répandue : elle va de la variation
sur l'adage « Nullus pro depulsa stulticia gratias agit » [51] paraphrasé dans l'octave

---

[46] Cfr *Icaromenippus, sive Hypernephelus. D. Erasmo Roterodamo interprete*, in *Luciani
Samosatensis Opera, quae quidem extant, omnia, e Graeco sermone in Latinum, partim iam
olim diversis authoribus, partim nunc per Iacobum Micyllum translata*, Lugduni, apud Ioannem
Frellonium, MDXLIX, coll. 569-582. Les passages cités aux coll. 570, 571, 574.

[47] Cfr *Icaromenippus*, éd. cit., coll. 574, 577.

[48] Cfr *Morias Encomium*, éd. cit., pp. 164-165.

[49] Ce texte inédit fut retrouvé et publié par E. GARIN, « Venticinque Intercenali inedite e
sconosciute di L.B. Alberti », in *Belfagor*, XIX, 1964, pp. 377-396 ; et après : L.B. ALBERTI,
Intercenali inedite, par E. Garin, Firenze, 1965 (Cahiers de « Rinascimento »).

[50] Cfr C. SEGRE, *Leon Battista Alberti e Ludovico Ariosto*, in *Esperienze ariostesche*, Pisa,
1966, pp. 85-95 ; voir aussi les essais de M. MARTELLI, in *La bibliofilia*, LXVI, 1964, pp.
163-170, et de R. CESERANI, in *Giornale storico della letteratura italiana*, CXLI, 1964,
pp. 269-270.

[51] Cfr *Morias Encomium*, éd. cit., p. 146.

82 : « Poi giunse a quel che par sì averlo a nui, / che mai per esso a Dio voti non fêrse ; / io dico il senno : e n'era quivi un monte » [52], jusqu'à la traduction directe : « tanto apprezza costumi, o virtù ammira, / quanto l'asino fa il suon de la lira » [53] : sentence qui développe l'*Asinus ad lyram,* divulgué auparavant par Érasme [54]. De plus, l'entière octave 85 est formée en résumant les exemples de déraison portés par Érasme dans les paragraphes XL-XLIV de son *Éloge,* et en y gardant les mêmes catégories des marchands, des flatteurs, des sophistes, alchimistes et poètes :

> Altri in amar lo (scil. : il senno) lo perde, altri in onori,
> altri in cercar, scorrendo il mar, ricchezze ;
> altri ne le speranze de' signori,
> altri dietro alle magiche sciocchezze ;
> altri in gemme, altri in opre di pittori,
> et altri in altro che più d'altro aprezze.
> Di sofisti e d'astrologhi raccolto,
> e di poeti ancor ve n'era molto [55].

Si la perte de sagesse signifie, d'après la leçon d'Érasme, en même temps *aliénation* et *démesure* (« et *altri in altro* che *più d'altro* apreze »), dispersion à l'infini du désir et de l'identité, fin de la « sprezzatura » du *vir* humaniste ; il faut toutefois souligner que c'est précisément d'un humaniste italien, de L.B. Alberti, que l'Ariosto tire la plus brillante invention du chant XXXIV, c'est-à-dire l'absence de Folie là où demeurent et sont rassemblés ses objets. Ainsi par un renversement ironique de perspectives, le lieu éponyme des « lunatiques », des inconstants, devient le *speculum, ex negativo,* de la sagesse :

> L.B. Alberti : denique, ne sim prolixior, *isthic quaevis omnia praeter stultitiam reperies* [56] ;

[52] L. ARIOSTO, *Orlando furioso,* XXXIV, 82.
« Puis parvint à celluy, lequel nous est advis de l'avoir tant, que jamais pour luy nous ne feismes vœu à Dieu : je dy le sens, duquel là y avoit tant grande quantité, que ce sembloit une montaigne. » (*Roland furieux,* éd. cit., pp. 288v-289).

[53] L. ARIOSTO, *Orlando furioso,* XXXIV, 19.
« Escolle de tout vice, estimoit autant vertu et bonnes meurs, qu'un Asne faict le son de la Lyre. » (*Roland furieux,* éd. cit., p. 284).

[54] L'adage latin fut plusieurs fois utilisé et expliqué par ÉRASME, avant tout dans ses *Proverbes* : « *Asinus ad Lyram* : [...] Asinus Lyrae auscultator in eos, qui propter imperitiam nullo sunt iudicio, crassisque auribus. Hunc titulum proverbialem M. Varro satyrae suae cuidam indidit. [...] Iuxta hoc ipsum, quod dici solet, asinum conspiciens cithara canere tentantem. Recte torquebitur in eos, qui indecore tentant artificium, cuius sunt imperiti, et a quo natura abhorret. » (Cfr *Adagiorum vel proverbiorum Chiliades tres ac centuriae fere totidem,* éd. cit., p. 46v). Mais c'est surtout à travers l'*Éloge* que l'adage fut divulgué ; voir par exemple le chap. LIV : « Postremo didicerunt, apud Rhetores de risu fieri mentionem, eoque student et ipsi jocos quosdam aspergere, ὦ φίλη 'Αφροδίτη, quam plenas gratiarum, quamque in loco ut plane ὄνον πρὸς τὴν λύραν esse dicas » ; ou encore le chap. XLII : « Alius simulatque treis lineas circino duxerit, prorsus Euclidem sese putat : hic ὄνος πρὸς τὴν λύραν, et quo deterius, nec ille sonat. » (Cfr *Morias Encomium,* éd. cit., p. 201 et p. 148).

[55] L. ARIOSTO, *Orlando furioso,* XXXIV, 85.
« Or les uns le perdent à aymer, les aultres en honneurs, alcuns à courir la mer pour trouver richesses ; les aultres aux esperances des Seigneurs, aultres après les magiques sottises, aultres en pierreries, aultres en painctures, et aultres en aultre chose en laquelle ilz ont leur fantasie, et qu'ilz estiment la meilleure de toutes. Là y en avoit aussi mainct amas des Sophistes, d'Astrologues, et des Poètes encor. » (*Roland furieux,* éd. cit., p. 289).

[56] Le rapprochement des deux textes a déjà été fait et démontré par C. SEGRE (*op. cit.,* pp. 91-92). Il est utile de rappeler ses conclusions critiques : « Ma le metafore che nell'Alberti hanno ancora una secchezza intellettualistica (e agisce forse il modello lucianeo), nel *Furioso* divengono immagini amaramente comiche nella loro corposità : il moralismo si cala nella realtà temporale. [...] l'Ariosto prolunga la serie metaforica, scendendo a un livello linguistico familiare, come per aumentare la forza viva del sarcasmo : i versi a lode dei signori sono *cicale scoppiate* ; [...] i servizi prestati nelle " misere corti " sono *bocce rotte.* » (*Op. cit.,* p. 93).

> L. Ariosto :   Lungò sarà, se tutte in verso ordisco
> le cose che gli fur quivi dimostre ;
> che dopo mille e mille io non finisco,
> *e vi son tutte l'occurrenzie nostre* :
> *sol la pazzia non v'è poca né assai* ;
> che sta qua giù, né se ne parte mai [57].

Étant donné que toute la folie est sur la terre et sa signification sur la lune, il est évident que dans le discours poétique elle deviendra le lieu spécifique de la « translation », de l'absence donc de nom *propre*. En ce sens là elle n'a pas de nom à elle (… donc la Folie est vraiment Nemo, Niemand), parce qu'elle est la métaphore de tous les noms perdus de la raison. Et en effet l'entassement d'objets qu'Astolphe trouve sur la lune, en cherchant le flacon de la sagesse de Roland, est tout métaphorique :

> ciò che in somma qua giù perdesti mai,
> là su salendo ritrovar potrai.
>
> Passando il paladin per quelle biche,
> or di questo or di quello chiede alla guida.
> Vide un monte di tumide vesiche,
> che dentro parea aver tumulti e grida ;
> ....
> Ami d'oro e d'argento appresso vede
> in una massa, ch'erano quei doni
> che si fan con speranza di mercede
> ai re, agli avari principi, ai patroni.
> Vede in ghirlande ascosi lacci ; e chiede,
> et ode che son tutte adulazioni.
> Di cicale scoppiate imagine hanno
> versi ch'in laude dei signor si fanno.
> ....
> poi vide bocce rotte di più sorti,
> ch'era il servir de le misere corti [58].

La folie n'est donc visible, même dans son règne lunatique, que comme figure, n'est lisible qu'*in absentia* ; tandis que là sur la terre, où elle est présente et opère dans son essence, elle n'a ni visage ni nom. Mais alors a-t-elle « lieu » simplement *comme* et *dans* la « translation » de ce qui n'est plus raison ? La réponse d'Ariosto implique un choix définitif sur la nature de la folie : en effet si dans la première édition du poème (1516) notre auteur paraît admettre, au moins sur la lune, le mystère et le risque d'une radicale altérité :

> In summa, ciò che mai qua giù si perse,
> Si truova là, *ma in forme altre e diverse*

[57] L. ARIOSTO, *Orlando furioso*, XXXIV, 81.
« Trop long seroit si ie voulois toutes les choses racompter qui luy furent là demonstrées : car ie ne les scaurois finir mille après mille. Là sont toutes noz occurrances. Seulement y a peu de folie car elle demeure ça bas, et ne s'ent part iamais. » (*Roland furieux*, éd. cit., p. 288v). A vrai dire une version correcte, sur la quantité de folie, dirait : « De la folie seule, il n'y en a ni peu ni point. »
[58] L. ARIOSTO, *Orlando furioso*, XXXIV, 75, 76, 77, 79.
« En somme ce que iamais tu as perdu çà bas, montant lassus tu l'y pourras trouver. Le Paladin passant par ces baricaves demande à sa guide ores de celluy, ores de cestuy. Il veit un mont de vessies enflées, que dedens sembloit avoir tumultes et crys ; […] Il voit aupres des haims d'or et d'argent en une masse, lesquelz estoient ces dons qu'on faict avec esperance de loyer, aux Roys, aux Princes avares, et à leurs maistres. Il voit des las cachez en garlandes, et l'en enquiert : et oyt que ce sont toutes adulations, lesquelles ont figure de Cigalles crevées : et voit les vers aussi que l'on faict à la louenge des Seigneurs. […] Puis il veit des fioles rompues, de plusieurs sortes, qu'estoit le service des miserables courtz. » (*Roland furieux*, éd. cit., pp. 288-288v). Ici aussi la métaphore des « cigales crevées » doit être référée aux vers de louange pour les Seigneurs, et non pas aux adulations.

déjà dans la nouvelle édition du poème (1521), cette « forme autre » de la folie, ce fantôme inquiétant de l'inconnu, sera refoulé ; au lieu de ces deux vers-là, un nouveau distique restituera la folie à son rôle de « passeur des absences » de raison :

> ciò che in somma qua giù perdeste mai,
> là su salendo ritrovar potrai [59].

Le monde de la lune donc, la vallée de folie, n'a pas *autre* chose à nous dire : elle garde seulement nos pertes (« ciò che si perde qui, là si raguna », XXXIV, 73) et nous témoigne le vide. En même temps, quand la folie — qui n'a pas de nom *propre* — quand Nemo accepte d'être nommé (bien qu'improprement, par métaphore), de s'assujétir au *logos,* au discours, elle ne peut devenir que simple « translation » de raison, que dé-raison. Encadrée dans l'écriture, la folie se manifeste donc à la fin, chez l'Ariosto, comme écart, comme détour figuré (le voyage sur la lune) du *logos* à l'*ana-logie.*

Mais si nous passons maintenant des figures à la structure du chant XXXIV, nous remarquerons qu'Astolphe fait comme Dante : avant d'arriver au ciel de la lune, il descend aux enfers, et passe par le paradis édénique. L'intention d'imiter ici l'itinéraire et les étapes de la *Divina Commedia* est transparente : en aucun autre chant de l'*Orlando furioso* le lexique et les rimes de la *Comédie,* même les plus rares et tombées en désuétude, ne reviennent avec une si forte fréquence. On a déjà dédié à ce problème des livres entiers et des recherches serrées et presque conclusives [60] : ce que nous désirons noter ici est plutôt le résultat idéologique de cette imitation formelle ; dans cette perspective, et à ce niveau du texte, l'adhésion persistante de l'Ariosto au modèle dantesque paraît non pas le calque du sublime, mais plutôt son écho parodique, son videment et épuisement d'après saturation.

[59] Je cite les deux textes d'après l'édition de l'*Orlando furioso* rédigée par Santorre DEBE-NEDETTI et Cesare SEGRE (Bologna, 1960) qui comprend aussi les variantes des deux premières éditions ; voir donc le chant XXXIV, 75, p. 1194.
« En somme ce, que iamais tu as perdu çà bas, montant lassus tu l'y pourras trouver. » (*Roland furieux,* éd. cit., p. 288).
[60] A titre d'aperçu et pour la commodité du lecteur étranger, je résume ici quelque argument critique. Tout comme dans l'*Enfer* de DANTE, la descente du paladin est marquée par les « bolgie » et les « arpie », par l'accouplement en rime de « grotta : rotta » (XXXIV, 4) comme dans les chants XIV (112-114) et XXI de l'*Enfer* dantesque. Et de ce royaume de damnation il y a aussi les marques de la « pece » et d'« un fumo oscuro e fello ». Ajoutons les apostrophes aux damnés reprises à la lettre : « E se vuoi che di te porti novella / nel mondo », exactement égale à l'interrogation de Dante : « se vuoi ch'i' porti su di te novella » (1.28.92) ; ou les syntagmes comme « palazzo... acceso » (XXXIV, 51) modélé sur « De l'etterno palazzo più s'accende » (3.21.8), et comme « eterna primavera » (chez Dante : « primavera sempiterna », 3.28.116) ou bien la qualification « pestilente e ria » (tirée de l'*apax* dantesque : « né tante pestilenzie né si ree », 1.24.88) ; et nous verrons que le modèle à suivre est ici toujours la *Divina Commedia.* Mais il y a surtout, comme confirmation de l'usage mnémonique (et en même temps nivelant et neutralisant) de Dante, la répétition et le resserrement à rimes plates des tercets dantesques : *tube : nube, primi parenti : ubidienti, fortuna : raguna, monte : conte, spoglie : raccoglie,* etc.
Voir en tout cas l'essai de Cesare SEGRE qui nous offre des matériaux probants et complets, « Un repertorio linguistico e stilistico dell'Ariosto : la "Commedia" », in *Esperienze ariostesche,* cit., pp. 51-83. Cfr encore : E. BIGI, « Appunti sulla lingua e sulla metrica del "Furioso" », in *La cultura del Poliziano e altri studi umanistici,* Pisa, 1967, pp. 164-186 ; et L. BLASUCCI, « Ancora sulla "Commedia" come fonte linguistica e stilistica del "Furioso" », in *Giornale storico della letteratura italiana,* LXXXV, 1968, pp. 188-231 ; et enfin, sur la tradition qui conduit à l'Ariosto, le travail de R. CREMANTE, « La memoria della "Commedia" nell'"Innamorato" e nella tradizione cavalleresca », in AA.VV., *Il Boiardo e la critica contemporanea,* Firenze, 1970, pp. 171-195.

En effet le pèlerinage de pénitence et de révélation de Dante, avec Virgile et puis Béatrix, remontant de l'Enfer, au Purgatoire, à l'Éden, au Paradis des cieux, répond à une exigence de conversion du péché à la grâce, et de systématisation du provisoire de l'histoire dans le définitif de l'Apocalypse, d'ouverture de la cécité humaine à la lumière divine, qui permet de voir expliquée — damnée mais aussi rachetée pour toujours — la faiblesse humaine dans la providence de Dieu. Tandis que le voyage similaire d'Astolphe à travers les lieux, le lexique et les rimes dantesques, avec pour guide saint Jean, n'aboutit pas à la contemplation de Dieu, mais à la sagesse perdue de la lune. L'explication du terrestre ne dérive plus de la vision du divin, de la raison cachée qui nous gouverne, mais de la constatation de l'absence de raison. Si les cieux de Dante manifestent la gloire de Dieu, ainsi que le vrai sens de la vie mortelle, la lune de l'Ariosto ne révèle pas la sagesse qui explique la terre, mais celle qui manque à l'explication de notre monde : le voyage ainsi rejoint non plus la plénitude, mais l'absence et la négation. Le chemin de Dante allait vers ce qui est, celui d'Astolphe se conclut dans ce qui n'est pas, dans une sagesse inutile parce qu'aliénée de son corps mortel, inerte dans les fioles, exilée sur la lune, et qui en somme a besoin de toute la folie terrestre pour pouvoir exister et durer.

La sagesse de la lune demeure donc inutile sans la folie de la terre. Mais la folie de ce monde ne peut arriver à sa sagesse, à son pot lunatique ; seul Astolphe y parvient : il aspire son flacon, reprend son intégrité humaine, redevient sage, mais une faute suffira à le perdre encore :

> Astolfo tolse il suo ; che gliel concesse
> lo scrittor de l'oscura Apocalisse.
> L'ampolla in ch'era al naso sol si messe,
> e par che quello al luogo suo ne gisse :
> e che Turpin da indi in qua confesse
> ch'Astolfo lungo tempo saggio visse ;
> ma ch'uno error che fece poi, fu quello
> ch'un'altra volta gli levò il cervello [61].

C'est ici que la folie trouve son éternel triomphe, parce que tout rachat de raison, même celui autorisé par l'auteur de l'Apocalypse, et donc accompli sous le sceau du définitif, *sub specie aeternitatis*, se révèle bientôt provisoire et inconstant, et d'autant plus ironique du moment que dans l'*Orlando furioso*, il y a jusqu'à deux voyages (et non l'ascension seule de Dante) vers la sagesse, l'un d'expérience (Ruggiero à Logistilla), l'autre de révélation (Astolphe à la lune). Mais toutes les deux fois la pleine rentrée à la raison (soit pensée comme conclusion d'un exercice humain de discipline, soit donnée comme intervention divine et extrême remède) loin de conclure, comme à son but, le poème, déjà annonce son échec à venir : « uno *error, che fece poi,* fu quello / ch'*un'altra volta* gli levò il cervello ».

Ainsi non pas le rachat mais la perte de raison fait, encore une fois, recommencer le poème ; comme auparavant, dans le cas d'Angelica exposée sur l'écueil, l'oubli de raison (de Logistilla) avait ouvert l'espace à une nouvelle invention, maintenant aussi c'est l'*erreur*, la faute, qui dissout la raison comme règle, mais qui, en même temps, en tant qu'*errare*, dans son sens étymologique de « déviation

---

[61] L. ARIOSTO, *Orlando furioso*, XXXIV, 86.
« Astolphe print le sien, car l'escripteur de l'obscure Apocalypse le luy permit, et seulement se mit au né l'ampolle, en quoy il estoit, et sembla lors, que celluy s'enretournast en son lieu. Et Turpin confesse que Astolphe depuis fut saige long temps : mais qu'une erreur, qu'il feit après, fut celle qui luy osta une aultresfois le cerveau. » (*Roland furieux*, éd. cit., p. 289).

du chemin », de *curiositas,* fait revivre l'aventure et donne « lieu » au discours poétique. Et en effet le récit du nouvel échec de raison (le paladin ravira la femme d'un châtelain et sera englouti par une baleine) débordera dans la « giunta » des *Cinque Canti* (cfr IV, 54 ss.), jusqu'à forcer la structure du poème [62].

Chez l'Ariosto la folie c'est donc l'horizon de la parole : si la raison, dans son évidence qui rend inutile le discours, est l'*epoché* de la parole, la folie seule, dans son déplacement de toute fin, constitue l'in-fini du discours, le « cercle fabuleux », dans lequel tout signe, loin de se perdre, comme vers son centre retombe et se retrouve.

3) L'inventaire de Folie.

Le dépôt de la sagesse accumulée sur la lune, et qui équivaut à la folie répandue sur la terre, est encore un lieu métaphorique, un échange de parts en masque, une figure littéraire qui résout une « moralité » en invention, mais n'imitant aucun fait réel. Le triomphe de la folie chez l'Ariosto manifeste le vide d'une absence, l'absence de raison ; et en effet cette longue ombre de folie n'a pas corps, n'est pas suivie d'un cortège de fous, comme dans la « nef des fols » : puisqu'elle est en principe une absence, il n'y aura qu'un seul cas de « possession » : Roland, avec son inutile fureur, suffira à toute la première moitié du siècle.

C'est après, quand les règles d'invention et d'harmonie de l'humanisme se brisent sur l'appareil dogmatique de la Contre-Réforme ou sur la hiérarchie pompeuse de l'espagnolisme dominant, c'est alors que l'intolérance des exceptions au système fait tout devenir objet de casuistique. L'*horror vacui,* la peur du vide incontrôlable, dans un monde qu'on veut remplir de certitude, ne peut plus tolérer une folie comme absence : mieux le chaos que le vide, il est plus facile de l'exorciser en le nommant ; c'est pourquoi il faut dresser un scrupuleux inventaire de la folie :

> Veggio quasi tutto il Teatro pieno di questi irrazionali. Qui sedono gli stolti, che fanno del Socrate ; gl'indotti e ignoranti, che fanno dell'Aristotele e del Platone ; i brutti e diformi, che fanno del Ganimede e del Narciso ; i poveri e vili, che fanno del nobilista ; gl'inetti al governo, che fanno del Licurgo e del Solone ; i privi di creanza, che fanno del Cortigiano ; gli sciocchi e vani, che fanno del bel cervello ; [...] Dio immortale, quanta turba vedo, quanti seggi pieni, quante teste solenni dentro a questo Teatro : non si può distinguere la gente ; non può vedersi il numero vero ; non si può trovare il fine, che si cerca. Cotesto è il Labirinto di Teseo, il Chaos d'Anassagora, il pelago maggiore che al mondo si ritrovi [63].

---

[62] En effet la dilatation des *Cinque Canti* fut telle qu'elle empêcha leur insertion dans l'édition définitive du *Furioso* (cfr C. SEGRE, « Studi sui " Cinque Canti " », in *Esperienze ariostesche,* cit., pp. 121-177).

[63] T. GARZONI, *Il Teatro de' varii e diversi cervelli mondani* (je cite ici d'après l'édition de Venise 1617) : notre passage à p. 44 (*De' cervelletti gloriosi e solenni,* Discorso XXVIII). En 1586, à peine trois années après l'*editio princeps* italienne, Gabriel Chappuys donnait déjà une traduction française (*Le théâtre des divers cerveaux du monde, auquel tiennent place, selon leur degré, toutes les manières d'esprits et humeurs des hommes, tant louables que vicieuses, deduites par discours doctes et agreables,* à Paris, pour Felix le Maugnier, MDLXXXVI) que nous proposons ici : « Je voy quasi tout le théâtre plein de ces irraisonnables. Icy sont assis les fols, qui font du Socrates, les indoctes et ignorans, qui se font Aristote et Platon ; les laids et diformes, qui font du Ganimede et du Narcise ; les pauvres et viles, qui font des nobles ; les ineptes et mal propres aux gouvernements, qui font du Licurge et du Solon ; les privez de grace et gentilesse, qui font du Courtisan ; les sots et vains, qui s'estiment de gentil esprit ; [...] Dieu immortel, que je voy une grande multitude, que je voy de sieges pleins, que de testes solennes,

Ce labyrinthe et ce chaos d'irrationalité sont ceux que Tomaso Garzoni (1549-1589) veut réduire et entasser dans son *Hospidale de' pazzi incurabili* (Venise, 1589) et dans son *Teatro de' varii e diversi cervelli mondani* (Venise, 1583). Ces deux œuvres sont des revues et des tassonomies méticuleuses, qui prétendent épuiser et classer tous les types de folie et toutes les mesures des cerveaux, en les cataloguant selon une gravité croissante.

Je ne peux ici souligner l'importance de cet auteur à la fin de notre XVIᵉ siècle [64], et sa tentative encyclopédique de parvenir à organiser, en suivant des *gradatio* rhétoriques, non seulement tous les cerveaux et toutes les folies, mais aussi tous les métiers et professions de son temps. En effet dans sa *Piazza universale di tutte le professioni del mondo* (Venise 1585), il décrit, en 154 discours, plus de 500 spécialisations de travail, en commençant par les princes (« De' signori o prencipi, et de' tiranni », Discorso I) jusqu'aux poètes (« De' poeti in generale, et de' formatori d'epitaffi e pasquinate in particolare », Discorso CLIV), et y comprenant les castreurs et les courtisans, les composeurs d'emblèmes et professeurs de mémoire avec les savetiers et les fromagers ou bien les laineurs et les pédants : et tous rangés en ordre alphabétique dans la « Tavola di tutte le professioni » qui est un amas fantasque et surréel de noms : « profeti, profumieri, pronosticanti, protettori, purgatori da pozzi, putanieri, putti da scuola... rascieri, referendarii, religiosi in genere, rhetori, riccamatori, rigattinieri, rivendroli, rubbatori, ruffiani... ». Mais il ne veut pas seulement rassembler, dans cette sorte d'« encyclopédie humaine », tout ce qu'on peut *faire* ou *être*, mais encore recueillir tout ce qu'on a pensé, imaginé, rêvé, le visible et l'invisible, le normal et l'anormal, avec ses monstres et ses miracles : c'est cela qu'on trouve dans son *Serraglio de gli stupori del mondo* (Venise 1619), divisé en dix compartiments qui comprennent chacun : *mostri, prodigii, prestigii, sorti, oracoli, sibille, sogni, curiosità astrologiche, miracoli in genere e maraviglie in specie*.

Ce qu'il cherche à faire, dans l'*horror vacui* qui enclôt la société de son temps, c'est l'inventaire de tout le dicible, le « fabulable » : dans cette perspective l'*Hôpital des fols incurables* est le lieu privilégié pour exorciser le vide *per nomina* (pour voir si, en nommant toutes les exceptions, on peut rétablir la règle, et si en classant les folies, leur donner une raison). Sa nouveauté fut immédiatement comprise même à l'étranger : l'œuvre fut bientôt traduite en anglais, en allemand et enfin en français [65].

---

en ce Théâtre ; on ne sçauroit distinguer le peuple, on ne sçauroit pas voir le vray nombre : on ne peut trouver la fin que l'on cherche. C'est icy le labirinthe de Thesée, le Chaos et confusion d'Anaxagoras, la plus grande mer qui se trouve au monde. » (*Des cerveaux glorieux et solennels*, Discours XXVIII, pp. 113v-114).

[64] Cfr au moins le portrait que Benedetto CROCE dédia à notre auteur : « Pagine di Tommaso Garzoni », in *Poeti e scrittori del pieno e tardo Rinascimento*, Bari, 1958, II édit. (I, 1945), vol. II, pp. 208-220.

[65] Cfr : *The hospitall of incurable fooles : erected in English as neer the first Italian model* [...], *as the unstilfull hand of an ignorant architect could devise*, London, 1600 ; et après : *Spital unheylsamer Narren unnd Närrinen. Herrn T. Garzoni. Auss der Italiänischen Sprach Teutsch gemacht durch G.F. Messerschmid*, Strassburg, 1618 ; enfin : *L'hospital des fols incurables, où sont deduites de poinct en poinct toutes les folies et les maladies d'esprit, tant des hommes que des femmes. Œuvre non moins utile que recreative, et necessaire à l'acquisition de la vraye sagesse. Tirée de l'italien de Thomas Garzoni, et mise en nostre langue par François de Clarier*, à Paris, chez François Iulliot, au pied des grans degrez du Palais, au Soleil d'or, MDCXX. C'est cette traduction que nous adopterons ici.

La structure de l'*Hôpital* est celle d'un voyage-visite, qui est imaginé encore une fois (ce qui confirme notre hypothèse) suivant le parcours allégorique du pèlerinage de Rogier de l'île d'Alcina au palais de Logistilla, comme Garzoni aime souligner dans son *Prologo* :

> e poi di mano in mano si farà vedere il palazzo della fatta Alcina a camera per camera pieno di gente incantata nel cervello, e trasmutata con bestiale metamorfosi in gente stupida e irrazionale, dove che fra' risi e maraviglie ogn'uno s'allegrerà d'averci speso i vinti soldi, partendo sodisfatto dall'Auttore, che con nuova magia vi rappresenterà il castello d'Atlante pieno di balordi, e cercarà di condurvi a salvamento da Logistilla, dandovi in mano l'anello di Angelica, per lo cui mezo scoprendo le pazzie de gli altri, tanto più saggi vi dimostriate 66.

Mais bien au-delà de l'imitation de l'itinéraire topique, l'*Orlando furioso* devient, dans le catalogue du Garzoni, le répertoire, le plus illustre, de folie. Ayant été dissoute l'ironie qui gouverne et « rationalise » le poème, presque tous ses personnages prennent la raideur du masque grotesque, se font les exemplaires de plusieurs catégories de folie : ainsi Marganorre guidera les « pazzi dispetosi o da tarocco » 67, Rodomonte les « pazzi bizzarri e furiosi », Orlando naturellement les « pazzi furibondi, bestiali, da ligare, o da catena » 68, et Bradamante même, chez l'Arioste si sage et paisible, sera ici à la tête des « pazzi disperati » (Discorso XIX). Le poème de l'Harmonie, le serein sourire de notre Renaissance se trouble, à son crépuscule, en grimace ; dans le *Teatro de' cervelli* aussi, l'Arioste sera cité à pleines mains : Gabrina et Pinabello précèdent la liste des « cervellini, spuzzetti, sdegnosetti, dispettosi, capricciosi, e stranioli » 69, Orlando encore est éponyme des « cervellazzi pazzi, furibondi e bestiali » 70 avec un crescendo d'attributs qui culmine dans les derniers *Discorsi*, où tous les héros du *Furioso* sont appelés à résumer les plus bizarres formes de folie, c'est-à-dire les « cervellazzi, terribili, indomiti, diavolosi, intraversati, precipitosi, trapanati, bizzarri, bislacchi, balzani, et eterocliti » 71 :

> Il proprio loro è d'andar su la gamba come Gradassi ; guardar col viso bieco, come Orlandi ; fulminar di colera, come Mandricardi ; esser bizzarri come Marfisa ; vantatori, come Ferraù ; superbi, come Grandonii ; orgogliosi come Rodomonte 72.

A ce moment-là la folie n'est plus *qualifiée,* par son déplacement, en métaphore, mais *quantifiée,* par son démembrement analytique, en diminutifs et péjoratifs : elle n'est plus une absence d'oubli, mais une encombrante présence à mesurer. Ce même sort de démontage et de saturation est réservé à l'autre source littéraire de la folie, à l'*Encomium morias.* En effet la citation, à propos des alchimistes, d'un passage célèbre d'Érasme :

> Hos adeo lactat *mellita spes,* ut *neque* laborum, *neque* impensarum unquam pigeat, miroque ingenio semper aliquid excogitant, quo sese denuo fallant, sibique ipsis

---

66 T. GARZONI, *L'ospidale de' pazzi incurabili* (je cite ici de l'édition de Venise, presso Giorgio Valentini et Antonio Giuliani, 1617), « Prologo dell'auttore a' spettatori », pp. 3-4.

67 *Op. cit., Discorso* XIII, pp. 29-30. (Cfr *L'hospital des fols incurables* : « Des fols despiteux et pleins de caprices »).

68 *Op. cit., Discorso* XXIV, p. 52. (Cfr *L'hospital des fols...* : « Des fols forcenez et brutaux »).

69 T. GARZONI, *Il Teatro de' varii e diversi cervelli mondani,* éd. cit., *Discorso* XIV, pp. 25-26. (Cfr *Le Théâtre des divers cerveaux du monde* : « Des cerveaux dedaigneux, despiteux et pleins de caprices »).

70 *Op. cit., Discorso* LII, pp. 98-99. (Cfr *Le théâtre des divers...* : « Des cerveaux fols, furieux et brutaux »).

71 *Op. cit., Discorso* LIII, pp. 100-101. (Cfr *Le théâtre des divers...* : « Des cerveaux terribles, indontez, endiablez, entraversez, precipiteux, trepanez, bïiarres, heteroclites »).

72 *Ibidem.*

gratam faciant imposturam, donec *absumptis omnibus* non sit quo iam fornaculam instuant. Non desinunt tamen iucunda *somniare somnia* [73] ;

est avant tout dissociée par Garzoni en chaque composant : « tutti gli Alchimisti non sono ricchi d'altro, che di tre cose : di *fumo*, di *speranze* e di *povertà* » (termes qui correspondent justement à : *somniare somnia, mellita spes, absumptis omnibus*) [74], et après saturée dans la série négative « *neque* laborum, *neque* impensarum unquam pigeat », qui est portée jusqu'à l'obsession :

> tutti gli Alchimisti non sono ricchi d'altro che di tre cose : di fumo, di speranze, e di povertà. O pazzia sopra tutte le pazzie : pazzia che *non ha modo nello spendere*, non ha regola nel comperare, non ha ordine nel disporre, non ha misura nell'operare, non ha isperienza nel ridurre, non ha fondamento nel cominciare, non ha perfezzione nel finire. Chi dà principio all'arte in sofistico, chi in colore, chi in amalgama, chi in congelare, chi in trovare l'antedetto lapis miracoloso, chi con ogli, chi con onguenti, chi con succhi, chi con veleni, chi con minerali [75].

Ce processus d'« énumération chaotique », pour ainsi dire, n'est que la conséquence extrême, et plusieurs fois répétée [76], de cette quantification (in dissociando nomina et multiplicando) de la folie, à laquelle les autorités médicales, mieux que les sources littéraires, apportent une contribution décisive. J'aurais voulu ici dédier un paragraphe aux traités sur la *melancholia, mania, lupina insania, phrenitis, amentia, delirium* composés par les médecins de la Renaissance, et cités avec grande déférence par Garzoni, mais on a déjà bien développé à notre congrès cet aspect du problème. Je rappelle seulement la théorie des humeurs, surtout de la mélancolique, de l'*atra bilis* et de ces places (in cerebro, aut in corde, aut in iecore) qui finit par donner « lieu », et un lieu si intérieur et si noble, à la folie.

En effet, selon la diversité de ces sièges, on aura aussi les diverses espèces de délire, « tum parum apte ratiocinando, tum parum probe imaginando », comme disait déjà Galenus (*De differentiis symptomatum liber I*). L'étroite parenté qui lie folie littéraire et délire médical remontait, du reste, au moins au commence-

---

[73] Cfr *Morias Encomium*, éd. cit., pp. 139-140.

[74] Cfr T. GARZONI, *Il teatro de' … cervelli* (*De' Cervellazzi alchimistici, Discorso XLIX*), éd. cit., p. 92.

[75] *Ibidem*.

[76] Au niveau de l'écriture, me semble-t-il, l'« énumération chaotique » symbolise le dérèglement des correspondances entre *verba* et *res*, l'impossibilité de parvenir à un « ordre » dans les phénomènes comme à une « syntaxe » dans le discours. Ce n'est pas un hasard si l'on peut trouver plusieurs exemples d'« énumération chaotique », chez notre Garzoni, là où il parle de l'alchimie, c.-à-d. de l'art de la mutation des éléments, et donc de la métaphore des signes. Je n'en cite ici qu'un passage : « Or da questa curiosità mossi talora, vanno congregando insieme e succhi, e polveri, e urine, e liquori, e feccie, e minerali ; in vasi di vetro, in boccie, in lambicchi, in crosoli, in olle, in fornelli, in bagni d'arena, in bagni maria, passando per feltro, preparando, cemetando, soffiando, solvendo, sublimando, fondendo, polverizzando, lavando, incorporando, disseccando, gettando in verga, in canaletto, in acqua, le misture fuse e le composizioni ridotte da loro all'ultimo termine. Vaghi oggi e curiosi di vedere una bella isperienza, provano una ricetta "*Ad Album*", con chiara d'uovo, allume, sale, Kalli, arso con stagno d'Inghilterra ; sal gemma, sal armoniaco, risalgaio, calcina viva, vetro pesto ; e si trita, si pesta, si macina, s'impasta, si pone a foco lento, a foco d'alterazione, a foco di reverbero, e si fonde, e cavasi o feccia bruttissima, o carboni più negri che non quelli da fucina. Provasi oggi di congelar mercurio con minerali, vitriolo, marchesita, salnitro, verderame ; con succhi d'erbe : napello, serpentaria, e aristologia, polliomontano, saponaria, centaurea trapsia ; con polvere di Euforbio, di vetro, d'antimonio ; con medicine proiette, di siroppo di papavero, succo d'oppio, agarico, arsenico, reubarbaro ; e gittansi le materie, i denari, il mercurio in fumo, in schioppi, in salti. » (Cfr *Il teatro … de' cervelli*, éd. cit., p. 91).

Sur cette multiplication des signes comme indice d'« écriture en folie », voir aussi Vanna GENTILI, *Le figure della pazzia nel teatro elisabettiano*, Lecce, 1969.

ment du siècle, à Symphorien Champier qui avait été l'auteur d'une *Nef des princes et des batailles de Noblesse* (1502) et puis d'une *Nef des dames vertueuses* (1503), et qui écrira encore un *Speculum Galeni* (1512) et une *Pratica nova in medicina de omnibus morborum generibus* (Lugduni 1517).

Mais, maintenant, si la littérature assignait à la folie les lieux d'absence de raison, la médecine la place dans les lieux mêmes de la raison, dans les cerveaux : elle en fait une question non pas d'« altérité », mais de quantité, de plus ou moins, de trop d'humeur, d'épaisseur, de bile noirâtre, de chaleur.

Ainsi Tomaso Garzoni est peut-être le premier à accepter cette présence quantifiée, à ériger un théâtre monstrueux où faire défiler tous les cerveaux, un hôpital figuré où enfermer tous les fous. En effet la progression de la lecture dépend et correspond au poids de la matière grise : on commence par les plus petits, les « cervellini volubili, instabili, incostanti, leggieri e lunatici » (*Discorso XII*) ; on passe par les « cervelluzzi goffi, insipidi, sgraziati, melensi, e sciagurati » (*Discorso XVIII*), les « cervelluzzi timidi, irresoluti, intricati, e inviluppati » (*Discorso XIX*), les « cervelluzzi morti, stupidi, insensati e balordi » (*Discorso XVII*), les « cervelluzzi smemorati, trascurati, e detti cervelluzzi di gatta » (*Discorso XXI*) ; pour toucher les « cervelletti ciarlieri, linguacciuti, e mordaci » (*Discorso XXV*) ; et parvenir enfin aux « cervelloni risentiti », aux « cervelloni cabalistici », jusqu'à l'extrême apparition en scène des « cervellazzi fantastici, inquieti e rotti » (*Discorso XLIV*), des « cervellazzi malinconici e salvatici », qui se somment dans les finales « cervellazzi, de' quali il Diavolo istesso [...] non vuole impacciarsi » [77].

De la même manière on peut suivre de chapitre en chapitre, dans les chambres de l'hôpital, la quantification de la folie, en commençant par le passage des vrais fous, des « pazzi frenetici e deliri », des « pazzi smemorati o dementi », pour rejoindre peu à peu tous les fous de ce monde ; les fous tranquilles comme les « pazzi scioperati o trascurati », les « pazzi stupidi, persi e morti », les « pazzi tondi, grossi e di facile levatura » ; les fous risibles, comme les « pazzi balordi o matti Turlurù », les « pazzi simulati o da burla », jusqu'aux fols incurables et terribles comme les « pazzi eterocliti, balzani, stroppiati del cervello, o matti spacciati », les « pazzi furibondi, bestiali, da ligare, o da catena », qui sont dépassés seulement par les « pazzi da mille forche, overo del Diavolo » [78], avec lesquels la visite à l'hôpital se termine.

Dans ce passage — et matérialisation — de la folie littéraire au délire médical, s'il n'y a plus d'invention, parce que les « lieux » de la maladie sont déjà donnés, le mot a encore le devoir d'élocution, de montrer et de faire défiler, comme dans un grand cirque, dans un véritable « serraglio degli stupori », les cas les plus

---

[77] Les versions proposées par Chappuys, sont, en ordre, les suivantes : « Des cerveaux instables, inconstans et lunatiques » (disc. XII), (mais dans le texte : « des cerveaux legers, remuans, instables, et lunatiques ») ; « des cerveaux goffes, sans goust ny grace, ineptes et miserables » (disc. XVIII) ; « des cerveaux timides, irresoluz, embarassez et embrouillez » (disc. XIX) ; « des cerveaux morts, stupides, insensez et lourdauts » (disc. XVII) ; « des cerveaux sans memoire, soucy, et negligens » (disc. XXI) ; « des cerveaux causeurs, langagers et mordans » (disc. XXV) ; « des cerveaux fantastiques, sans repos, et rompuz » (disc. XLIV) ; « des cerveaux desquels le diable mesme [...] ne se veut empescher » (disc. LV).

[78] Les versions proposées par Clarier, sont, en ordre, les suivantes : « des fols frenetiques et radoteurs » (disc. II) ; « des fols desnuez de memoire et d'entendement » (disc. VI) ; « des fols endormis et nonchalans » (disc. IV) ; « des fols badins et sibilots » (disc. X) ; « des fols heteroclites, et estropiez de cerveau » (disc. XX) ; « des fols forcenez ou brutaux » (disc. XXIV) ; « des fols endiablez et desesperez » (disc. XXX).

monstrueux, baroquement merveilleux, avant qu'on les interne. Voilà alors la
figure bouleversée de Toniolo da Marostica :

> Non è manco selvatico l'umor salso di questa sorte, che ebbe già Toniolo da Ma-
> rostica, il quale intrato in fantasia d'essere diventato un taccone da scarpa, caminò
> fino a Vicenza con le natiche per terra, e con le mani ai piedi, dubitando che
> qualche ciavattino per strada non gli appuntasse i calcagni o le suole per disgrazia [79].

Mais avec l'exemple de Fornaretto da Lugo, la folie devient plutôt un miroir idéologique, le paravent derrière lequel la société cache et justifie ses exclusions, son
fanatisme, ses préjugés religieux ; l'action du fou paraît ici le prolongement irré-
frénable et le masque d'une inavouable intolérance collective :

> Ma l'esempio di Fornaretto da Lugo è notabile in questo, che patendo questa insa-
> nia nella imaginazione e nella cogitativa [...] andò una notte nel cimiterio de gli
> Hebrei, dove di fresco era stato sepelito un certo vecchio giudeo, che passava ottanta
> anni, et era stato infermo più di sei anni di mal d'idropisia ; e levatosi quel corpo
> su le spalle, andò su la piazza dinanzi alla rocca, giocando come al ballone con
> quello, e gridando ora « fallo », ora « manda », ora « batti », ora « giocca », destò
> pian piano tutta la contrada [80].

Et c'est la femme enfin, qui autrefois avait été considérée *vas impuritatis*, récep-
tacle de toute tentation et perversion, qui récapitule (enfermée dans la partie la
plus intérieure de l'hôpital et donc dans le dernier discours du traité « sopra quella
parte dell'ospedale, che contiene le femine, ove gentilmente dipinge *tutte le specie
di pazzia sopradette ritrovarsi in loro* ») [81] et symbolise toutes les espèces de folie,
et en même temps préfigure le nouveau statut de la folie, son rôle d'*alibi* pour une
culture répressive, son pouvoir thérapeutique sur une société qui vit d'intolérance
et de « scrupule », d'Inquisition et de pitié :

> Quella prima camera, che voi vedete con quell'arma di sopra alla porta, ch'è un
> cespuglio d'ortica salvatica, col titolo che dice : *In puncto vulnus*, è la camera d'una
> matrona romana detta Claudia Marcella, la quale in gioventù fu la più dolce, affa-
> bile, gioviale e piacevole figlia, che dall'uno all'altro polo vedere si potesse, esempio
> raro di vaghezza, ritratto unico di cortesia, simolacro di divina bellezza, espressa idea
> di grazia e leggiadria ; et ora (mirate, che caso lagrimoso è stato il suo) sdrucciolando
> co' zoccoli un giorno ch'andava alla festa della Dea Buona, cadde sopra un vivo
> sasso con la fronte e col mento, e perso il sentimento e la memoria, a un tratto
> cominciò a freneticare e delirare in modo, che sempre è andata peggiorando : e
> squallida et egra siede in quel letto, che vedete, con quell'orinale appresso ; e quante
> volte le chiedete, che vi risponda, mò di questa, mò di quell'altra cosa, tante volte
> piglia l'orinale fuori della cassa, e specchiandosi dentro dice ch'è la savia Sibilla,
> si vagheggia or nel vetro or nell'orina [82].

---

[79] T. GARZONI, *L'ospidale de' pazzi incurabili* (*De' pazzi maninconici e salvatici, Discorso
III*), éd. cit., pp. 12-13.
   « Ie n'estime pas moins sauvage l'humeur de cet autre qui s'estant mis en fantaisie d'estre
une semelle de soulier, s'en alloit par la ville de Vicense le cul par terre, et tenant ses pieds
à belles mains de peur qu'il avoit que quelque savetier le trouvant ne le picquast de son halesne,
et qu'il ne le mist en œuvre. » (*L'hospital des fols incurables*, éd. cit., pp. 32-33).
   [80] *Op. cit.*, (*De' pazzi maninconici e salvatici, Discorso III*), p. 13. « Mais l'exemple d'un
certain Fornaret me semble remarquable sur tous les autres. Cestui-cy travaillé de ceste maladie
en son imagination [...] s'en alla de nuict en un cimetiere des Iuifs où l'on avoit tout fraiche-
ment ensevely un vieillard qui passoit quatre vingts ans, et qui estoit mort d'une hydropisie;
il charge donc ce corps sur son dos, et porté qu'il l'eut en la place publique, il commence d'en
ioüer au balon, criant à tout coup : " i'ay l'advantage ", " marquez ceste chasse ", " la partie
est gaignee ". » (Cfr *L'hospital des fols incurables*, éd. cit., p. 35).
   [81] *Op. cit.*, p. 67.
   « Discours de l'autheur sur ce departement de l'hospital, qui sert à loger les femmes. Où
il est monstré que toutes les especes de folie sus-mentionnees se reuvent en elles. » (*L'hospital
des fols incurables*, éd. cit., p. 235).
   [82] *Op. cit.*, p. 68.

Elle est donc exilée et taciturne dans sa chambre, mais expliquée encore par un emblème littéraire (*In puncto vulnus*), que « Messer dell'Ospedale, ch'è persona d'ingegno e sapere » lui a affiché à la porte, non comme enregistrement en abrégé de la « réalité », mais comme mémorisation de la « fiction », comme définition, allusive et élusive, de la folie. C'est là donc, dans cet emblème, dans ce mot bref, encadré, le dernier hommage de la poésie à sa sœur la folie, ou plutôt la consécration de l'une sur le silence de l'autre.

Et en effet la dernière femme de l'hôpital demeurera — comme un « lieu vide » — sans aucun emblème, sans aucune identité (« però sola fra tutte è stata lasciata senza impresa, et imagine alcuna »), parce qu'elle dépasse toute métaphore, toute translation et « citation » littéraire. Elle est en même temps « strana et enorme », hors de la norme (normalité) et hors de mesure, ce qui signifie, dans l'écriture, hors de vraisemblance et donc hors de « narrabilité ». L'issue littéraire de la folie demeure ainsi ineffable, cède au silence [83] :

> Ma quella, che fornisce la cricca, quella che compisce la baccana, quella che acconcia la sesta come si deve, è Ostilia Mutinense, o sorella di Merlino o figliuola di Caltabrino, femina inspirata, diabolica, et d'ogni cattiverie piena. Questa pazza diavolosa è tanto strana e maligna, che non s'arma al mondo che possa sufficientemente significare la sua perversa, iniqua et abbominevole natura. Però sola fra tutte è stata lasciata senza impresa e imagine alcuna, imperò che né Gabrina per dispetto, né Circe per diaboliche malie, né qualunque altro monstro da gli antichi celebrato, potrebbe degnamente rappresentare le strane e enormi proprietà di quella. Talché onorati spettatori, io conchiudo questo, che meglio sarà per voi non accostarvi a patto alcuno alla sua cella, perciochè, se costei s'accorge del vostro star qua torno, fate conto che, a guisa d'un'Alcina, vi muterà tutti in bestie, o in sterpi, o sassi ; et in cambio d'essere entrati dentro in un ospedale de' matti, vi trovarete in quel palazzo, dove la fata pessima trasforma gli uomini […] Chiudiamo dunque le porte dell'ospidale, e uscite alla larga, ché quello c'avete visto, d'avanzo basta [84].

« Ceste premiere chambre où se voit pour corps de devise un faisseau d'orties sauvages, avec ce mot *in puncto vulnus*, est celle d'une grande Dame Romaine appellee Claudia Marcella, qui durant sa premiere ieunesse fut la plus courtoise et la plus gentille damoiselle qu'on vit iamais ; si bien que chacun la nommoit rare exemple de grace, l'unique pourtrait de la courtoisie, la modelle de la beauté, et l'idée toute formée de la gentillesse : mais helas !, considerez, ie vous prie, en elle, combien est miserable la condition humaine, et combien deplorable son advanture. Elle s'en alloit un iour au temple de la bonne Deesse, quand sa mauvaise fortune voulut, que se laissant cheoir sur une pierre, elle en perdit le sens et la memoire tout en un coup ; de manière qu'elle a esté tousiours depuis frenetique, sans qu'on ayt sceu iamais apporter aucun remède à son mal. Vou voyez comme elle est couché sur son lict toute pasle et defigurée, respondant ores d'une façon et tantost de l'autre à ceux qui l'interrogent de quelque chose ; son action ordinaire est de prendre le pot de chambre et se mirer dans l'urine, ou dans le verre, s'imaginant à tous coups qu'elle est la sage Sybille. » (Cfr *L'hospital des fols incurables*, éd. cit., pp. 237-238).

[83] Déjà dans la tradition médiévale le fou ne parle pas, parce qu'il n'est « personne », *Nemo*. Il n'y a donc qu'un discours *sur* la folie, qui deviendra peu à peu, surtout au XVIe siècle, le lieu de l'allusion, de la pluralité et ambiguïté (cfr P. VALESIO, « The Language of Madness in the Renaissance », in *Yearbook of Italian Studies*, Montreal, Canada, 1971, pp. 199-234). Mais la Renaissance nordique ajoute à cette idée la conscience tragique du vide : « In primo piano il poema di Ulrich von Hutten dove " San Nemo " e il " Nemo " *con il lucchetto sulle labbra*, acquistano un senso politico, sociale e religioso. Ed è significativo il fatto che la stampa del Sermone su " San Nemo " era preceduta nel frontespizio da un rettangolo bianco con *Figura neminis quia nemo in ea depictus*. » (Cfr E. CASTELLI, *Simboli e immagini*, déjà cité, pp. 58-59).

[84] T. GARZONI, *L'ospidale de' pazzi incurabili*, éd. cit., p. 75.

« Ceste folle diabolique est si estrange et si maligne, que son naturel pervers, abominable et maudit ne peut estre denoté par aucune sorte de Hierogliphe : c'est pourquoy on ne luy a point donné d'armoiries ny de devise, parce que ny Gabrine, ny Circe, ny tous les autres monstres de la nature que les poëtes ont feints, ne sçauroient assez dignement representer la malice de ceste femme. C'est aussi le subiect Messieurs, qui m'oblige à conclure ce traicté, par

La folie, après avoir suggéré, dans sa qualification d'absence, la métaphore, et, dans sa quantification clinique, l'« énumération chaotique », retombe enfin, ayant épuisé la « prédicabilité » de la parole, dans le silence et l'oubli, d'où elle est née. Le traité peut ainsi se conclure avec l'exhortation de l'auteur aux « onorati spetta-tori », afin qu'ils sortent au plus tôt de l'hôpital : y restant, ils risquent d'être ravis par cette « femina inspirata, diabolica » (et remarquons que les deux adjectifs se rapportent d'habitude en italien à l'inspiration poétique et à la possession diaboli-que : il y a là une perspective ultérieure sur les domaines de la folie) [85], et d'être déplacés de l'hôpital de Folie au palais d'Alcina, du logis de la déraison aux îles fortunées.

Ainsi la fin rejoint son origine : au nom d'Alcina, oubli et bonheur, folie et poésie se transforment l'une dans l'autre ; c'est pour cela qu'il faut fermer les portes de l'hôpital, le cercle de la métamorphose et de l'aliénation (« ergo scire est alienari. Alienari est insanire », écrivait Campanella pendant les mêmes années) [86], avant qu'il soit trop égal à nos désirs écartés, à notre Éden puni.

Discussion

Marc'hadour. — Je voudrais vous demander la date des deux œuvres de ce Gar-zoni que vous avez citées. Vous avez dit, vers l'extrême fin du siècle. Voulez-vous être plus explicite ?

Ossola. — L'ospidale de' pazzi incurabili a été publié à Venise en 1589 ; Il teatro de' varii et diversi cervelli mondani à Venise en 1583 ; La piazza universale di tutte le professioni del mondo, encore à Venise en 1585. Garzoni naquit à Bagnacavallo (près de Ravenne) en 1549 : il fit ses études à Ferrare, Sienne et Ravenne ; en l'an 1566 il entra dans la congrégation des moines de Latran. Un écho curieux de ce choix de vie religieuse est dans son recueil : Vita delle donne illustri della Scrittura santa (Venise 1588). Il publia encore : La sinagoga degli ignoranti (Venise et Pavia 1589) et enfin Il serraglio degli stupori del mondo (Venise 1613, posthume). Il mourut en 1589.

une prière que ie vous fais, de n'approcher point de sa chambre, autrement si elle vous des-couvre, asseurez vous que comme une autre Alcine elle vous changera tous en bestes, en arbres et en cailloux, de sorte que pensans avoir mis le pied dans un hospital de fols, vous vous treuverez dans un Palais, où ceste maudite enchanteresse transforme les hommes [...] Sortez doncques à votre aise de cest hospital, afin que nous en fermions la porte, vous contentans de ce que vous y pouvez avoir veu. » (Cfr L'hospital des fols incurables, éd. cit., pp. 266-267).

[85] En effet, il faut le souligner, les deux traités de Garzoni sur la folie se terminent avec les fous obsédés par le Diable, avec les « pazzi da mille forche, overo del Diavolo » (dans L'ospidale ...), et avec les « cervellazzi, de' quali il Diavolo istesso... non vuole impacciarsi » (dans Il teatro...). Mais c'est bien la même fureur intérieure, selon la théorie des platoniciens, qui agite les poètes. Ainsi le fou, l'obsédé, le poète (comme le mystique) sont également « pos-sédés », par l'Autre qui parle en eux.

[86] C'est donc l'autorité même du philosophe qui définit, au crépuscule de la Renaissance, le savoir comme processus d'aliénation, comme furor et insania, désir et folie : « ergo scire est alienari. Alienari est insanire, et perdere proprium esse et acquirere alienum ; ergo non est sapere res, prout sunt, sed fieri res et alienatio ; sed alienatio est furor et insania : tunc enim insanit homo, cum in aliud esse convertitur ». (Cfr T. CAMPANELLA, Metaphysica, Pars I, lib. I, Dubitatio IX, cap. I, 1). Sur ce thème du savoir comme aliénation, je me permets ici de citer mon travail Autunno del Rinascimento, Firenze, 1970, pp. 216-217, et de proposer encore un corollaire : si la connaissance est aliénation, oubli de l'identité, alors non seulement la folie, mais la sagesse aussi est sans mémoire ; c'est pourquoi nous pouvons continuer tranquillement à remplir la « bibliothèque de Babel ».

Namer. — Vous avez souvent parlé de la *Jérusalem délivrée* de Tasse. Vous avez parlé également d'autres œuvres, mais vous avez rattaché toutes celles-ci à Erasme. Pouvez-vous, en deux mots, nous montrer quelles sont les articulations essentielles de cette influence ? Quels sont les thèmes essentiels ?

Ossola. — Le lien essentiel est que soit l'Ariosto soit le Tasso posent le royaume de l'oubli et du bonheur dans les îles fortunées, justement là où Érasme place la naissance de la folie. J'ai déjà signalé dans mon texte, autant que possible, la filière des passages entre l'un et les autres ; plus en général la nouveauté et l'héritage d'Érasme transmis à notre littérature c'est l'invention d'une folie qui parle et — mieux encore — depuis la tribune de l'orateur ou du prêcheur, d'une folie enfin comme lieu de rhétorique, où justifier aussi l'« altérité » du discours poétique. Dans la seconde moitié du XVIᵉ siècle on retrouvera au contraire une folie historique plutôt qu'éthique, visible et non fictive, cataloguée et reléguée dans les hôpitaux ; tandis que dans l'*Éloge de la folie* il n'y a pas de vrais fous, mais une folie très savante, qui se sert du *même* (mêmes sources classiques, même argumentation, mêmes exemples topiques) pour construire le *divers*.

Backvis. — Il me semble qu'il y a une différence fondamentale. Chez Érasme on a affaire à des folies raisonnables, décrites par un homme extrêmement raisonnable, tandis que dans le dernier quart du XVIᵉ siècle, la folie est représentée d'une façon véritablement lyrique. Cela fait une grande différence. On pouvait supputer que leur façon de présenter la chose serait toute différente. On est vraiment obsédé par la folie, le fou est intéressant ou bien celui qui se donne pour fou, ou celui que l'on croit être fou. C'est un thème récurrent qui a une portée humaine et est ressenti infiniment plus fortement par nous que l'*Éloge de la Folie*. Il a pu y avoir des influences purement thématiques, formelles, strictement littéraires, mais essentiellement, il s'agit d'autre chose.

Namer. — Je constate qu'au cours de ce colloque qui est très intéressant mais qui est littéraire, beaucoup plus que philosophique, je n'ai pas entendu une seule allusion exacte à des philosophes de la Renaissance italienne qui aient parlé et étudié déjà philosophiquement à leur époque. Je pense p. ex. aux *Enchantements* de Pomponazzi. Celui-ci a une conception de ces problèmes. Tout à l'heure vous avez parlé de l'influence d'Érasme en Italie sur l'Arioste, le Tasse, etc. Mais l'influence d'Érasme est autrement importante du point de vue philosophique, même dans les monastères. J'ai vu des livres qui étaient interdits à ceux qui étaient dans les monastères, c'étaient des textes d'ordre religieux d'Érasme. Il y a des commentaires d'Érasme qui ont été blanchis à la chaux, pour que les moines ne puissent pas les lire. C'est une toute petite chose, mais toute la philosophie italienne est imprégnée de la pensée d'Érasme.

Ossola. — Dans cette perspective je peux ajouter que la théorie de la fureur poétique descend directement de la méditation platonicienne, à partir de Marsilio Ficino jusqu'à Giordano Bruno. La cause principale de mon silence sur la philosophie c'est que je cherchais à voir, plus simplement, les raisons du traitement métaphorique de la folie. Vis-à-vis de l'« ensemble vide » représenté par *Nemo*, le discours peut se produire seulement en se re-produisant par métaphore, comme disait M. De Grève à propos de Rabelais. Et je crois qu'il y a vraiment, au cœur de notre Renaissance italienne, une inquiétude de ce type, qui donnera ses fruits dans la saison du Maniérisme.

Folie, subversion, hérésie :
la polémique de Thomas Murner contre Luther

Henri PLARD

Professeur ordinaire à l'Université libre de Bruxelles

La publication du pamphlet « Uon dem grossen Lutherischen Narren wie in doctor Murner beschworen hat » par Grieninger, à Strasbourg, le 19.XII.1522 [1] prit, à plusieurs égards, le caractère d'un défi. L'édit de Worms, 8.V.1521, avait interdit les « schmachschriften », leurs copies manuscrites et même leurs illustrations [2] : le *Grand Fou luthérien*, abondamment garni de bois parodiques, était d'une agressivité rare, même en ces deux années de 1521-1522, où culmine la « guerre des pamphlets ». L'écrit vigoureux du Cordelier, « Ob der König uss Engelland ein lügner sey oder der Luther » (1522), où il confrontait et commentait des extraits de la polémique entre Henri VIII, « défenseur de la foi » et le Réformateur, lui avait valu des attaques furibondes [3] : on le caricaturait en chat, allusion à son patronyme et au caractère que le folklore prête au chat : perfidie, hypocrisie ; on l'avait appelé « le violoneux » (*geiger*) du Pape ; on l'avait montré en dragon (*Murnarus Leviathan*) ; on l'avait traité de *gensprediger* [4] ; on l'avait, vieux thème de fabliau, dépeint sautant par la fenêtre d'une de ses maîtresses, sa culotte à la main (*bruch*), devant l'arrivée inopinée du mari outragé [5] ; surtout, on déformait son nom en *Murnar, Murnarus,* comme le font Musäus, et les auteurs anonymes de l'*Antwurt dem Murnar...* et du fameux *Karsthans,* humanistes qui devaient avoir pêché ce calembour dans la querelle déjà ancienne de Murner avec Wimpfeling et ses partisans, en 1503 [5a]. Qui pis est, il semble qu'on avait promené dans les rues de Strasbourg, lors du Carnaval 1521, une poupée représentant Murner en chat [6]. Dans ses satires allemandes, *die Schelmenzunft* de 1512, *die Gäuchmatt* de 1519, Murner s'était allègrement mis au nombre des vauriens,

---

[1] « vff Freitag nach sant Luci vnd Otilien tag. » La mention de la fête de la sainte patronne de l'Alsace est peut-être intentionnelle (13.XII). Sur Johann Grüninger/Grieninger, cfr A. GÖTZE, *Die hochdeutschen Drucker der Reformationszeit*, Strasbourg, 1905, 41/42. Il fut le seul des onze imprimeurs strasbourgeois qui resta fidèle au catholicisme après l'introduction de la Réforme dans la métropole alsacienne.

[2] GRAVIER, *Luther et l'opinion publique*, Paris, 1942, p. 245, n. 45 et 46. En fait, l'édit n'était appliqué que si les autorités locales y tenaient, et beaucoup d'elles, gagnées à la Réforme, s'en servirent pour empêcher la diffusion des pamphlets et réfutations catholiques.

[3] GRAVIER, *op. cit.*, pp. 247/248.

[4] Murner avait, paraît-il, prêché un carême sur le proverbe : *Gans, wo geht's hin* ? (*ibid.*, p. 296). (Cfr également p. 67).

[5] Il ne s'agit pas d'un « pantalon de femme », comme l'écrit Gravier, p. 67 (à une époque où ce sous-vêtement féminin était inconnu...), mais bien de la culotte du moine, dont il est constamment question dans le *Grand Fou luthérien*.

[5a] Sur la querelle à propos de la *Germania* de Wimpfeling, cfr Richard NEWALD, *Probleme und Gestalten des deutschen Humanismus*, Berlin 1963, pp. 400-403.

[6] Cfr G.L.N., v. 405-414. Autres références chez Arnold BERGER, *Satirische Feldzüge wider die Reformation* (*Deutsche Literatur, Reihe Reformation*, vol. 3, Leipzig 1933, p. 29).

comme secrétaire de leur corporation, et des « godelureaux », comme chancelier de leur ordre ; traité de fou, alors qu'il avait prétendu les exorciser dans une *Narrenbeschwörung* (1512) étroitement inspirée de Sebastian Brant, Murner relève gaillardement les injures qu'on lui a jetées au visage : toutes figurent dans le *Grand Fou luthérien*, qui prend ainsi le caractère d'une réplique, ou, comme l'a dit justement Gravier, d'une satire des satires [7] ; puisqu'on a fait de lui un chat, il fera sentir ses dents et ses griffes ; puisqu'il est fou, il se présentera dans le rôle facétieux du fou exorcisant la folie de ceux qui sont pires que lui, et puisqu'on l'insulte, et souvent sous le voile de l'anonymat, ce dont il se montre particulièrement blessé, il usera de sa *narrenfreiheit*, et de son arme traditionnelle, la batte (*kolben*) : *Sicut fecerunt mihi sic feci eis*, telle est l'épigraphe peu chrétienne (encore qu'elle provienne du livre des Juges [8]) du *Grand Fou luthérien*.

Le titre marque à la fois la *reprise* d'un genre littéraire déjà ancien — et la *rupture* avec son contenu. Il s'agit de littérature « narragonique », telle que l'avaient pratiquée son modèle, Sebastian Brant, et son maître vénéré, le grand moraliste et satiriste Geiler de Kaysersberg, qui avait prêché à la cathédrale sur des textes de la *Nef des Fous* ; Murner s'insère donc dans une tradition strasbourgeoise, qu'il avait d'ailleurs cultivée lui-même. Mais, dans cette branche de la littérature satirique du moins, la mention du nom de l'adversaire est une innovation — qui traduit un changement profond de la technique. « *Das narrenschiff* », « *Encomion moriae* », « *Die Narrenbeschwörung* » : quelles que soient les différences entre ces trois œuvres célèbres, le cadre reste le même : un récit qui sert de cadre très vague à une « revue » des folies humaines, selon l'âge, le sexe et l'état ; elle s'en tient aux généralités, et à la règle *nomina sunt odiosa* ; les personnages qu'elles mettent en scène, comme chez Brant le Dr Griff ou le vieux chevalier Pierre de Porrentruy (*Narrenschiff*, 76), ont un caractère allégorique. Murner garde le schéma du genre, qui laisse une grande liberté dans l'enchaînement des épisodes, des satires à l'intérieur de la satire générale : comme chez Brant, le thème annoncé dans le titre ne répond que partiellement au texte du poème : Brant, on s'en souvient, abandonnait l'allégorie de la flotte, puis de la nef des Fous dès le second chapitre pour ne la reprendre que dans les chap. 103, 108 et 109 ; la satire de Murner ne fait apparaître le Grand Fou luthérien qu'au début et à la fin : il raconte comment il l'a rencontré, conjuré et lui a fait subir l'opération dite *narrenstechen* qui, chez lui, devient un accouchement grotesque : le Grand Fou est purgé de la foule de petits fous qui se cachaient dans diverses parties de son corps. Après la mort impie de Luther — que Murner ensevelit dans le « *scheisshuss* », puisqu'il refuse l'extrême onction et quitte ce monde en incroyant [9], suit le récit de la mort du Grand Fou, de son enterrement et de la querelle autour de son héritage : Murner, proche parent du mort et fou avéré, réclame son bonnet. En tout à peu près le tiers du poème : le reste est consacré au siège du château de l'ancienne Eglise par les troupes luthériennes, à la résistance de Murner, à ses négociations avec Luther, qui trouve d'abord en lui un ferme défenseur de la foi, mais arrive à le séduire en lui promettant en mariage sa fille (tout imaginaire, Luther ne devait se marier que quatre ans après !) et lui expose son programme ; Murner fait à sa belle une cour d'une galanterie parodique, les noces sont célébrées, dans des formes gro-

---

[7] *Op. cit.*, p. 68.

[8] « *iude* ». (Berger, p. 37). Cfr Juges 15, v. 11 : il s'agit de Samson assailli par les Philistins, comme Murner, défenseur de la vraie foi, par les novateurs, les insensés et les hérétiques.

[9] V. 441-4424. Murner écrit qu'une « telle charogne » (*keib*), à qui nul mal ne fut étranger, est faite pour le « *scheisshuss* ».

tesques, mais quand la jeune épousée ôte son voile, Murner constate qu'elle a « *den erbgrindt* », la teigne héréditaire, et malgré les protestations du beau-père, il la renvoie sans beaucoup de formes :

> Der tüffel hol dich mit dem kindt !
> So hastu gelernet auch noch me,
> Kein sacrament sol sein die ee.
> Ist es dan kein sacrament,
> So hab ich dich doch nit geschent.
> Sich mögen huren, buben scheiden,
> Wan das gefellet inen beiden.
> Wan mich das sacrament nit bindt,
> So schiss ich dir wol vff dein kindt (4279-4287) [10].

Cette question de la « désacralisation » du mariage amène, logiquement, celle de l'heure dernière : « wie der luther on alle sacrament sterben wil », donc, où mène le rejet de l'extrême-onction. Luther, sur son lit de mort, se repent, mais trop tard, a peur de l'au-delà, conjure Murner de l'assister ; Murner lui réplique qu'il lui pardonne de bon cœur et prie Dieu de lui faire grâce, à condition qu'il se confesse à lui et qu'il accepte de prendre le Corps du Seigneur. Mais Luther refuse de se confesser, car il tient la pénitence pour une invention diabolique, un faux sacrement : tout au plus veut-il avouer ses péchés à Dieu, en espérant qu'il lui pardonnera, dans son infinie compassion. Qui plus est, il rejette la prière à la sainte Vierge « maintenant et à l'heure de notre mort », trait particulièrement choquant pour le Cordelier Murner, dont la dévotion mariale était vive. Le Réformateur affirme :

> Sie ist ein mensch, als andere sint,
> Ob sie schon auch ist gottes frint,
> Als andere heiligen alle sant.
> Was künnen sie mir thun beistant ?
> Ich ken kein heiligen me dan got... (V. 4405-4409) [11].

Sur quoi Luther reçoit l'enterrement qu'il a mérité, «*mit einem katzen geschrei*», un charivari de chats. En somme, des quatre parties nettement distinctes de la satire, le Grand Fou n'apparaît au premier plan que de la première et de la dernière, et épisodiquement dans la seconde, pour être purgé du pesant Karsthans.

La position de Murner, telle qu'elle est connue par ses traités « sérieux » et par le « livre de haulte gresse » qu'est le *Grand Fou luthérien,* ne manque ni de logique, ni de fermeté. Il n'est guère théologien ; surtout, fréquentant le peuple, il sait que les libelles hérissés d'arguments théologiques n'ont guère de succès auprès de l'*einfältiger Mensch,* le laïque ordinaire, comme on l'appelait alors ; aussi place-t-il le débat sur le plan d'arguments que peut comprendre un bourgeois de Strasbourg, pour qui les discours sur la liberté, la prédestination ou la présence réelle sont de l'hébreu. Ce qui le retient dans le camp catholique, c'est son inquiétude devant les conséquences morales et sociales de la Réforme : il a très bien perçu que cette révolte ne pouvait se borner à l'Eglise, et que la société de 1520 ne

---

10 « Le diable t'emporte avec la petite ! Tu as enseigné, entre autres choses, que le mariage ne doit pas être un sacrement. S'il n'est pas un sacrement, je ne t'ai fait aucun tort. Les putes, les mauvais garçons peuvent se séparer quand il leur plaît aux uns et aux autres. Si le sacrement ne me lie pas, je chie sur ta fille. »

11 « C'est un être humain comme tous les autres, bien qu'elle soit aussi l'amie de Dieu ainsi que le sont tous les autres saints. Quelle assistance peuvent-ils m'apporter ? Je ne connais d'autre saint que Dieu. » Murner était passionnément « immaculiste », et la réduction de la Vierge à l'état commun de l'humanité lui apparaissait comme un blasphème.

saurait subsister sans le lien des âmes qu'était la foi catholique. Au reste, bien que
les luthériens l'aient d'abord mis au nombre des *testes veritatis,* en vertu de ses
attaques contre les abus de l'Eglise, ses critiques ont toujours porté sur les mœurs,
jamais sur le contenu de la foi. Enfin, il a longtemps hésité à attaquer Luther, et
dans son premier pamphlet contre le Réformateur, il s'en justifie : il espérait, dit-il,
que les doctrines du Réformateur aboutiraient à une « fin féconde et chrétienne » ;
il l'avait d'abord conjuré de se modérer, de révoquer ses erreurs, et, comme il dit
en une formule aussi frappante que juste, de « ne pas attiser un feu qu'ensuite
il ne pourrait plus éteindre ». En 1522, après la diète de Worms, Luther mis au
ban de l'Empire et excommunié, après aussi les pamphlets brutaux lancés contre
Murner, l'heure n'est plus aux ménagements. Toutefois, il est remarquable et
significatif que « le Grand Fou luthérien » ne soit pas Luther lui-même, mais
l'incarnation polyvalente de ses sectateurs imbéciles, avides ou lubriques. Le Réformateur a parfois été gêné par l'appui que lui apportaient des polémistes douteux, dont Hutten, traité si froidement par Luther, est l'exemple le plus connu.
Murner parle avec mépris des « innombrables libellistes anonymes » [12] qui l'ont
vilipendé, croyant faire plaisir à Luther, et avec tristesse du ton qu'a pris celui-ci,
« et que je n'aurais jamais attendu sur terre d'un Docteur et d'un ecclésiastique » [13].
Dès le début, il annonce qu'il ne veut pas accabler Martin Luther ni sa doctrine,
les réservant pour de plus grands honneurs (V. 10-13). Bien plus, il parle de « la
grande cause de Martin Luther », « *martin luthers grose sachen* » (V. 21), dont des
partisans « qui ne comprennent pas Luther » (V. 17) font un tonneau à calomnies,
une jonglerie, une singerie, une canaillerie (V. 22/23). C'est donc aux « *grosen
naren* » [14] qu'il en a, et puisqu'ils ont fait de lui un fou pareil à eux, puisque « ni
Dieu, ni la vérité, ni décision pontificale, ni édit impérial, ni le verdict de tout
l'Empire romain » ne peut le secourir, il se battra sous le costume qu'on lui a
imposé et montrera qu'un fou sait parfois être le seul sage : « Je m'adapterai au
temps et au marché et je serai précisément cet énorme fou, j'accomplirai mon
office et je dirai sous le bonnet de fou ce qu'il me resterait encore à proclamer [14]. »
Brant, lui aussi, dans le chapitre « Excuse du poète » (111) reconnaît qu'il est au
nombre des fous, comme tout homme — mais a le ferme dessein de s'améliorer,
avec l'aide de Dieu : aussi, l'illustration de ce chapitre le montre, ayant déposé son
bonnet et sa marotte, pieusement agenouillé devant l'autel, tournant le dos aux
fous qui se moquent de lui. Il en va tout autrement chez Murner : jusqu'à la fin,
il assume le rôle du fou, « *verwanter* », « *schweher* », « *vetter* », « *frünt* » du
Grand Fou, dont la mort le désole et qu'il a constamment cherché à guérir. Le
genre « narragonique » s'enrichit ainsi d'aspects nouveaux : polémiques, politiques,
sociaux ; ce n'est plus la satire statique des éternelles folies humaines, mais le
diagnostic pessimiste d'une époque trouble : car, contrairement à Brant, Murner
sait qu'il prêche pour des sourds. Au reste, la suite des événements lui donna raison : le Grand Conseil de Strasbourg, le 27 décembre 1522, donc huit jours exactement après la parution du *Grand Fou,* cita Grüninger, lui interdit, ainsi qu'aux
autres imprimeurs, de publier tout pamphlet pour et contre la Réforme, ordonna
de saisir et de brûler les exemplaires encore présents chez l'éditeur et de confisquer
ceux qu'il avait déjà vendus, de sorte que la diffusion de cette satire, la plus brillante du parti catholique, fut restreinte.

---

[12] « ... im zu gefallen vnzeliche büchlinschreiber mit verborgnem namen... » (Berger, p. 38).
[13] « ... also das ich mich des zu im als einem doctor vnd geistlichen man vff erden nichtz
minders versehen het. » (Berger, p. 38).
[14] Berger, p. 39.

Dans une chanson de cette même année 1522, écrite sur l'air populaire « Bruder Veiten thon » [15], Murner avait déploré la perversion du monde, au sens étymologique du « monde à l'envers », autre thème favori de la littérature narragonique. La discorde, écrivait-il, s'est mise dans le troupeau du Christ, les pouvoirs temporels et spirituels sont affaiblis, les sacrements sont niés, « les pieds sont sur le banc, la charrue devant les bœufs », les ecclésiastiques égarent les fidèles, bref, les Turcs n'auraient pu faire plus de mal à la chrétienté que les novateurs. Pas un homme d'honneur, ajoute-t-il, ne songerait à défendre les abus qu'ils dénoncent ; mais c'est autre chose de « *den glauben unss zerstören* ». Les agitateurs ne pensent qu'à eux-mêmes, et non à ce Dieu qui a voulu laisser subsister côte à côte, jusqu'au Jugement dernier, le bon grain et l'ivraie. Et cependant, les autorités dorment : elles laissent jeter par-dessus bord, pêle-mêle, abus et vérités de foi ; jamais la chrétienté ne fut si durement éprouvée. Quant au poète, il se raidit dans un courage sans espoir, car on lui a confié la forteresse de la foi et il la défendra en homme d'honneur ; si même il succombe sous le nombre, son honneur au moins sera sauf. C'est exactement le contenu intellectuel du *Grand Fou luthérien* : mais l'inspiration géniale de la satire est d'avoir réuni toutes les folies du parti adverse en une figure rabelaisienne, un mannequin gigantesque, peut-être inspiré des « géants » qu'on promenait dans les cortèges de Carnaval [16]. Le thème traditionnel du « monde à l'envers », « correspondant à la suspension des normes courantes », écrit Joël Lefebvre [17], est ainsi actualisé : ce n'est plus une libération temporaire de la part animale de l'homme, mais une subversion bien définie dans le temps et l'espace.

Murner raconte qu'il a rencontré tout récemment (*zu letst*) un fou gigantesque, plus grand que le saint Christophe de l'hôpital, bien que celui-ci soit haut de trente coudées, tiré sur un traîneau [18] par onze chevaux et des fous. Comme l'écrit Joël Lefebvre : « Le Grand fol sera doté d'une stature gigantesque, aux dimensions d'une faute et d'une haine devenues gigantesques elles aussi ; gigantisme qui, selon Murner, n'est que le masque et l'instrument de la négativité absolue [19]. » Bien que terrifié, Murner se souvient qu'il est exorciste — troisième des ordres mineurs — et qu'il a déjà traité d'autres fous, allusion à la *Narrenbeschwörung* [20]. Il débite donc une divertissante fatrasserie en latin de cuisine (ses adversaires l'avaient, entre autres gentillesses, accusé d'ignorance crasse), où ne manque ni le « narrabo, narrabis, narrabitis » des livres de grammaire, ni la formule « In narribus narratio » (v. 215). Selon le processus normal de l'exorcisme, le Grand Fou se débat et résiste ; mais comme Murner le menace de formules encore plus violentes et le somme de lui dire son nom et son origine, ainsi qu'on faisait avec les diables qu'il

---

[15] Ce « frère Guy », type du lansquenet, apparaît dans le *Grand Fou,* parmi les soldats rassemblés par Luther pour l'assaut à la forteresse de la foi.

[16] Ceci dit à titre d'hypothèse, car on sait bien peu de chose sur les coutumes carnavalesques dans l'Allemagne de la fin du moyen âge, mais à part leurs traces littéraires dans la satire et le Jeu de Carnaval. Cfr Joël LEFEBVRE, *Les fols et la folie, étude sur les genres du comique et la création littéraire en Allemagne pendant la Renaissance,* Paris, 1968, pp. 44/47. Leopold SCHMIDT (*Das deutsche Volksschauspiel,* Berlin, 1962) signale pour Strasbourg, au XVIe siècle, des cortèges carnavalesques de masques, que concluait une « morisque ». Après l'adoption du luthéranisme par la ville, Johann Sturm les fit remplacer par des représentations de Térence, non sans soulever des protestations (p. 235).

[17] *Ibid.,* p. 46.

[18] Trait de réalisme : on traînait ainsi les fardeaux dont le poids eût rompu les axes des roues.

[19] *Op. cit.,* p. 196.

[20] Parue chez Matthias Hüpfuff (cfr GOEZE, p. 43) en 1512 ; analyse approfondie chez Joël LEFEBVRE, *op. cit.,* pp. 171-196.

fallait expulser des possédés, le Géant cède et lui avoue tout : il est fils de Narration et de Narrabuntza la belle ; s'il est « si grand » et tout « enflé », c'est qu'il
porte en lui plus de fous que le cheval de Troie ne contenait de Grecs. Il détaille
à Murner les petits fous qu'il contient dans son corps, chacun dans l'organe qui
lui convient : dans la tête les fous érudits et les prédicateurs qui prêchent la sédition sous couleur de vérité évangélique ; dans la poche ceux qui veulent « se laver
les mains dans l'argent et les biens d'autrui », alléchés qu'ils sont par les biens
d'Eglise, les traitements des évêques et la « donation constantinienne » [21] ; dans
la panse les « Quinze Alliés », gros et gras, dont chacun a ses griefs particuliers
— Murner songe aux quinze *bundtgnossen* du Franciscain défroqué Eberlin de
Günzburg, parus séparément à Bâle, en 1521, et dont certaines gravures du
Grand Fou luthérien caricaturent savoureusement les frontispices :

> Fünfftzehen sein ir al zusamen
> Wie wol ir keiner hat kein namen.
> Es seind die recht dicken, grosen,
> Vnd heissen die fünfftzehn buntgnossen (V. 789/792).

Ces *bauchgnossen* n'ont même pas besoin d'exorcisme : Murner, nommé violoneux du pape par ses ennemis, les attire au-dehors grâce aux doux sons de sa voix
et de son violon, et chacun d'eux expose cyniquement ses intentions réelles, souli-
gnées par les illustrations. L'exorcisme se poursuit au moment de la bataille : les
Quinze alliés sont gaillards et agressifs, mais ne constituent qu'une petite troupe ;
le cordelier fait sortir de la botte du Grand Fou « bruder stifel », et de son « buntschuh », le grossier soulier paysan qu'il porte à son autre pied, les prédicateurs qui
excitent les vilains à la révolte ; M. Gravier identifie le « bruder stifel » à Michael
Stiffel, prêtre passé au luthéranisme et qui avait, lui aussi, attaqué Murner [22] ; mais
la symétrie entre la « botte » aristocratique et le « chausson » paysan suggère qu'il
songe aussi aux chevaliers besogneux, en quête de coups profitables : la guerre de
Hutten contre moines et curés était toute récente, et son attaque contre les char-
treux de Strasbourg d'octobre 1521 [23] : il se peut que Murner, certainement ren-
seigné, y ait songé. L'essentiel n'est pas là, mais dans le mot redoutable de *buntschuh* : dès la fin du chapitre « pourquoi l'on a promené le Grand Fou sur un
traîneau », le géant avoue que si les pamphlétistes luthériens ont traité Murner de
fou, c'est

> Das niemans merck den argen list,
> Das Luthers ler ein buntschuh ist (V. 327/328) [24].

On se trouve ainsi au cœur de la polémique : le *Karsthans* anonyme de 1521
avait mis en scène « Murnar », représenté sous la forme d'un cordelier à tête de
chat, et Karsthans, le Jacques Bonhomme allemand, balourd, mais aux colères terribles, et dont Murner avait déjà écrit que Luther allait le déchaîner [25]. Dans cet
amusant dialogue, Karsthans, irrité par l'arrogance et la mauvaise foi de « Murnar », menace d'aller chercher son fléau pour défendre « *das heylig euangelium* »
contre les entreprises du pape, et Luther, tout de douceur, l'exhorte à la patience :
« *nit, lieber fründt, es sol von mynet wegen niemant fechten noch todschlagen* » [26] :

---

[21] HUTTEN avait édité en 1517 le traité de Laurentius VALLA, *De Donatione Constan-
tini*, et c'est probablement à cet allié suspect de Luther que font allusion les v. 727/728.
[22] *Op. cit.*, p. 247, n. 24.
[23] NEWALD, *op. cit.*, p. 323.
[24] « Que personne ne remarque cette perfidie que la doctrine de Luther est une jacquerie. »
[25] Karsthans tient son nom de son outil, la houe à deux dents, *der karst* (apparenté à la
racine de kêren = retourner le sol).
[26] « Que non pas, cher ami, personne ne doit faire la guerre ni tuer à cause de moi. »

manière d'insinuer que Luther était la seule digue qui retînt la fureur paysanne. Murner, nous l'avons dit, était d'un avis opposé et, plus perspicace que l'auteur du *Karsthans,* il avait averti Luther que le feu allumé par le Réformateur ne pourrait être éteint par celui-ci. Le frontispice du dialogue présentait un Karsthans rassurant : bien vêtu, bien peigné, pacifique [27]. Murner s'adresse à un public de bourgeoisie urbaine, qui méprise et redoute les paysans, d'autant que la jacquerie a déjà éclaté en Alsace (1493), et que Münzer et Carlstadt avaient commencé à agiter Wittemberg dès janvier-février 1522, forçant Luther, en mars, à quitter la Wartburg pour apaiser les esprits et faire expulser les deux extrémistes. Aussi Karsthans est-il fort maltraité par Murner : malgré les exorcismes, le Grand Fou souffre toujours d'enflure, et le Cordelier passe aux moyens médicaux : il administre à son « cousin » une purge, et Karsthans est éliminé par les voies naturelles [28] : dans le bois correspondant, tel qu'il sort du fondement du Grand Fou, il porte, lui aussi, le bonnet aux clochettes ; mais le Grand Fou intervient en faveur de son confrère, et Murner, magnanime, le laisse rentrer dans la place qui lui convient, c'est-à-dire le « boyau culier » du géant. On remarquera qu'entre tous ces fous, c'est le paysan qui reçoit la place la plus infamante : non parce qu'il est au bas de l'échelle sociale d'alors, mais parce que la crainte du *buntschuh* est le plus fort argument de Murner : l'hérésie engendre nécessairement la sédition, telle est la thèse fondamentale du *Grand Fou luthérien.*

La mort du Grand Fou donne à Murner l'occasion d'ajouter d'autres traits à sa satire. Le Cordelier se rend au chevet de son « parent » pour l'exhorter à faire une bonne fin. Toujours aussi imbécile, affaibli par les exorcismes de son cousin, le Grand Fou demande en guise de remède une béguine, à condition qu'elle soit robuste et pucelle : suivent quelques réflexions salaces sur les béguines, leur virginité douteuse, et leurs mœurs : elles préfèrent fréquenter les jeunes curés et les bourgeois célibataires, plutôt que de soigner les malades ; elles aiment le bon vin, qui les fait chanter « comme des pinsons », et les œillades, et négligent le service du prochain. Murner fait remarquer au mourant que de tels propos conviennent peu à son état, et s'offre à lui amener, pour garde-malade, demoiselle Hebnegel, béguine et pucelle incontestable, bien qu'elle ait soixante-dix-huit ans. Le Fou la connaît et refuse : c'est une vieille grogneuse qui a le diable au corps, une querelleuse qui du reste s'est faite luthérienne : plutôt mourir sans béguine ! Murner prend congé de son cher parent : il va rejoindre les Fous ses collègues :

« Ich far, da andere narren sint » (V. 4638). Suit un enterrement grotesque et les querelles familiales classiques autour de l'héritage, que Murner veut distribuer entre les auteurs des pamphlets luthériens, Karsthans et son fils, l'étudiant abruti Studens. Que ces héritiers présomptifs se disputent l'héritage : pour lui, exécuteur testamentaire du Grand Fou, et comme le plus robuste d'entre eux, il ne demande que le bonnet du défunt, car « ce livre » fait connaître qu'il est son parent, et proche parent :

> Dan mir dis buch hier kuntschafft git,
> Ein frünt zu sein des nechsten glid,
> Vnd mir der nar auch ist verwant (V. 4751/4753).

On voit quelle est la complexité de cette satire à multiple détente. Dans l'histoire personnelle de Murner, elle apparaît tout d'abord comme une œuvre de cir-

---

[27] Dans GRAVIER, *Anthologie de l'allemand du XVIe siècle,* Paris, 1948, p. 203.
[28] Cfr l'illustration reproduite par GRAVIER, *Luther et l'opinion publique,* p. 207.

constance, une réplique au brillant « Karsthans », secondairement aux « Quinze
Alliés » et aux pamphlets anonymes provoqués par ses attaques contre Luther et
sa séquelle. D'une manière plus générale, c'est une mise en garde de l'Allemagne
— ou tout au moins d'un public plus vaste que celui des érudits, lecteurs de traités
en latin — contre les dangers sociaux de la Réforme, que Murner perçoit avec
acuité : révoltes des paysans, agitation de la petite noblesse ; l'idée-force de la
satire est l'impossibilité de bouleverser les structures ecclésiastiques sans toucher
à l'ordre établi. Cette inquiétude s'explique parfaitement dans le cadre où Murner
a passé presque toute son existence : les villes impériales du Sud-Ouest, souve-
raines et qui se gouvernaient elles-mêmes. La situation était différente dans les
principautés de grandes ou de petites dimensions passées à la Réforme : là, le pouvoir central, ne fût-ce que d'un microcosme, gagnait en fait à la Réforme ; l'Eglise,
principal moyen d'action sur l'opinion publique, passait sous le contrôle du souverain ; les confiscations de biens d'Eglise l'enrichissaient ; l'administration était assez
solidement organisée pour que les révoltes éventuelles fussent rapidement jugu-
lées. Mais la région où vivait Murner était particulièrement menacée : l'Alsace
avait eu son *buntschuh* en 1493, la Souabe son *Armer Konrad* en 1514 ; les troubles de 1524 ont pris leur départ dans le Sud du pays badois et au Nord du lac de
Constance, puis ont gagné la haute vallée du Danube et l'Allgäu pour s'étendre à
la Souabe, et de là, dans une direction nord — nord-est, jusqu'en Thuringe et en
Saxe, dans une direction à peu près ouest-est vers le Tirol et Salzbourg. Dans les
villes libres, particulièrement nombreuses en Alsace, Souabe et autour du lac,
l'adoption de la foi nouvelle réveillait les conflits entre le patriciat et les métiers [29] :
Murner semble avoir senti la contradiction entre le conservatisme social et le
réformisme religieux des couches patriciennes, ou tout au moins leur timidité
devant l'avance du luthéranisme.

Enfin, et plus généralement, Murner dénonce la perversion de l'ordre moral
qu'entraîne, selon lui, le renouvellement de la religion. On pourrait distinguer dans
son pamphlet deux grands groupes de thèmes : l'apparition du Grand Fou, l'exorcisme, la guerre grotesque mettent surtout en lumière les conséquences sociales de
la Réforme ; les deux derniers épisodes se concentrent sur la question, en effet
cruciale, des sacrements : privés de leur caractère sacramentel, le mariage et la
mort deviennent des terrains d'arbitraire et d'anarchie, où chacun fait ce que bon
lui semble ; si le mariage n'est plus un sacrement, libre à quiconque de répudier
sa femme sous prétexte qu'elle lui répugne physiquement ; si le mourant ne peut
plus se confier à l'intercession de Notre-Dame et des saints ni à l'efficace de
l'extrême-onction, il doit quitter ce monde dans l'incertitude, l'angoisse, voire le
désespoir, livré qu'il est au jugement d'un Dieu terrible, sans nul avocat pour plai-
der sa cause. Les dangers satirisés par Murner n'étaient que trop réels — la suite
des événements en apporte la preuve : à cet égard, son pamphlet est une tentative
intelligente, mais sans illusion de se mettre au niveau d'un public incapable de
discuter en termes abstraits, tout en préservant la hiérarchie entre grands et petits
problèmes : le « Grand Fou luthérien » démontre, par quelques exemples terrible-
ment concrets, où doit en fait mener la Réforme, quand sa mystique, inévitable-

---

[29] Cfr Bernd MÖLLER, *Reichsstadt und Reformation*, Gütersloh 1962, chapitre II. Möller
montre bien que dans la plupart des cas, le Conseil était défavorable aux innovations religieuses — mais qu'il se les a laissé imposer par la « commune », pour préserver la paix sociale.
A Strasbourg, il acceptait dès 1523 de faire appel à un prédicateur luthérien, sous la pression
populaire. L'interdiction du « Grand Fou luthérien » trahit moins son hostilité à la cause catholique que son désir de maintenir l'ordre et d'éviter toute occasion de troubles.

ment, se dégradera en politique. Enfin, on notera que Murner ne se trompe guère sur son propre compte : il se met au nombre des fous, il se considère même comme le principal d'entre eux. Traité de fou par ses ennemis, il répand des paroles de sagesse — sous le bonnet du bouffon. Sa verve est parfois ordurière — on pourrait en dire autant de la plupart des satiriques d'alors ; mais le sérieux de son intention n'est pas à mettre en doute. Newald interprète ce trait final, où le Dr Murner se coiffe du bonnet de fou, comme, peut-être, une tentative de conciliation. On peut plutôt le comprendre comme un amer retour sur lui-même : peut-on être homme, et même *doctor utriusque juris,* sans délirer ? Et n'est-ce pas folie que de dresser des barrages contre une tempête qui emporte la société tout entière ?

Discussion

Marc'hadour. — Nous avons été très heureux d'apprendre des choses que nous ne savions pas sur ce Murner, qui avait passé plusieurs mois à la Cour d'Angleterre en 1523 et dont l'influence, je crois, se ressent très fortement dans la réponse de More à Luther, parue dans les derniers mois (vers Noël, apparemment) de 1523. More fait sien le conseil du Sage biblique : « Responde stulto secundum stultitiam eius ». Il adopte un langage si différent de sa manière habituelle, qu'il n'ose pas signer son livre et qu'il le publie sous un pseudonyme. Je voudrais ajouter, par manière peut-être, plus d'information que de question : Vous avez parlé des Turcs, puisque Murner en parle dans son *Fou luthérien,* en disant que Mohacs était de 1526. Or j'ai trouvé chez More au moins deux références à la prise de Rhodes qui, elle, était précisément de 1522, et qui semble avoir fait grand bruit en chrétienté. Rhodes était la dernière forteresse chrétienne en Méditerranée. Rhodes prise, on avait l'impression que les Turcs étaient aux portes.

Plard. — Je n'ai rien à ajouter, sinon à remercier le père Marc'hadour pour cette intéressante confirmation et ce complément à ce que j'ai dit. Effectivement, déjà, à partir du règne de Charles Quint, on essaie de reprendre l'idée éternelle de la croisade contre les Turcs — il faut les contenir à un moment ou l'autre ; les troubles de l'Allemagne l'empêcheront et ce sera la catastrophe que l'on connaît et qui amènera les Turcs au centre de l'Europe, jusqu'au siège de Vienne, jusqu'au prince Eugène.

Massaut. — Je m'interroge sur l'influence de toutes ces polémiques, qu'elles soient savantes ou populaires. Vous y avez fait allusion au début de votre communication. On sait que les controverses théologiques savantes n'ont jamais converti personne, ou à peu près. Je me demande si les plus populaires ont eu plus d'influence. Vous disiez que celle de Murner en tout cas n'avait pas eu grande audience puisqu'elle n'avait pas été très répandue. Ce qui m'a tout de même étonné, c'est que vous avez dit que le bourgeois de Strasbourg, en tout cas, lui, ne s'intéressait pas, p. ex., à la liberté chrétienne, ou qu'il n'y voyait que de l'hébreu. Comment, alors, le mouvement de la Réforme aurait-il connu une telle audience ? Je crois que le thème de la liberté chrétienne était de nature à toucher des esprits et des cœurs.

Plard. — Vous avez tout à fait raison. En ce qui concerne votre première question, il semble que les polémiques érudites, même en allemand, aient touché un public très restreint. Il s'agissait rapidement de points très subtils, où les non-théologiens ne pouvaient que se fier à l'autorité, qu'ils reconnussent celle de la réforme de Luther ou celle de l'autorité pontificale, de l'Eglise romaine. Au contraire, les satires telles que celles de Murner ont trouvé, semble-t-il, un vaste public. Ces satires sont présentées sous une forme amusante. Je n'ai pas pu parler de l'aspect littéraire de Murner, mais en général les manuels s'accordent à reconnaître qu'il est supérieur à Brant, littérairement. C'est aussi mon avis, quoique j'estime Brant. Murner a une verve aristophanesque ; Murner, surtout, a l'art de mettre en scène ses personnages. Je l'ai dit dans un tournant de phrase : les deux tiers environ du Grand Fou luthérien sont sous une forme de dialogue. On pourrait presque monter une pièce avec cela. C'est au fond un genre intermédiaire entre le pamphlet à la Brant — la *Nef des fous* — et le *Fastnachtspiel*. La présentation dramatique, amusante, le fait d'incarner les positions dans des personnages, a bien entendu attiré les lecteurs. Murner n'est pas le seul dans ce cas. A mon avis, le meilleur pamphlet de ces années troublées de 1521-1522, avec celui de Murner, c'est *Karsthans*, que l'on attribua jadis à un grand homme, Vadianus (Joachim de Wadt, le poète de Saint Gall), un humaniste fort connu, de grand rang. On suppose que Vadianus, en 1521, n'avait pas encore passé du catholicisme à la Réforme. On sait que c'est l'œuvre d'un humaniste suisse, disons du milieu de Bâle, et le nom de l'auteur de *Karsthans* n'a pas encore été trouvé. *Karsthans,* lui aussi, est présenté presque aussi drôlement que Murner. Murner y parle un allemand épouvantable, fortement dialectal, alémanique. L'étudiant Studens revient de Louvain. Il est complètement abruti par ses professeurs. Luther apparaît à un moment dramatique, au moment où la tension est à son comble. Tout cela sont des éléments proprement théâtraux qui ont beaucoup contribué au succès de ces pamphlets, d'autant qu'il y a une preuve, si l'on peut dire, indirecte : que des gens aussi importants que Luther n'ont pas dédaigné de s'occuper de ces auteurs de pamphlets, qu'en somme on les prenait très au sérieux, parce que l'influence sur l'opinion publique était très freinée par les pamphlets. En ce qui concerne votre deuxième question : Murner est d'avis que la liberté chrétienne, Luther l'interprète mal. Il la comprend, mais dans un sens favorable à ses intérêts ; ce que Murner redoute, c'est qu'on fasse glisser le sens de la liberté chrétienne, tel que Luther le définit, dans un sens social, c'est-à-dire : il n'y a d'autorité que Dieu. J'ai parlé de ce passage, qui est le plus éloquent et le plus frappant du Grand Fou luthérien ; c'est le moment où Luther l'a initié à son Ordre ; Murner converti par les charmes supposés de sa fille, Luther lui dit : tels sont les statuts de l'Ordre. Il lui lit les statuts. C'est très frappant, parce qu'il ne part pas de considérations théologiques, mais de considérations pratiques. Il dit, article 1 : on refusera l'autorité du pape ; le pape a trois couronnes. C'est déjà trop qu'il en ait une seule. Son autorité est supposée purement mensongère. Donc, ne pas obéir à l'empereur. La liberté chrétienne veut que le chrétien soit serf uniquement de Dieu. Par conséquent, liberté totale. C'est le danger qu'a vu Murner ; c'est-à-dire qu'on n'entendait pas la liberté chrétienne, mais qu'on avait tendance à l'interpréter dans un sens dangereux. Murner se réfère constamment à un précédent ; il parle des Hussites. S'il y a deux références qui reviennent chez lui, c'est le Bundschuh, qui en effet avait un sens précis depuis environ vingt ans dans l'Allemagne du sud-ouest, et puis les troubles Hussites, qui n'ont pas été oubliés. Il dit, p. ex. : on pillera les biens des curés, on massacrera les gens d'église, on attaquera les savants, on attaquera les images, on les brisera. Il rappelle les troubles Hussites et dit : ce qui va arriver, c'est ce qui s'est passé du temps des Hussites. Là, il se réfère aussi aux collections historiques de son époque. Le début du XVIe siècle en

Allemagne, dans la région où opère Murner, est un pays très conscient de l'histoire, où on publie et écrit énormément de chroniques (Murner en a d'ailleurs écrit une en latin et en allemand), où les gens pensent par référence historique, et Murner, justement, fait appel à l'expérience Hussite pour dire que cela va recommencer.

Marijnissen. — Dans votre conclusion vous avez dit ceci : que Murner s'adresse à un public incapable de raisonner sur un plan abstrait. J'aimerais avoir quelques éclaircissements à ce sujet.

Plard. — Murner est un personnage double. D'une part, c'est un humaniste de très haut rang : il a été couronné « poeta laureatus caesareus » par Maximilien. Il y insiste constamment. Il dit à peu près : les docteurs font la leçon au vulgaire parce qu'ils sont docteurs, mais moi qui suis « poeta laureatus caesareus » — ce qui est un peu plus —, je peux quand même faire la leçon aux docteurs, de ma position supérieure. Murner a écrit énormément ; c'est un homme à l'activité fiévreuse. Plus de la moitié est en latin, et sur des questions essentiellement d'humanisme. Il y a des questions politiques, il y a une « reformatio poetarum », il y a les écrits théologiques, bien entendu, il y a des écrits polémiques en latin, et à côté de cela, il y a les écrits allemands qui sont nombreux, 7 ou 8 satires importantes. Or, là, on voit qu'il se met consciemment à la portée de ce qu'on appelait le vulgaire. Toujours « der einfältige Mensch », et la raison en est qu'il était, tout simplement, Cordelier. Nous le savons prédicateur très estimé ; il a voyagé énormément ; c'est un homme errant dans un cadre limité, disons en gros : l'Alsace, la région de Fribourg, le pays de Bade, par conséquent, la Souabe, la Suisse alémanique et le Palatinat, mais, dans ce cadre, il a vraiment beaucoup voyagé. Il s'adressait au peuple, a des arguments populaires, souvent d'ailleurs savoureux ou grossiers, mais selon qu'il s'adresse au peuple ou aux érudits, selon qu'il écrit en latin ou en allemand, il prend un ton tout à fait différent. C'est un homme double ; on pourrait presque parler de schizophrénie chez Murner, s'il n'y avait pas dans les écrits allemands, comme dans les écrits latins, toujours son agressivité extraordinaire. Et cela s'explique d'une façon en partie biographique. Il y a un fait remarquable : Murner, qui était le fils d'un boulanger de Oberehnheim près de Strasbourg — donc de petit milieu bourgeois — a subi, dans son enfance, une paralysie probablement d'origine cérébro-spinale. Il a été paralysé pendant plusieurs années et il en a guéri ensuite. Mais à l'époque, on ne voulait l'expliquer que par la sorcellerie. Murner était convaincu d'avoir été ensorcelé et ses deux premiers ouvrages latins parlaient de son expérience. La double tâche de Murner, c'est celle de l'humaniste, d'une part, de l'autre, du prédicateur populaire — et c'est le cas aussi de Geiler de Kaysersberg, qui est son maître très admiré. Geiler, lui aussi humaniste lié à Wimpfeling, — tout ce milieu très intéressant de l'humanisme alsacien de Strasbourg et de Sélestat — était un prédicateur populaire qui attaquait avec verdeur les mauvaises mœurs de son époque, sans épargner le clergé.

Vanden Branden. — Je voudrais avoir une petite précision : est-ce moi qui fais le calembour, ou bien Murner, en comparant le mot latin « Narratio » et le mot allemand « Narr » ?

Plard. — Non, c'est Murner. L'exorcisme de Murner est très amusant et a quelques passages assez indécents.

Partout où apparaît la forme Narr, il l'emploie dans un sens de calembour. Déjà dans le nom Murnar, qui se comprend très bien en Alsace. Devant un « r »,

le « e » était très élargi et on disait Murnar plutôt que Murner. Naturellement,
Wimpfeling, qui s'est pris de bec avec Murner, avait utilisé cette histoire. Il n'avait
pas pensé à « Mur » mais à « Narr », et il n'avait pas manqué d'en faire état. Ceci
est tout à fait constant à l'époque. Il y a les calembours les plus atroces, et pour
nous du plus mauvais goût, dans les polémiques entre les luthériens et les catholiques. Luther, p. ex. s'appellera doctor Luder, ce qui veut dire charogne, et on fera
des plaisanteries à ce sujet. Luther en fera également sur les noms de ses adversaires. Cochlaeus aura droit à des allusions à l'escargot, et ainsi de suite. C'est un
trait des polémiques religieuses et sociales du temps.

Melancholia and Witchcraft :
the debate between Wier, Bodin, and Scot

Sydney ANGLO

Professeur à l'Université de Swansea

> An other [man] there was which thought his Buttocks were made of glasse, inso
> much that he durst not do any thing but standing, for feare least if he should sitte,
> he should breake his rumpe, and the Glasse flye into peeces [1].

This amusing, and seemingly trivial, story concerning the delusions of a sixteenth-century victim of melancholia serves to introduce my subject which is, in
reality, not amusing at all, concerning as it does one of the more horrific aspects
of intellectual history : that is the persecution of witches. Nor is the subject trivial
for — as I hope to show — it implies matters concerning sixteenth-century habits
of thought, the use of evidence, and the status of authority, which are crucial to
any student of Renaissance ideas, and more particularly to those who are interested
in *folie et déraison*.

The man who thought that his buttocks were made of glass is one of several
examples given by the Dutch physician Levinus Lemnius in his treatise, *De habitu
et constitutione corporis,* to illustrate various types of melancholic persons and
their delusions. Elsewhere Lemnius had argued that disease is caused by the
humours, and not by evil spirits ; and that " Melancholicos, Maniacos, Phreneticos,
quique ex alia causa furore perciti sunt, nonnunque linguam alienam personare,
quam non didicerint, nec tamen esse Daemoniacos " [2]. And the idea, that those
afflicted with mental diseases are prone to visions and delusions, was not at all
unusual in the sixteenth century. Pomponazzi had suggested that melancholia
inspired its victims with extraordinary visions [3]. Cardanus had written at length
about the delusions of melancholia, and had observed the probable relationship
between ill-health and malnutrition on the one hand, and visions and witchcraft
belief on the other [4]. And many physicians, such as Durastantes and Leonhard
Fuchs, had described the evident connections between melancholia and the deception of the senses — especially of sight and of hearing [5].

---

[1] Levinus LEMNIUS, *The Touchstone of Complexions,* tr. Thomas Newton, London, 1576,
fol. 151r-v. Cfr the original version, *De habitu et constitutione corporis,* Antwerp, 1561,
fol. 141v.

[2] Levinus LEMNIUS, *Occulta naturae miracula,* Antwerp, 1559, Lib. II, caps. 1 & 2.

[3] Pietro POMPONAZZI, *On the Immortality of the Soul,* tr. W.H. Hay, in *The Renaissance
Philosophy of Man,* ed. E. Cassirer, P.O. Kristeller & J.H. Randall, Chicago, 1948, p. 373. The
Tractatus de immortalitate animae was first published in 1516 at Bologna.

[4] Hieronymus CARDANUS, *De rerum varietate libri xvii,* Basle, 1557, Lib. XV, Cap. 80.

[5] On Durastantes, see Lynn THORNDIKE, *History of Magic and Experimental Science,*
Columbia U.P., 1923-1958, VI, pp. 517-19. See also Leonhard FUCHS, *De curandi ratione
libri octo,* Lyons, 1548, Lib. I, caps. 29-34.

Now the relevance of all this to the witchcraft debate of the late sixteenth century is, I believe, obvious. Consider for a moment the intellectual bases of the whole complex of magical, demonic, and witchcraft belief. First, there was the authority of the Scriptures from which texts such as " Thou shalt not suffer a witch to live " (*Exodus* XXII.18), and stories such as that of the Witch of Endor (II *Samuel* 28), were cited *ad nauseam* by defenders of the witch persecution. Second, there was the authority of the Christian Fathers — and especially of Saint Augustine — which gave substantial support for belief in the interference of demons in the affairs of men. Third, there was the authority of classical literature where poets such as Homer, Vergil, and Ovid, were regularly cited as having historical validity. Fourth, there was the authority of the tradition of Neoplatonic magic, extending from the *Prisci Theologi* — Orpheus, Hermes Trismegistus, and Zoroaster — through Plotinus, Porphyry, and Iamblichus, to the widely-disseminated views of a writer such as Marsilio Ficino. Fifth, there was an enormous body of mediaeval scientific writing which served to confirm magical correspondences, astral influences, the operation of aerial spirits, the efficacy of talismanic magic in particular, and the possibility of working transitive magical effects in general. Sixth, there was the Christian faith itself, founded upon, and authenticated by, miraculous occurrences. Seventh, there was a mass of popular and folk belief which, in turn, gained an especial authority from an eighth basis : that is the accumulated evidence of innumerable legal processes where witches and magicians had been accused of diabolical practices, had confessed, had been found guilty, and had been duly punished.

All this added up to a towering edifice of authority which, in the sixteenth century, made belief in the reality of demonic magic much more likely, and intellectually much more respectable, than scepticism. How would it have been possible to undermine this edifice ? It was clearly necessary to shake the comprehensive authority of the Scriptures themselves. It was necessary to discredit much of the classical and patristic literature on the subject. And it was necessary, somehow, to destroy the seemingly conclusive evidence of the trials themselves — with their confessions, and their examples of demonic possessions, metamorphoses, and the like.

It was principally with this last class of evidence that the medical argument became relevant : that is in arguing from clinical observation of cases traditionally subject to demonic interpretations, but susceptible to a natural explanation. It might have been possible to attribute to disease a good deal of the material drawn from the testimony of witches — particularly those troublesome confessions which had been made, apparently, without the constraint of torture. Thus the relationship between melancholia, mental disease, and witchcraft, was a fundamentally important one ; and I propose, in this paper, to examine this problem as it was discussed in the writings of three very dissimilar late sixteenth-century thinkers : Johan Wier ; Jean Bodin ; and Reginald Scot.

The best-known, and most praised, sixteenth-century author who sought to utilise clinical observation to undermine witchcraft beliefs, was Johan Wier, a Lutheran physician who served Duke William III of Berg, Jülich, and Cleves, from 1550 till his death in 1588. His *De praestigiis daemonum* first appeared in 1563 at Basle ; and modern estimates of Wier's work have, in general, been very high. It has, indeed, become a commonplace to regard Wier as the first, and most important, anti-witchcraft writer ; to praise his common sense, his humanity, and his skilful deployment of medical evidence ; to enthuse over his allegedly liberal-minded scepticism [6] ; and even to see him as "the founder of modern psychiatry"[7]. However, very recently, Wier's role as a humane and intelligent critic of magic has been called into question : and, I think, rightly [8]. Of course it is not possible, within the confines of the present paper, to examine in detail the content of his vast and rambling work. But I believe that, even when we consider his own speciality — that is his opinions as a physician and as a diagnostician of mental disease — Wier is very much less impressive than his popular image.

Let us first consider the chapters which Wier devotes to disease as a source for witchcraft belief. He has little new to say about this problem. His views on which people are subject to delusions, and the kind of delusions to which they are subject, are precisely those of his predecessors in this field. Lemnius, for example, had pointed out that, though diseases are caused by humours and not by evil spirits, " spiritus tamen aëreos se iis, ut tempestatibus immiscere ac faces subdere " [9]. While Jason Pratz, in his important De cerebri morbis, had already made the connection which was so crucial in later discussions of the theme, and which was so destructive of many attempts to offer a wholly naturalistic explanation of the confessions of witches : " Accidit profecto daemones, ut sunt tenues, et incom-praehensibiles spiritus sese insinuare corporibus hominum, qui occulte in visceribus operti valetudinem vitiant, morbos citant, somniis animos exterrent, mentes furoribus quatiunt, ut omnino alienum non fuerit de mania correptis ambigere, huiusmodo ne spiritu pulsentur [10]. "

Wier takes us no further. " Les gens plus sujets à estre assaillis de ces folies, sont ceux qui ont un temperament et complexion qui aisément obéit à une persuasion devenue telle, ou par les causes de dehors, ou estant touchee par les illusions du diable, ou essayee & tentee par le faux donner à entendre d'iceluy : ou comme estant instrument assez propre à sa volonté. Tels sont les melancholiques…[11]. " Thus Wier admits that certain folk are subject to delusions. Indeed, this is a major plank of his argument. But when he comes to explain how delusions come about, all that he can offer is the assertion that illness renders such people an easy prey to the wiles of demons ! And who are the easiest prey of all ? Wier can provide the answer to that question. " Le diable ennemi fin, ruzé & cauteleux, induit volontiers le sexe feminin, lequel est inconstant à raison de sa complexion,

[6] See, for example, E.T. WITHINGTON, " Dr. John Weyer and the Witch Mania ", Studies in the History and Method of Science, ed. C. Singer, Oxford, 1917, pp. 189-224 ; G. ZILBOORG & G.W. HENRY, A History of Medical Psychology, New York, 1941, pp. 207-35 ; H.R. TREVOR-ROPER, The European Witch-Craze of the 16th and 17th Centuries, London, 1969, pp. 73-75.

[7] Gregory ZILBOORG, The Medical Man and the Witch during the Renaissance, Baltimore, 1935, p. 205.

[8] See D.P. WALKER, Spiritual and Demonic Magic from Ficino to Campanella, London, 1958, pp. 152-156 ; E. William MONTER, " Inflation and Witchcraft : the Case of Jean Bodin ", in Action and Conviction in Early Modern Europe, ed. T.K. Rabb & J.E. Seigel, Princeton U.P., 1969, pp. 379-84 ; C.R. BAXTER, introduction to a facsimile ed. of the augmented French version (1579) of Wier's work. This last essay was written for the series Bibliotheca Diabolica : but the volume has not yet appeared.

[9] Levinus LEMNIUS, Occulta naturae miracula, fol. 97.

[10] Jason PRATZ, De cerebri morbis, Basle, 1549, pp. 213-14. At p. 262 Pratz makes a similar point concerning the way in which demons insinuate themselves into melancholiacs.

[11] Johan WIER, Histoires Disputes et Discours des Illusions et Impostures des Diables, des Magiciens Infames, Sorcieres et Empoisonneurs etc., ed. Bourneville & Axenfeld, Paris, 1885, I, p. 298. I have used this reprint of the 1579 ed. throughout this paper.

de legere croyance, malicieux, impatient, melancholique pour ne pouvoir com-
mander à ses affections : & principalement les vieilles debiles, stupides, & d'esprit
chancelant [12]. " And how does the enlightened Wier arrive at this point of view ?
Because this is attested in the Scriptures, Valerius Maximus, Fulgentius, Aristotle,
Lactantius, Saint Augustine, Gratian, and a veritable blizzard of legal glosses.

Wier now considers melancholy in general ; and, like his predecessors, he
presents us with a series of extraordinary cases of mental delusion ; explaining,
very significantly, how the Devil and his demons are able to exploit the corrupted
fantasy of the sick. " Et tout ainsi comme par les humeurs & fumees l'usage de la
raison est interessé es yvrongnes, es frenetiques & aussi es mélancholiques passions ; ainsi le diable, qui est un esprit, peut aisément, par la permission de Dieu,
les esmouvoir, les acommoder à ses illusions, & corrompre la raison [13]. " On this
basis, Wier is able to move on to specific instances ; arguing, for example, that
physical transformations — such as are alleged to take place in lycanthropy — are,
in fact, merely the deranged fantasies of the sick. However — and this is absolutely
typical of Wier — he immediately vitiates his own argument by adding : " Ou
bien il faut penser que ces loups sont les diables mesmes, qui ont pris ceste figure,
à celle fin de mieux enlasser en leurs deceptions ceste maniere de gens credules,
pour charger davantage les innocens, et rendre le Magistrat coulpable du sang
innocent [14]. "

In a subsequent chapter, Wier suggests that confessions in witch trials are the
result of the Devil driving the accused out of their senses. But, again typical of
Wier, this crucial attempt to discredit the accumulated evidence of numberless
trials is merely offered as an assertion, based upon earlier authority, which in any
case leaves the Devil — as it were — in full command [15]. And the same is true of
Wier's attempts to discredit belief in transvection, and in incubus and carnal
copulation between women and devils. The first he attributes to delusions caused
by drugs ; the second to delusions caused by disordered imagination.

Here, I think, we can clearly see Wier's inability to integrate his observations
within an ordered argument. He offers what is, ostensibly, a medical explanation
of women's delusions with regard to demonic sexual intercourse. With an accumulation of authorities Wier establishes that virgins always have an imperforate
hymen. Therefore, were the Devil to have real intercourse with them, the hymen
would be ruptured [16]. But Wier does not seem to see that, while he is perhaps
offering us a means of establishing whether or not intercourse has taken place in
any one specific case, he is in no way proving that such intercourse has not taken
place hitherto.

I could easily go on discussing Wier's *non sequiturs* in this way ; but I hope
that enough has been said to raise doubts even about his medical arguments. It is,
however, when one comes to set these within the larger context of his work, that

---

12 *Ibid.*, p. 300.
13 *Ibid.*, p. 313. Wier asserts that he could collect together " une infinité d'exemples, là où
vous pourriez voir les sens interessez en diverses sortes, par ce seul humeur, ou par les vapeurs
fumeuses de la melancholie, qui infecte le siege de l'esprit, dont procedent tous ces monstres
fantastiques " (p. 308).
14 *Ibid.*, p. 321.
15 *Ibid.*, pp. 323-7. Wier's case here rests on the argument advanced by Gianfrancesco
PONZINIBIO in his *Tractatus de Lamiis*. Wier cites the ed. which appeared in *Primum (-deci-
mum septimum) volumen tractatum ex variis iuris interpretibus collectorum*, Lyons, 1549, X.
16 *Ibid.*, pp. 392-8.

the whole edifice comes crashing down. As already seen, Wier's medical position is precisely that of a Levinus Lemnius, or a Jason Pratz : there are mental illnesses which cause delusions ; but these mental illnesses, in fact, render their victims especially liable to demonic interference. An apologist such as Zilboorg has attempted to argue that when Wier talks about devils and demons, he is being merely figurative, not literal [17]. Now this is certainly true of Reginald Scot. But it is just as certainly *not* true of Wier. Wier's devils and demons are real devils and demons. They really do insinuate themselves into defective minds. They really do pose as wolves, or as other creatures to entrap men into sin. And they really do traffic with human beings. One example must suffice here to indicate hundreds of instances throughout Wier's work. The miracles whereby Pharoah's magicians transformed rods into serpents (always a crucial test-case in magical debates) may, says Wier, be explained in many ways : but the most likely explanation, in his view, is for us to remember " que les diables, par leur grande vitesse & alegresse peuvent oster & faire evanouir quelques choses au lieu desquelles ils peuvent supposer les dragons, des serpens, ou autres telles matieres " [18].

Wier's position is an impossible one. If the Devil and his host of demons can wreak physical effects ; can work corporeally ; and can traffic with men — as Wier constantly admits — then there remains scant logical objection to the belief that men might equally traffic with demons. Moreover — and this is the last nail in the coffin of Wier's reputation as an enlightened humanitarian — we must note that, while his *De praestigiis daemonum* is full of sympathy for falsely-accused old women, it is bitter against the male witch and magician who are to be punished with the full rigour of those very laws which Wier, conventionally, is supposed to have condemned [19]. Bodin recognised these weaknesses and used them as a stick with which to thrash Wier ; while Scot, also recognising these weaknesses, concentrated upon destroying belief in demons and in the Devil himself, as offering the only solution to the whole witchcraft problem.

Wier's work was immediately popular, and went through several editions, culminating in the huge augmented text issued by Jacques Chovet in 1579 [20]. In the following year there appeared the *Démonomanie des Sorciers* of Jean Bodin, in which the views of those who wished to destroy witches and magicians were systematically sustained, and which Bodin concluded with an impassioned *Refutation des Opinions de Jean Wier* [21]. Bodin's is, of course, one of the most famous names in the history of sixteenth-century thought : but his *Démonomanie* has presented a problem to its modern readers. Scholars have, generally, either avoided comment by concentrating their attention upon his *Methodus ad facilem historiarum cognitionem* and *Les six livres de la republique* ; or they have confessed that the *Démonomanie* poses an insoluble paradox : the learned jurist and political thinker who was also a rabid witch-hater and credulous malevolent : the great lawyer and intellect who nonetheless produced, in his *Démonomanie*, a " formless

[17] ZILBOORG, *Medical Man and Witch*, pp. 138-9.

[18] WIER, *Histoires*, I, p. 209.

[19] *Ibid.*, II, p. 323. Wier struggles with the problem of the punishment of witches and magicians throughout Lib. VI ; and he is, as ever, thoroughly inconsistent.

[20] Chovet's edition was a translation of the last and fullest Latin version. It includes Erastus's refutation and Wier's rejoinder.

[21] Jean BODIN, *De la demonomanie des sorciers*, Paris, 1580 ; second French ed., Paris, 1581 ; first German ed., Strassburg, 1581. All my references are to the first edition.

screed and dribbling mess " [22]. More recently, however, scholars have attempted to establish a closer relationship between Bodin's various works ; to see compatibilities and consistency both of opinion and of method ; and, more to the point, to regard the *Démonomanie* (and especially the *Refutation de Wier*) as a work of " devastating skill " ; where historical arguments are used with " devastating effect " ; and which, as a demolition of Wier, is " thorough and pulverizing " [23].

The question of the over-all consistency — or otherwise — of Bodin's thought does not concern us here. But the matter, the manner, and the coherence, of his attack on Wier certainly does. And I must state, from the outset, that I do not share the enthusiasm for Bodin's demonology shown by some of my colleagues. The *Démonomanie* seems to me to be the work of a man who is intellectually arrogant to the point of mental derangement.

In one respect, however, Bodin is consistent. Almost alone, amongst sixteenth-century defenders of the witch persecution, he does not do deals with his enemies. He does not concede that, perhaps, some visions are merely delusions caused by disease ; that witches are innocent victims of the Devil ; or that miraculous effects, such as transformations, are only illusory. For Bodin, witches and demons operate together ; they are real ; and they work transitive effects. Even metamorphosis is real ! And how does Bodin know all this ? Simply because, in order to deny it, " il faut donc condemner toute l'antiquité d'erreur et d'ignorance, il faut rayer toutes les histoires et bifer les loix divines et humaines comme faulces et illusoires, et fondees sur faux principes " [24]. With such an arsenal of evidence — and, one might add, even without it — Bodin was to find Wier an easy prey.

Bodin begins his refutation by expressing astonishment, and pointing out that his adversary was either " un homme tres-ignorant, ou tres-meschant " [25]. Since Wier's books demonstrate that he is not ignorant, then he must certainly be evil in setting out demonic incantations and magical figures. Bodin condemns Wier as a disciple of the notorious Agrippa : but, more significant, is an attack on Wier's use of the Scriptures which he has bent, twisted, and falsified to suit his own purposes. This is an attempt, by Bodin, to substantiate the traditional interpretation of the Bible in relation to witchcraft [26]. Also fundamental in Bodin's criticism is his attempt to discredit assertions that witches' confessions are untrue. Wier, says Bodin :

> dict tantost qu'il ny a point de paction, et tantost qu'on ne sçauroit le prouver, tantost qu'il ne faut pas croire la confession des Sorcieres et que c'est la maladie melancholique qui les tient. Voila la couverture que les ignorans, ou les Sorciers ont prise pour faire evader leurs semblables et accroistre le regne de Sathan. Par cy devant ceux qui ont dict que c'estoit la melancholie, ne pensoyent pas qu'il y eust des Demons, ny peut estre qu'il y eust des anges, ny Dieu quelconque [27].

Nevertheless, Wier confesses that there is a God ; and he admits that there are

---

[22] The *Démonomanie* was thus described by Lynn THORNDIKE, *op. cit.*, VI, p. 526.

[23] C.R. BAXTER, " Jean Bodin's Daemon and his Conversion to Judaism ", *Verhandlungen des internationalen Bodin Tagung*, ed. H. Denzer, Munich, 1973, p. 8 ; E.W. MONTER, *op. cit.*, pp. 377, 380. The latter article opens with a brief account of the difficulties facing Bodin's modern interpreters.

[24] Jean BODIN, *Démonomanie*, fol. 240v.

[25] *Ibid.*, fol. 218r-v.

[26] *Ibid.*, fols. 220 ff.

[27] *Ibid.*, fol. 225v. Bodin here points out that Wier's opinions, as set out in his *De lamiis*, contradict those set out in the *De praestigiis*.

good and evil spirits " qui ont intelligence et paction avec les hommes ". It is therefore impossible, argues Bodin, to attribute the transportations, maleficia, and other strange acts of sorcerers to melancholy. And far less :

> faire les femmes melancholiques, veu que l'antiquité a remarqué pour chose etrange, que jamais femme ne mourut de melancholie, ny l'homme de joye, ains au contraire plusieurs femmes meurent de joye extreme et puisque Wier est medecin il ne peut ignorer, que l'humeur de la femme ne soit directement contraire à la melancholie aduste, dont la fureur procede, soit qu'elle vienne *à bile flava adusta aut à succo melancholico*, comme les medecins demeurent d'accord. Car l'un, et l'autre procede d'une chaleur, et secheresse excessive comme dict Galen au livre *de atrabile*. Or les femmes naturellement sont froides et humides comme dict le mesme autheur, et tous les Grecs, Latins, et Arabes s'accordant en ce point icy [28].

Not only are women *not* melancholic, they are also healthier than men, says Bodin, confidently citing both Hippocrates and Galen.

> Jamais, dict Hippocrates, les femmes n'ont la goute ny ulceration des poulmons, dict Galen, ny d'epilesies, ny dapoplexies, ny de frenesies, ny de lethargies, ny de convulsions, ny de tremblement tant qu'elles ont leurs flueurs, ou leurs menstruës, et fleurs. Et combien que Hippocrate dict que le mal-caduc, et de ceux qui estoyent assiegés des Demons, qu'on appelloit maladie sacree, est naturelle : neantmoins il soustient, que cela n'advient sinon aux pituiteux, et non point aux bilieuz : ce que Jean Wier estant medecin, ne pouvoit ignorer [29].

Moreover, adds Bodin, there is a gross inconsistency in attributing to women " les maladies melancholiques ", while the praiseworthy effects of the melancholic humour — which makes men " sage, posé, contemplatif " — are scarcely compatible with the female sex. And Bodin cites Solomon to the effect that there is only one wise man in a thousand ; but no wise women at all. Thus Wier — seeing his veil of melancholy torn aside — had, perforce, to argue that " le Diable seduict les Sorcieres, et leur faict croire qu'elles font que luy mesme faict " [30]. And so, as far as Bodin is concerned, Wier's arguments based on melancholy have been utterly destroyed.

This rejection of the medical explanation for witchcraft beliefs is noteworthy for several reasons. For example, Bodin has nothing whatever to say about whether or not melancholia could ever be related to witchcraft ; or whether the delusions of melancholiacs — and other victims of mental illness — might ever have relevance to supposed magical occurrences. He rests his argument upon a simple assertion : women are not subject to melancholy. And he will accept no amount of clinical evidence to the contrary. He does not accept clinical evidence partly because he is quite unable to think in such terms ; and partly because he *knows* that he is right. And he knows that he is right because he can cite the authority of Hippocrates and Galen. However, when we look into his argument, we find that, even on its own terms, it is much less rigorous and much less learned than Bodin's modern admirers would have us believe.

In the first place, though he cites authorities to prove that women are healthier than men, and are free from melancholy, because of their menstruation, he omits to tell us what happens when women no longer menstruate. Yet a substantial number of which prosecutions concerned old women ; and Wier had carefully described the mental deterioration of the elderly female : though it was left to Scot

---

[28] *Ibid.*, fol. 226.
[29] *Ibid.*, fol. 226v.
[30] *Ibid.*, fol. 227v.

to make explicit the implication that this deterioration was due to the cessation of menses [31].

Secondly, Bodin cites the *De morbo sacro* as stating that " la maladie sacrée " (epilepsy) afflicts the " pituiteux " and not the " bilieux " ; and he thinks that he is being terribly clever here. Wier, he says, had claimed that women are subject to black bile ; whereas Hippocrates demonstrated that epilepsy afflicts the phlegmatic. Hence women cannot be epileptic ! However, since Bodin himself has just denied that women are subject to black bile, it *could* follow that they are subject to epilepsy. Furthermore, Wier does not make an issue out of epilepsy as Bodin seems to suggest. And, in any case, the *De morbo sacro* specifically mentions bile, and not atrabile (*kolos*, not *melankolos*). Thus, on this point, Bodin's argument is quite futile.

Thirdly, while the *De morbo sacro* does say something approximately similar to Bodin's citation, Bodin omits to point out that elsewhere in the same work its author writes as follows :

> The corruption of the brain is caused not only by phlegm but by bile. You may distinguish them thus. Those who are mad through phlegm are quiet, and neither shout nor make a disturbance ; those maddened through bile are noisy, evil-doers and restless, always doing something inopportune. These are the causes of continued madness [32].

This passage, together with much else in the *De morbo sacro,* is prejudicial to Bodin's position. He does not, therefore, cite it.

Fourthly, Bodin writes thus : " Et combien que Hippocrate dit que le malcaduc, et de ceux qui estoient assiegez des Demons, qu'on appelloit maladie sacree est naturelle ", and so on [33]. However, the text of the *De morbo sacro* makes no mention of the sick being besieged by demons. This is simply a dishonest, and characteristic, gloss by Bodin himself.

Fifthly, while Bodin is accusing Wier of delving into matters beyond his competence — Wier's job, he says, " est de juger de la couleur, et hypostase des urines, et autres choses semblables, et non pas toucher aux choses sacrees " [34] — it is very apparent that the great jurist was himself ignorant of contemporary medical opinion. It was no longer sufficient to cite Hippocrates and Galen in such a slapdash manner in order to say all that was needed about any malady. Certainly, the flat assertions that women cannot be bilious, together with the parallel assertion that " les peuples de Septentrion tiennent aussi peu de la melancholie ", were gross and crude, even by the low standards of the most ill-informed Galenic medicine [35].

Bodin made two further forays into the field of medicine. First, when he attacked Giovanni Battista della Porta who had been cited with approval by Wier as an authority for establishing that witches might be using hallucinatory drugs [36]. Bodin's reference to Porta is suggestive : " On voit que l'Italien Baptiste en son

---

[31] See below, p. 202.

[32] See *The Sacred Disease*, tr. W.H.S. Jones, in *Hippocrates,* Loeb Classical Library : London, 1923-1931, II, pp. 175-7.

[33] BODIN, *Démonomanie,* fol. 226ᵛ.

[34] *Ibid.,* fol. 236.

[35] See Owsei TEMKIN, *Galenism : Rise and Decline of a Medical Philosophy,* Cornell U.P., 1973, pp. 95-151.

[36] Giovanni Battista PORTA, *Magiae naturalis sive de miraculis rerum naturalium,* first ed., Naples, 1558. For WIER's citation from Porta, see *Histoires,* I, pp. 377-9.

livre de Magie, c'est à dire Sorcellerie, et Wier s'efforcent de faire entendre que cest un unguent a force naturelle, et soporative, à fin qu'on en face experience [37]. " But, it will be recalled, Porta's work *Magiae naturalis* was certainly not principally concerned with witchcraft or diabolic *maleficia*. Yet it was all the same to Bodin. Experimental science is magic ; and magic — " c'est à dire sorcellerie ". In any case, says Bodin, Porta is doubly absurd : because no doctor, Greek, Arab, or Latin, used unguents on the back, arms, or thighs, to induce sleep ; and no oint-ments could possibly make people insensitive to fire and pain. No, says Bodin ; witches do fly ; they do attend sabbats ; and he can cite a vast number of *authorities* to prove it.

Bodin's other medical battle concerns incubus and succubus. Wier had explained such things as illusory. However, Bodin has *authorities* to establish the actuality of these demonic visitations : though confidence in his " devastating " intellect is severely shaken when we see that, against Wier's clinical observations, Bodin marshals the unimpeachable evidence of Horace, Lucan, and Homer [38].

Elsewhere, however, Bodin is on much stronger ground when confronting Wier with his own inconsistencies. Wier's powerful belief in the Devil, demons, and in all their evil doings, is the principal flaw in the physician's case. How, asks Bodin, can Wier say that it is the Devil who does things and not the witch, since the effects cease on the death of the witch ? After all, Satan is still there ! He does not die with the witch [39]. This is an interesting argument which was subsequently turned upside down by Reginald Scot who — with yet more relentless logic — pointed out that the effects (such as bad weather, illness, and so on) patently did *not* cease at the death of a witch [40]. But Bodin's case is that, as the soul and body operate together, so do the Devil and the witch — a partnership which he illustrates by the story of the theft of fruit by a blind man and a man with no legs. On being accused by the gardener :

> L'aveugle disoit, je ne voys goutte, ny jardin, ny arbres : L'estropiat disoit, je n'ay point de jambes pour y aller : Mais le jardinier leur dit, que l'aveugle avoit porté l'estropiat, et cestuy-cy avoit guidé l'aveugle, et tous deux ensemble avoient faict ce qu'ils ne pouvoient faire separement [41].

The Devil, says Bodin, must have willing partners. And, as he frequently points out, Wier accepts that the Devil is constantly attacking men with his almost infinite repertory of deceits and illusions ; and Bodin particularly hammers Wier's absurd-ly inconsistent argument that those who practise magic should be executed — but not " les Sorcieres " [42]. Wier had himself confessed that he had seen transvections ; while " tout son livre est plein des choses advenues contre le cours et puissance de nature qu'il confesse estre faites par le moyen des malings esprits " [43]. In any case, leaving aside questions of marvels, the real problem was the need to punish those who renounce God and give themselves up to Satan : " que Wier ne peut dire estre une action impossible ". Wier's arguments are built upon a ruinous foundation,

[37] BODIN, *Démonomanie*, fol. 233.
[38] *Ibid.*, fol. 232r-v.
[39] *Ibid.*, fol. 236v.
[40] See below, p. 201.
[41] BODIN, *Démonomanie*, fols. 237v-238.
[42] *Ibid.*, fol. 241.
[43] *Ibid.*, fol. 242v.

and Bodin neatly sums up his adversary's weakness : Wier " qui veut traicter en physicien les actions des esprits, dit en mil endroicts de ses livres que les Diables vont de lieu en autre, et dit vray " [44].

The unwillingness of physicians themselves to offer a totally naturalistic explanation for psychic phenomena, and, above all, the inconsistencies of Wier's demonridden universe, made witchcraft not merely feasible, but often decidedly the most likely explanation for the extraordinary situations they describe. This position can be seen in many writers who absorbed and adapted this ambiguous medical argument. We find it, for example, in the writings of Ludwig Lavater, Noël Taillepied, and, most strikingly, in Pierre Le Loyer whose summary of this position may serve to stand for many others.

> Et comme ainsi soit que le cerveau humain soit le siege de l'imagination, de la fantaisie, et de l'intellect, et que par iceluy, et par les organs et instrumens propres, les conceptions de l'ame soient mises en evidence, et poussées au dehors, si Diable voit que le cerveau soit offensé des maladies qui luy sont particulieres, comme l'Epilepsie, ou mal caduc, la manie, la Melancholie, les fureurs lunatiques, et autres passions semblables, il prend occasion de le tourmenter d'avantage, et s'emparant du cerveau par la permission de Dieu, brouille les humeurs, dissipe les sens, captive l'intellect, occupe la fantaisie, offusque l'ame [45].

The only answer to a Bodin, and to his massive weight of authorities, was to devise a system which renders witchcraft impossible. And this was the achievement of the last writer I wish to discuss : the English sceptic, Reginald Scot [46]. Scot wrote his *Discoverie of witchcraft* in response both to the increasing pace of witchcraft persecutions in England during the 1570's, and to the increasing campaign against witches, and the debate concerning spiritual and demonic magic, on the Continent. Several factors seem to have inspired Scot's work : genuine horror at the prejudice and stupidity of the judges in witch trials ; the fatuity of the charges brought against helpless and often senile women ; the way in which, to his mind, the evidence adduced in trials was totally inadequate and unsubstantiated ; the violation of accepted legal practice ; and the fact that his own religious convictions — reinforced, paradoxically, by an extremely sceptical temperament — seemed to invalidate even the possibility of magical activity. Furthermore, Scot appreciated, as few contemporaries did, the inconsistency and gross credulity of

[44] *Ibid.*, fol. 246v.

[45] Ludwig LAVATER, *Von Gespänsten vagieren, fälen und anderen wunderbaren Dingen,* Zurich, 1569 ; English tr. by Robert HARRISON, *Of ghostes and spirites walking by nyght,* London, 1572. Noël TAILLEPIED, *Psichologie ou traité de l'apparition des Esprits,* Paris, 1588 ; English tr. by Montague SUMMERS, *A Treatise of Ghosts,* London, n.d. Pierre LE LOYER, *IIII livres des spectres,* Angers, 1586. The last work is noteworthy in that it devotes its first 250 pages to an examination of the reality, or otherwise, of spectres ; attributing many phenomena to natural causes such as defective sight or hearing, or to mental disturbance. Yet, despite all this ; despite his belief that the visits of witches to sabbats are hallucinatory ; and despite his refusal to accept the reality of Nebuchadnezzar's metamorphosis ; Le Loyer concludes that there remain real instances of spiritual manifestations. My quotation is taken from the Paris (1605) ed. of Le Loyer, p. 146.

[46] There is no adequate study of Scot who is consistently misrepresented in modern works on witchcraft. The scanty information relating to his life — brought together in Brinsley NICHOLSON's excellent edition of the *Discoverie of witchcraft,* London, 1886 : repr. 1973 — is summarised and slightly augmented in the *Dictionary of National Biography.* Nicholson reprints the first ed., London, 1584, collated with the eds. of 1651 and 1665. There have been two twentieth-century eds. of SCOT's *Discoverie* : but both lack the crucial concluding *Discourse upon divels and spirits,* and are thus worthless to the serious student of Scot's thought. All my references are to the first ed. of 1584.

the apologists for witch-hunting, and the distance between their intellectual structures and the sordid trivialities of the persecution itself.

In the preparation of his *Discoverie* Scot followed the empirical and experimental bent he had demonstrated ten years earlier in an original horticultural study, *A Perfite platforme of a Hoppe Garden* [47]. Thus, not only did he study all the major demonological and magical writings of his time ; but he also interviewed people who had been involved in witchcraft cases, and discovered that even voluntary confessions to diabolic practices should be regarded with extreme scepticism. He experimented with feats which had baffled ignorant onlookers ; and he even attempted demonic conjurations to see whether or not they really worked [48].

Scot was appalled at a situation in which every adversity was attributed to witches ; and where, though there was a retributive God in heaven, yet " certeine old women here on earth, called witches must needs be the contrivers of all mens calamities " [49]. As soon as anything goes amiss, people cry out against witches and conjurors, though it is obvious that terrible things happen just as frequently when alleged witches are absent as when they are present, " yea and continue when witches are hanged and burnt : whie then should we attribute such effect to that cause, which being taken awaie, happeneth neverthelesse ? " [50] Moreover, Scot demands, if witches can indeed accomplish such feats, why should Christ's miracles have seemed at all remarkable ? Extraordinary powers are attributed to witches by " witchmongers, papists, and poets " : yet, when we examine the matter more closely, we find that such as are said to be witches are commonly " old, lame, bleare-eied, pale, fowle, and full of wrinkles ; poore, sullen, superstitious, and papists ; or such as knowe no religion " ; and, despite the bargain they are thought to have made with the Devil, they never receive " beautie, monie, promotion, welth, worship, pleasure, honor, knowledge, learning, or anie other benefit whatsoever " [51].

It is easy, in Scot's view, to see how an old women might earn herself a reputation for maleficence. She is usually poor and reduced to beggary ; she is refused charity ; she curses first one neighbour, and then another ; till, at length, everybody has at some time incurred her displeasure and imprecations. Eventually somebody falls sick, or dies ; whereupon the ignorant suspect witchcraft, and are confirmed in this opinion by unskilful physicians who use superstition as a convenient cloak for their own ineptitude. Other misfortunes are similarly laid at the poor old woman's door ; while she, in turn, seeing her curses taking effect, believes that she has indeed wrought magic. Thus, for Scot, this kind of witch is simply the innocent victim of a chain of circumstances and superstition [52].

In addition, Scot accepts that such poor old women are frequently subject to melancholic delusions and are thus easy victims for the kind of one-sided judicial system endorsed by Bodin. The evidence of their confessions — so important for

---

[47] *A Perfite platforme of a Hoppe Garden, and necessarie instructions for the making and mayntenaunce thereof*, London, 1574. There were further editions in 1576, 1578, 1640, and 1654.
[48] *Discoverie*, pp. 309, 352, 443, 478.
[49] *Ibid.*, p. 1.
[50] *Ibid.*, p. 14.
[51] *Ibid.*, p. 7.
[52] *Ibid.*, p. 8.

the witch-hunters — is worthless. Either it has been extorted by torture ; or, if
apparently voluntary, it results from the mental illness of the accused persons.

> But these old women being daunted with authoritie, circumvented with guile,
> constrained by force, compelled by feare, induced by error, and deceived by igno-
> rance, doo fall into such rash credulitie, and are so brought unto these absurde
> confessions. Whose error of mind and blindnes of will dependeth upon the disease
> and infirmitie of nature : and therefore their actions in that case are the more to be
> borne withall ; bicause they, being destitute of reason, can have no consent. For ...
> there can be no sinne without consent, nor injurie without a mind to doo wrong.
> Yet the lawe saith further, that A purpose reteined in the mind, dooth nothing to the
> privat or publike hurt of anie man ; and much more that an impossible purpose
> is unpunishable. ... A sound mind willeth nothing but that which is possible [53].

Like his predecessors in this field, Scot cites various instances of the extraordinary delusions suffered by melancholiacs ; but, unlike his predecessors, he does
not vitiate his case by suggesting that such mental debility renders its victims easy
prey to the Devil. For Scot, the natural explanation excludes the supernatural.
If, he asks, melancholiacs can be so deluded :

> why should an old witch be thought free from such fantasies, who (as the learned
> philosophers and physicians saie) upon the stopping of their monethlie melancholike
> flux or issue of bloud, in their age must increase therein, as (through their weaknesse
> both of bodie and braine) the aptest persons to meete with such melancholike
> imaginations : with whome their imaginations remaine, even when their senses are
> gone. Which *Bodin* laboureth to disprove, therein shewing himselfe as good a
> physician, as else-where a divine [54].

Given this kind of mental sickness, continues Scot, we may well encounter confession offered voluntarily, " though it tend to the destruction of the confessor " ;
and he provides an example, from his own experience in Kent, of a woman who
had admitted to bargaining her soul with the Devil. Scot had interviewed the
husband to check the details of the story ; and he writes that the confession was
so freely given, and was so circumstantial, that " if *Bodin* were foreman of hir
inquest, he would crie ; Guiltie : & would hasten execution upon hir ". Yet, in the
event, the woman had been proven innocent. Just as in all other " strange, impossible, and incredible confessions ", the sequence of events in this case was a
combination of external factors operating upon, and exciting, " this melancholike
humor " [55].

Scot's answer to the entire problem of magical activity is the most radical
advanced in the sixteenth century. Thus, while he appreciates the scope of *natural
magic*, he denies completely the possibility either of spiritual or demonic magic.
He denies, categorically, the operation of spirits or demons in human affairs.
Indeed he virtually defines extra-terrestrial beings out of existence : either they are
purely metaphorical expressions of mysteries beyond human comprehension ; or,
more commonly, of psychological disorders and physical diseases perfectly susceptible to skilled medical treatment. For Scot, the Scriptures are simply an historic
document chronicling the events leading up to the coming of Christ, and the
events of Christ's life. The age of miracles ceased in apostolic times, and to seek
further evidence for the Faith is to imply that Christ's own deeds had been
inadequate. It follows from this that any other seemingly miraculous deeds

---

[53] *Ibid.*, p. 52.
[54] *Ibid.*, p. 42.
[55] *Ibid.*, pp. 43-45.

described in the Scriptures (when not performed by God's prophets or by Christ himself) could not possibly have been miraculous at all ; and it becomes necessary to seek non-magical explanations for stories such as the necromancy of the Witch of Endor, or the performances of Pharoah's magicians. What then was witchcraft ? Scot defines it as nothing but a cousening art :

> wherin the name of God is abused, prophaned and blasphemed, and his power attributed to a vile creature. In estimation of the vulgar people, it is a supernaturall worke, contrived betweene a corporall old woman, and a spirituall divell. The maner thereof is so secret, mysticall, and strange, that to this daie there hath never beene any credible witnes therof. It is incomprehensible to the wise, learned or faithful ; a probable matter to children, fooles, melancholike persons and papists [56].

***

I would like to offer a few observations by way of conclusion. The three writers I have just discussed seem to me especially interesting in that they offer us three fundamentally different approaches to the same problem. Wier was a physician and an experimental psychologist, groping towards a new view of mental disturbances — and especially towards an understanding of the psychopathology of old age — by the accumulation of carefully observed case histories. And here, I think, we may accept the judgement of medical historians (at least with regard to this one important aspect of Wier's work) that his clinical observations were often brilliant, and that his methods, at many points, anticipate the work of later alienists [57]. However, having said this, it must still be emphasised that Wier's clinical observations concerning melancholia and other mental disorders were very imperfectly fitted into his refutation of the witch persecution. Indeed they were not, properly speaking, integrated at all : because Wier has no system. His arguments are riddled with major inconsistencies, and thus — despite his impressive work as a clinical psychologist — his attack on witchcraft beliefs can only be described as a totally unsuccessful attempt to reconcile two sets of irreconcilable ideas.

Bodin, on the other hand, in his *Démonomanie,* seems to me to stand as the archetypal sixteenth-century thinker whose methodology is largely confined to authoritative statements drawn from the past ; and who cannot even conceive of the value of empirical observation in the field of human behaviour. Despite their appearance of intellectual rigour, his arguments are full of inconsistencies scarcely concealed by a ruthless refusal to recognise the practical consequences of an intellectual position. This is particularly evident in Bodin's advocacy of torture and of the validity of any kind of evidence in witch trials [58]. Defenders of Bodin have argued that torture was by no means unusual in sixteenth-century legal processes : and I am aware that so eminent a critic as Pierre Mesnard has suggested that Bodin was, in this respect, unusually lenient for the period [59]. But I am sorry to say that I regard such arguments as sophistries which are sufficiently refuted by a glance at the text of the *Démonomanie* itself which advocates judicial

---

[56] *Ibid.,* p. 472.

[57] For some brief, confused, but useful observations on mental illness and old age, see Sona Rosa BURSTEIN, " Aspects of the Psychopathology of Old Age Revealed in Witchcraft Cases of the Sixteenth and Seventeenth Centuries ", *The British Medical Bulletin,* VI (1949), pp. 63-72.

[58] BODIN, *Démonomanie,* Lib. IV, *passim.*

[59] P. MESNARD, " La *Démonomanie* de Jean Bodin " in *L'opera e il pensiero di G.P. della Mirandola,* Florence, 1965, pp. 333-56.

procedures so one-sided that it would have been impossible ever to find any person accused of witchcraft not-guilty. One has only to consider Bodin's accept-ance of the testimony of a condemned person — " Il se peut faire qu'elle sera veritable... que les Sorciers souvent mourir font les Sorciers : et que Dieu ruine ses ennemis par ses ennemies " — to see that with arguments such as these one can justify just about anything [60]. Thus the delusions of the elderly, the infirm, the insane, and the melancholic, present no problem for a thinker such as Bodin. He simply denies their relevance ; cites his Greek physicians, inaccurately ; and moves on.

Finally, Scot offers us a third approach to our problem : and it was a very unusual one. Unlike the majority of writers on magic, Scot was neither theologian, philosopher, lawyer, medical man, nor magus. He was a learned, independent-minded country gentleman, used to making decisions on his own initiative, and in evaluating what he read against what he observed. He waxed impatient with the manifest absurdities promulgated by erudite professionals who — it seemed from his position as a studious but pragmatic layman — advanced theories unwarranted by any evidence they had ever been able to adduce. Indeed, in his opinion, the matters upon which they discoursed could never, by their very nature, be produc-tive of evidence. Scot banished magic of every sort from his conception of human affairs ; and were it not for his leap of faith in proclaiming his acceptance of the Word of God on the very basis of the miracles contained therein, his philosophical position might aptly, if anachronistically, be described as thoroughly positivist. From such a position, there was no difficulty with Wier's diagnosis concerning melancholy. For Scot this medical explanation of why old women confessed to impossibilities was but one naturalistic argument amongst many. They were sick, and in need of medical attention and social aid. Nor were they rendered susceptible to the wiles of the Devil and his minions on account of their debilities : for there were no devils or demons ; no planetary influences ; and no supernatural proper-ties [61].

Scot's position was, in fact, more coherent and considerably more consistent than that of his hated enemy, Bodin. But in the century following the first publication of the *Discoverie of witchcraft,* there were no writers, either in England or on the Continent, who were able totally to reconcile themselves to Scot's extreme version of the double-truth ; and few were willing to subscribe to his thorough-going rejection of all magic. Unfortunately, it was only within the context of such a rejection of magic that the diagnosis of mental disease could be an effective weapon against the witchcraft persecution.

---

[60] BODIN, *Démonomanie,* fol. 193v.

[61] It is extraordinary that critics persist in treating Scot as a mere repetition of Wier. It is certainly true that Scot uses Wier both as a medical authority and as a source to undermine traditional interpretations of the Scriptures. But to write that " he accepted the arguments " of Wier ; and that, like Wier, he accepted the reality of witchcraft (TREVOR-ROPER, *op. cit.,* pp. 74-75), suggests no first-hand acquaintance whatever either with the text of the *De praesti-giis* or with that of the *Discoverie.*

Discussion

Marc'hadour. — I would like to ask what was the date of Scott's *Discovery of witchcraft* ? its date of publication ?

Anglo. — 1584.

Marc'hadour. — How is it, since it seems that some form of censorship was applied by the Anglican authorities, that something which to me amounts to a denial of the devil, a positivistic view, went through the hurdles of censorship.

Anglo. — There are two things, I think. First, it is rather easy to overestimate the power of censorship, and its effectiveness. It was not as in modern times. There was censorship certainly, but it was very haphazardly applied. Secondly, as you probably gathered from my very brief resumé of a very big book, it is strongly anti-catholic. There are two main features. In the first place, of course, there is the medical argument which he uses, as I have tried to indicate. That is one way of demolishing evidence for witchcraft. The other is to show that a good deal of what passes for witchcraft-effects, or for magic in general, is in fact *tromperie* : tricks, or counterfeit. There exist jugglers and criminals. Now catholic priests are both criminals and jugglers ; and there is a good deal about this in Scot. This material is partly drawn from Wier ; but, whereas in Wier it is rather unsystematic, in Scot it is part of his general naturalistic argument. This is so strong and so effective, and Scot's is such a very racily written book, that I imagine that the thing which struck the contemporary reader was very much more its criticism of, and polemic against, Catholicism than its destructive arguments concerning Christianity in particular and religion in general. Scot seemed, superficially, sound enough, because he said a great deal to suggest that he was himself a believer. He offers a kind of double truth. He accepts the Word of God, absolutely, and he is a biblical fundamentalist. Unfortunately, he accepts the Word of God on the basis of the very miracles contained in the Word of God. It is a completely circular argument ; and he makes a great leap of faith. Ostensibly he is a Protestant — a good sound Protestant — and the greater part of his destructive argument, concerning the Devil and demons, is contained in a separate book placed at the end of his *Discoverie* : that is the *Discourse upon devils and spirits* which is presented as a kind of appendix. Now I suspect that a good many of his contemporaries never got as far as that appendix. Almost no modern readers do ! The *Discoverie* is a very big book — a very interesting and arresting book — but all the seeming juice of it, all the more obviously exciting material, is in the main body of the work. The *Discourse upon devils and spirits* is much more difficult, much less accessible, and it is an appendix ; and I honestly believe that a lot of people really did not understand what Scot was saying. On the other hand there were those who *did* come to understand ; and he was condemned, for example, by both James I and by John Rainolds, as a Sadducee. But his immediate contemporaries were, I feel, a little bit baffled. There is, by the way, a story that James I ordered that Scot's work should be burnt. This has not been substantiated : but though there is no contemporary evidence, it is very likely to be true.

Chaput. — I would like to have some more information on one aspect that you mentioned and that seems to me especially interesting in this conference. You suggested, at the beginning of your paper, that Bodin himself could have been

mentally deranged. I would like just a comment on that. To me, it is for the first
time that this thing has been said. On the one hand, those who say that witches
suffer from melancholy you don't question their sanity ; on the other hand, Bodin
says that they are not insane, but you mentioned that he could have been mentally
deranged himself.

Anglo. — Let us go back to what I actually said. It seems to me that there has
been a lot of controversy about Bodin's demonology. Many critics of Bodin actually
find his *Démonomanie* frankly embarrassing. What I was really trying to suggest
is that the kind of arguments that he advanced in the *Démonomanie* seem to me to
be intellectually arrogant *to the point* of mental derangement. I do not say that
he was mad, or that he was a lunatic, or even an idiot of some kind. But I think
that there is a point where one can be so blind to an opponent's case, and so
convinced that one is right — that one *must* be right — that it becomes almost
a derangement. And that is actually what I meant. I find, in the *Démonomanie*,
this kind of intellectual arrogance. Coming back to your point concerning a writer
such as Wier. Well Wier is simply inconsistent. He is clearly not mad. Nor is he
intellectually arrogant. We have before us three very different approaches. Bodin,
on the whole, is consistent in his general attitude : I mean in his belief that there
is magic. Wier simply doesn't know. Wier sometimes appears to think that there
is ; and then he thinks that there is not. Some things are magically explained, and
some things are not ; but, in the main, Wier's characteristic mode of argument is
very laborious. He seeks explanations for things — which are often very obvious —
in a very long-winded way. Now as for Scot : many condemned him, once his ideas
began to be understood. When people started to realise the actual intent of his
arguments, they didn't, in fact, say that he was mad ; they merely said that he was
an atheist, and as such a person to be abhorred. But, from the point of view of
your question, I don't think that Scot approaches the derangement of extreme
intellectual arrogance. His arguments are really not expressed in that tone of self-
righteous extremism. But I really did not intend to set up a model of a rational
man as against a maniac : though there is a tendency to do this, of course. This is
certainly what has happened with Wier. People see what appear to be rationalistic
arguments in Wier, and therefore make him modern, in a way that he is not. In the
same way, many critics of Bodin have accused him of writing a " dribbling mess ".
These were Thorndike's words. The *Démonomanie* is sometimes regarded as a
work beneath contempt. Yet, of course, to his contemporaries the weight of
authorities would have appeared to have been with Bodin.

Céard. — Je voudrais poser un certain nombre de questions à M. Anglo, sans être
toujours sûr qu'il n'y ait pas déjà répondu parce que je n'ai malheureusement pas
la maladie de polyglottie et que je ne comprends pas tout. Par exemple, le problème de la preuve sur lequel vous avez apporté beaucoup d'éléments intéressants.
Wier fait une interprétation fort curieuse du texte de l'Exode : « Tu ne laisseras
pas vivre la sorcière », en indiquant que l'hébreu dit l'empoisonneuse et non pas
la sorcière. J'aimerais savoir si cette interprétation est nouvelle ou si elle a une
tradition.

Anglo. — As far as I know, Wier was the first person to appreciate the possibilities
of this argument in anything like a serious way. He was, I believe, the first person
who tried to establish that all the occasions in the Bible where something was
normally translated as " sorcière " or " zauberer " were really misinterpretations.

He sought the advice of Andreas Masius, the great Hebrew scholar, to verify all his translations, and he advanced a whole series of new interpretations to establish that, in the Scriptures, there were no witches : that there were, in fact, poisoners, jugglers, ventriloquists — everything except witches. I think that Wier *was* the first to try to use this argument in order to undermine the authority of the Scriptures which provided one of the great bases of witchcraft belief. Naturally, every defender of the witchcraft persecution would argue from the Bible that " Thou shall not suffer a witch to live " ; and so on. Wier tries to give what seem to be more naturalistic explanations of these key passages in the Scriptures. Scot follows him in this ; but he is much more systematic and he makes much more orderly a case. Whereas Wier advances an argument, and then immediately cuts the ground from under it by saying that — though there may be naturalistic explanations, and though the Scriptures have been misinterpreted — nevertheless, in a case such as that of Pharao's magicians, it was probably the Devil who rushed around and got the serpents for them. This, of course, vitiates his naturalistic explanation. Whereas Wier did this kind of thing consistently — that is advances an interpretation and then promptly undermines it — Scot says that there is *only* a naturalistic interpretation. Witches were often merely jugglers who deceived people. The Witch of Endor, for example, is another *locus classicus* usually explained by demonic activity. For Wier it was probably a demon in the guise of the dead prophet. But for Scot it was a ventriloquist. There was no demon, no dead body : merely somebody speaking without moving her lips.

Céard. — Je vous poserai mes questions en vrac et vous y répondrez dans la mesure où vous avez le temps. Une remarque d'abord : Wier traite du problème en médecin, mais va bien au-delà, dit Bodin qui le renvoie à l'examen des urines. On se demande dans quelle mesure Bodin ne met pas un pied très avant dans le terrain des médecins, — de manière intéressante, parce que ses interprétations médicales me paraissent assez largement anachroniques à l'époque où il écrit. Elles sont encore, en ce qui concerne la femme, particulièrement influencées par de vieilles étymologies : *mulier*, c'est *mollis aer* ; la *femina* est de foi... moindre, *fide minima,* etc. Par exemple, pour un problème comme celui de l'épilepsie, bien des médecins de cette époque expliquent qu'au contraire c'est une maladie qui atteint plus fréquemment les femmes que les hommes à cause de la semence qui pourrit ; les hommes, eux, ont la chance d'y échapper largement. Taxil en donne une raison que je vous livre en vous demandant pardon pour les propos peu chastes que je vais prononcer : parce que les hommes, dit-il, « ont tousjours moyen d'ejaculer à la desrobee ».

Un autre problème que j'aurais voulu poser : celui de l'illusion. Il y a dans ce débat un personnage dont vous n'avez pas eu le temps de parler, mais qui est très intéressant : c'est Thomas Erastus (Johann Lieber), dont nous disions d'ailleurs un mot hier. Erastus, qui est un personnage très important — Mersenne en a fait grand cas et le père Lenoble le définit avec raison comme un Mersenne qui a eu la malchance de ne pas connaître Galilée — maintient qu'il faut poursuivre les sorcières. Il a gardé beaucoup de l'interprétation de Wier et il estime, certes, qu'il faut être un peu fou pour se donner au diable. Mais si on interprète absolument ce propos, il faudrait dire que la folie excuse, selon toute une tradition juridique dont on nous a bien parlé. Il se livre à toute une distinction entre l'imagination et la raison en disant que ces sorcières ont certainement l'imagination corrompue : autrement, elles ne renonceraient pas Dieu — et d'ailleurs elles prétendent faire des choses qu'elles ne peuvent pas faire. Mais leur raison n'est pas atteinte, car si elle l'était, elles ne cacheraient pas leurs méfaits. Il y a là toute une distinction d'origine médicale qui est fort intéressante et qui repose sur toute une interprétation des différentes facultés de la raison principale, qui place, en gros, la raison, faculté principale, au centre, dans le « palais royal », — *in regia,* comme on appelle souvent cette partie du cerveau — l'imagination constituant le vestibule et la mémoire le cabinet. Ainsi, très nettement, la raison des sorcières, elle, demeure entière. Voilà la distinction à laquelle il est obligé de se livrer. Mais cette analyse modifie complètement le sens de l'imagination qui n'est plus seulement la faculté de former des images et de les transporter au cerveau par le jeu des espèces et des esprits...

Dernière question que j'aurais voulu vous poser : c'est sur la notion du démon telle qu'elle s'exprime à travers ce très curieux débat. Car il semble bien qu'il y ait deux traditions qui s'opposent sans cesse et qui se rencontrent en même temps : celle d'un diable qui a sa place dans le plan de Dieu, qui est un serviteur de Dieu, qui n'agit que par son congé ; puis une autre interprétation, très marquée de manichéisme, qui fait du diable un contre-Dieu.

Anglo. — These are less like questions and more like supplementary information ! And I am very interested in what you have just said. I left Erastus out partly because of the time factor, and partly because I thought that somebody else might have discussed him. With regard to your first question : I agree, and indeed tried briefly to suggest, that Bodin's medical views were out-of-date ; and Scot actually accuses Bodin of being thoroughly incompetent to advance medical opinions. Your comment on Erastus was very interesting ; though I am myself unable to say whether the particular modification he made with regard to the relationship between the reason and the imagination — in order to establish the possibility of a witch's guilt — was peculiar to him. Of course, like so many writers on witchcraft, Erastus was very confused and scarcely consistent. I am thinking, especially, of the arguments he advances, in his *Dialogues contre les sorcières,* to refute even the idea that witches always have corrupt imaginations ; for they do not dream, he says, about their ordinary affairs ; and they reply precisely enough to questions. He accepts that melancholiacs might imagine virtually anything, yet denies that there is any similarity between men who believe that their genital organs have disappeared, and women who believe that they have had intercourse with demons. He says that witches confess to such practices as taking place not merely when they are asleep but also when they are awake — as though this effectively refutes all possibility that their convictions are due to mental disease. But he does try to cover his argument by saying that, while accepting that perhaps more female witches than men are deprived of their senses — and thus believe that impossibilities occur — nonetheless, this does not prove that, when they confess to such seeming impossibilities, they are *always* so deprived of their senses. And he refutes the argument that all such beliefs in demonic intercourse are simply melancholic dreams, by pointing out that, whereas no two melancholiacs ever imagine the same thing, witches at all times and in all places confess to similar activities. He does not see, as did Scot, that this argument is susceptible to a diametrically opposed interpretation. Your last question, about the two traditions of diabolic interference in human affairs raises vast problems : and I would only like to comment here that — like so much else in the field of magic — the two traditions seem completely irreconcilable. They pose fundamental difficulties for those who, like

Bodin, and like so many other advocates of the witch persecution, seem to accept simultaneously both the culpability of the witch and magician, and the notion that, in the last resort, everything is contrived and countenanced by God. " Avec la permission de Dieu " sounds so often like an inane parrot cry ; or as an after-thought added to remind the reader — who must have forgotten in the welter of case histories and authoritative statements on diabolic activity — that there was an omnipotent God in the heavens. And again I feel that there was no satisfactory way of reconciling a Devil who could do nothing without God's express permission, and a Devil who actively works against God. The only logical solution, but one scarcely acceptable in the sixteenth century, was Scot's position that there was no Devil at all.

De Grève. — Je commencerai par vous confesser que, jusqu'à présent, je n'ai pas pratiqué la démonologie de Jean Bodin. Mais après tout le mal que vous en avez dit, je suis très intéressé, surtout après vous avoir entendu rapprocher « Narr » et « narratio ». Il ne m'est pas apparu dans les réponses que vous avez fournies, si cette espèce de « comportement démentiel » de Bodin appartient au domaine de sa réflexion personnelle, c'est-à-dire au domaine de ses idées et de son raisonne-ment, ou bien au niveau de l'*expression* de ses idées. Certes, le fait que vous avez utilisé le terme d'arrogance me fait incliner vers la deuxième explication. S'il en est ainsi, je me précipite dans la démonologie de Jean Bodin.

Anglo. — It was in the second sense that I intented this. This, of course, is a rather personal reaction. But I think that one could demonstrate its validity, simply by analysing Bodin's arguments at length.

*
**

Gerlo. — Mesdames et Messieurs, sans vouloir surestimer l'importance de ce que nous avons fait, je crois pouvoir dire que le 5e colloque international organisé par l'Institut Interuniversitaire pour l'étude de la Renaissance et de l'Humanisme de Bruxelles a été un réel succès. Je voudrais souligner son caractère éminemment international. Les communications ont été présentées par des professeurs et cher-cheurs venant des Etats-Unis d'Amérique, d'Italie, de France, de Grande-Bretagne et de Belgique. Parmi les participants, d'autres pays étaient représentés, et notam-ment les Pays-Bas, la Pologne, la Suisse et le Canada. Les Actes prouveront, je crois, que nos travaux constituent un ensemble valable, pourtant très vivant, très varié.

Je terminerai par des remerciements. Je voudrais remercier tous ceux qui ont bien voulu s'embarquer dans notre nef : tout d'abord, les conférenciers, ensuite, tous les participants, pour leur patience et leur active collaboration. Je voudrais également exprimer ma gratitude à mon cher collègue Claude Backvis, qui a bien voulu présider deux longues séances de travail, et enfin à nos collaboratrices de l'Institut, qui ont pris sur elles l'organisation matérielle de ce colloque.

Mesdames, Messieurs, nous avons commémoré cette année le 500e anniversaire de la parution du livre imprimé, aussi bien aux Pays-Bas qu'en Belgique. Vous aurez constaté avec moi que l'imprimerie à ses débuts a été présente dans presque toutes les communications, de même que le livre imprimé illustré. Nous essaierons de tirer profit de cette circonstance lorsque nous publierons notre recueil.

Il y a eu un absent, et cela nous l'avons voulu ; c'est l'homme que nous avons commémoré il y a peu en Belgique, en France, un peu partout dans le monde, l'homme qui a écrit le livre le plus célèbre consacré à la folie. Je vais donc me permettre de faire appel à lui pour clôturer notre colloque, en citant les paroles au moyen desquelles la Folie prend congé de ses auditeurs :

> Je vois que vous attendez une péroraison ; mais vous êtes bien fous si vous croyez que je me rappelle un seul mot de tout le fatras que je vous ai débité. Un vieil adage dit : « Je hais le convive qui a de la mémoire. » En voici un nouveau : « Je hais l'auditeur qui se souvient. » Par conséquent, portez-vous bien, applaudissez, vivez, buvez, illustres adeptes de la Folie.

Charpentier. — Monsieur le Recteur, mes chers collègues, je me fais le porte-parole des participants de ce colloque (qui m'en ont priée), pour remercier les organisateurs, en tout premier lieu M. le Recteur Gerlo qui a eu la lourde tâche de lui donner corps, les conférenciers dont certains sont venus de fort loin pour nous apporter leur savoir et leurs réflexions, sans oublier celles qui ont assumé les ingrates tâches matérielles de secrétaire, et parfois les étudiants qui ont prêté la main à la manipulation des appareils. Je peux apporter ici le témoignage du « Huron », puisque c'est la première fois que j'assiste à ce colloque : j'ai été frappée par le très haut niveau des communications et des débats. Je dois aussi dire ma satisfaction de voir se dessiner des contradictions, des tensions grâce à quoi cet Institut n'est pas le lieu d'encensement dévôt d'une chose morte qui s'appellerait la Renaissance, mais celui d'une recherche dynamique et féconde.

INDEX NOMINUM

Nous donnons dans ce registre les noms des personnes et des villes mentionnés dans les textes des communications, ainsi que les titres d'ouvrages concernant la folie. Les noms d'auteurs signalés en notes n'ont pas été repris dans l'index, pas plus que les noms propres repris dans les citations qui figurent dans le texte.

A

Agrippa, Cornelius, 110, 151, 214
Ajax, 139
Albert le Grand, 117
Alberti, Leon Battista, 13, 109, 183, 184
Alcina (île d'), 173, 190 ; (Palais d'), 195
Alcine, 172, 174-178
Alexis, Léon, *voir* Bérulle
Allard, Carolus, 84, 85
Allemagne, 111, 119, 159, 206, 207
Allgaü, 204
Alost (Collège d'), 66
Alpes, 110
Alsace, 203, 204, 207
Amadis, 166, 167
Ambianus, Fernelius, 145
Amsterdam (Rijksmuseum), 78, 80, 82
Andéli, Henri d', 111
Angleterre, 151, 159
Anglo, Sydney, 126, 209-227
Angoulevent, 61
Antibes, 59
Anvers, 42, 51
Argentré, B. d', 36
Ariosto, 162, 172-176, 178-180, 184-188, 190, 196
Aristote, 111, 139, 142, 144, 162, 163, 170, 212
Arma, J.-Fr., 131, 133
Armide (îles d'), 172
Artaud, Antonin, 149
Aubigné, d', 64
Augustin (saint), 210, 212
Avicenne, 130, 141, 144
Avignon, 59

B

Babillard, Jean, 85
Backvis, Claude, 40, 72, 144, 145, 196
Badius Ascensius, 112-114, 119-127
Baïf, Lazare de, 155
Balduinus, 121
Bâle, 112, 202
Balmas, Enéa, 103, 106, 107
Balsac, Robert de, 125

Barclay, Alexander, 124
Baron, 11
Bartole, 58
Basset le Jeune, N., 93
Baudeau de Somaize, 93
Bayeux (Musée de), 81
Bébé, 73
Béda, 62
Ballsalre, 72
Belleau, 104, 106
Bellérophon, 139
Benedicti, 142
Berni, Francesco, 150
Béroalde, 65
Bérulle, cardinal de, 142
Boaistuau, 141, 151
Boccace, 71, 72
Bodin, Jean, 27-31, 37-40, 129, 209-222
Boèce, 12
Boerius, 31
Bois-le-Duc, 42
Boisrobert, 68
Bonhomme, Jacques, 64, 202
Bonicatti, Maurizio, 11-26, 48, 49, 115-118, 126
Borderie, Bertrand de la, 151
Borges, Jorge Luis, 168
Bosch, Jérôme, 10, 41-52, 78-81, 110-112, 115-117
Both, Jan ou Andries, 88
Boucher, J., 60
Bouchet, G., 55, 65
Boudan, A., 90, 91
Bourbon, cardinal de, 60, 64
Bourgogne, 32 ; (Cour de), 19
Bowen, Barbara, 103
Brabant, 42
Brabant, Hyacinthe, 37, 38, 48, 69, 75-98
Bradamante, 190
Brant, Sébastien, 9, 10, 20, 46, 62, 106, 110, 119-127, 198, 200, 206
Brantôme, 57, 59-62, 65, 66, 70
Bray, Jean Théodore De, 82
Breughel ou Bruegel, Pierre, 10, 41-52, 88, 111, 112, 114, 115
Breughel ou Bruegel, Pierre l'Ancien, 51, 79-81, 85, 110, 113, 118, 125